Śpij, kochanie, śpij

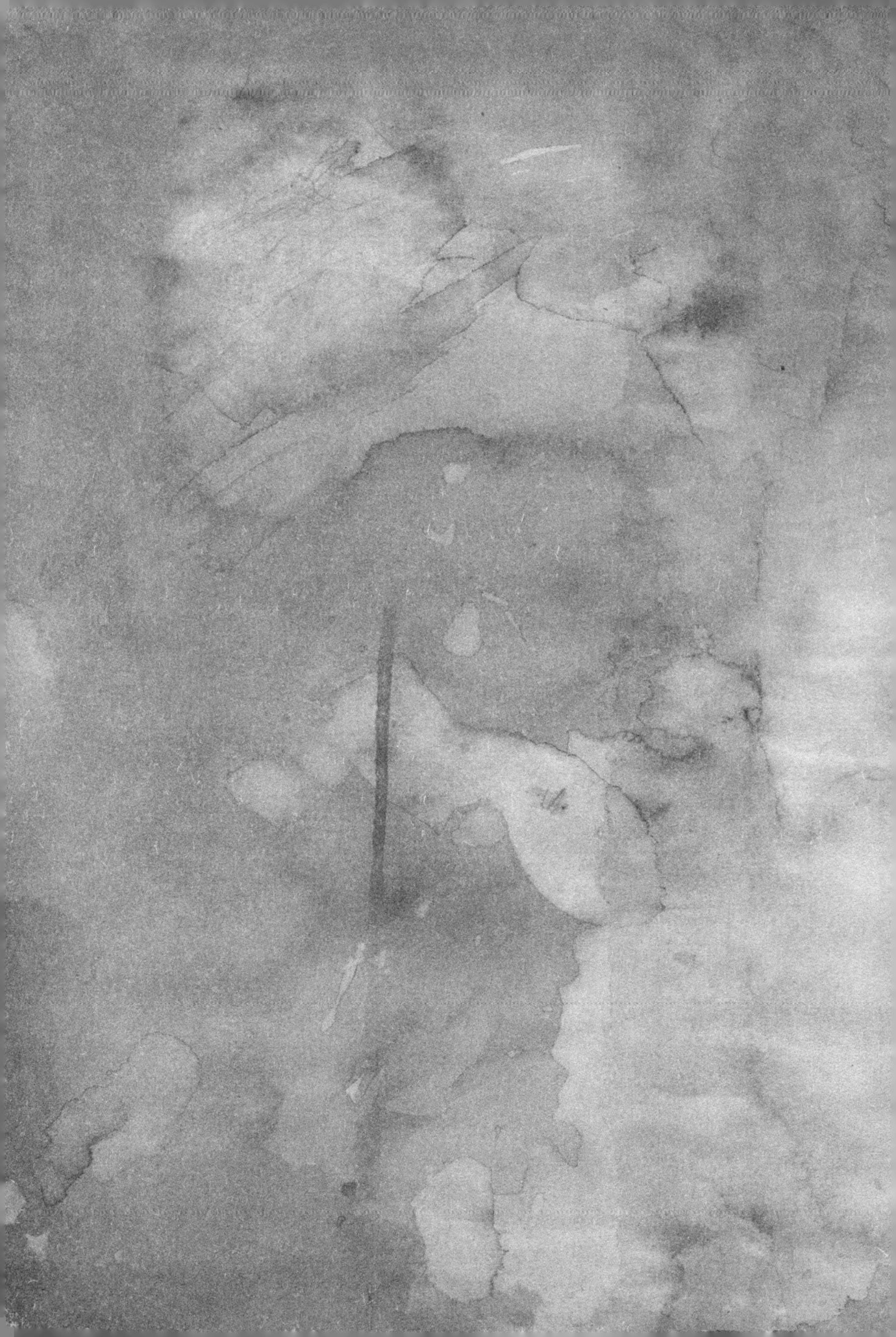

JOANNE

HARRIS

Śpij, kochanie, śpij

Przełożyła
Agnieszka Barbara Ciepłowska

Prószyński i S-ka

Tytuł oryginału
SLEEP,. PALE SISTER

Projekt okładki
Piotr Cieśliński

Redaktor prowadzący
Renata Smolińska

Redakcja
Łucja Grudzińska

Korekta
Grażyna Nawrocka

Łamanie
Ewa Wójcik

ISBN 978-83-7648-252-1

Warszawa 2009

Wydawca
Prószyński Media Sp. z o.o.
02-651 Warszawa, ul. Garażowa 7
www.proszynski.pl

Druk i oprawa
ABEDIK S.A.
61-311 Poznań, ul. Ługańska 1

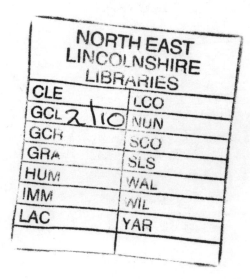

Kevinowi ponownie

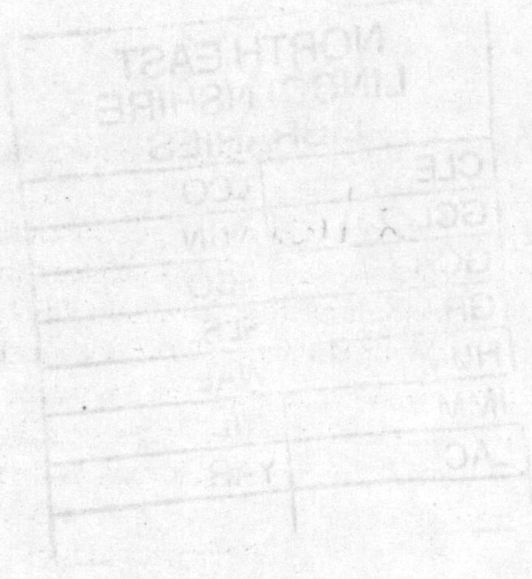

Od autorki

Trudno coś na nowo ożywić. A obumarłe książki wymagają szczególnej ostrożności, bo na jeden szczerozłoty skarb przypada sto kufrów pełnych tombaku, mamiących niebacznego poszukiwacza. Właśnie dlatego przez minione dziesięć lat traktowałam „Śpij, kochanie, śpij" jak relikt minionego czasu. W upalne lato 1993 roku urodziła się moja córka i została wydana ta powieść. Pierwsza stała się dla mnie całym światem, druga natychmiast straciła jakiekolwiek znaczenie. Nie mogło być inaczej. Z dnia na dzień zmieniłam podejście do życia, stałam się kimś innym. Myśl o wydaniu książki przestała być najważniejsza. Minęło dziesięć lat, nakład został dawno wyczerpany, a ja nawet nie otworzyłam egzemplarza autorskiego. Rzadko w ogóle myślałam o tej powieści.

Tymczasem inni o niej pamiętali. I czytali. A między nimi byli księgarze oraz fani. Ten i ów chciał sprawdzić, jakim to sposobem autorka „Czekolady" przeszła od brytyjskich mroków epoki wiktoriańskiej do francuskiego obżarstwa. Zasypały mnie pytania o możliwość kupienia powieści. Kilkaset egzemplarzy książki, dostępnych jeszcze przez jakiś czas na amazon.com, zniknęło nie wiedzieć kiedy. Wydawnictwo było bombardowane prośbami o dodruk. W końcu postanowiliśmy ulec. Podredagowałam pierwotny tekst. Może powinnam była zrobić więcej, ale szybko się zorientowałam, że całość jest stanowczo zbyt krucha, by dokonywać radykalnych zmian, i ograniczyłam się do korekty błędów. Uświadomiłam też sobie z niejakim zaskoczeniem, że nadal mi się ta opowieść podoba i lubię jej bohaterów. Najwyraźniej książka jednak nie umarła, jedynie głęboko zasnęła. Cieszę się, że zyskała drugą szansę zaistnienia.

Prolog

Rękopis z majątku Henry'ego Paula Chestera

styczeń 1881

Gdy spoglądam na litery układające się w moje imię oraz na dalsze znaki, tonę w czarnej otchłani. Zupełnie jakbym nie był Henrym Chesterem, malarzem, którego dzieła dwukrotnie wystawiano w Royal Academy, lecz wypaczonym tworem chorej wyobraźni. Korkiem zatykającym flaszkę z dżinem, ze złym duchem, uosobieniem subtelnej niechęci, która przenika mnie na wskroś i przenosi do świata zuchwałych przygód, gdzie szukam swojego bladego i struchlałego wizerunku.

Złemu duchowi na imię chloral. Jest mrocznym towarzyszem godzin snu, czułym kompanem w sypialni. Stał się dokuczliwy, lecz jesteśmy razem zbyt długo, żebyśmy mogli się rozstać. Razem piszemy. Tylko czasu mi brak! Już teraz, gdy ostatnie pasma dnia gasną za horyzontem, wydaje mi się, że w ciemnym kącie pokoju szeleszczą skrzydła czarnego anioła. On czeka cierpliwie, lecz anielska cierpliwość także ma swoje granice.

Bóg, najzmyślniejszy kat i oprawca, raczy dać mi jeszcze nieco czasu, bym spisał opowieść, którą zabiorę ze sobą do lodowatej celi pod ziemią... choć z pewnością nie jest tam zimniej niż w tym ciele, w którym zamieszkałem, w tej ziejącej pustką duszy. Och, jakże zazdrosny jest Bóg! I bezlitosny, jak tylko pozbawiona litości może być istota nieśmiertelna. Gdy wzywałem Jego imię, cierpiąc w upokorzeniu, uśmiechał się do mnie i odpowiadał tymi samymi słowami, które skierował do Mojżesza z płonącego krzewu: „Jestem, który jestem". W Jego chłodnym spojrzeniu nie znajdziesz śladu współczucia. Nie widać w nim szansy uzyskania odkupienia, próżno by szukać groźby kary – jest tylko obojętność. I obietnica zapomnienia. Jakże ja za nim tęsknię! Pragnę wsiąknąć w ziemię, by nawet owo wszystkowidzące spojrzenie mnie nie odnalazło... Chociaż równocześnie dziecko, które się kryje w mojej duszy, płacze ze strachu przed ciemnością, a moje biedne, pomarszczone ciało błaga o jeszcze odrobinę czasu. Jeszcze nie teraz... jeszcze jedna opowieść, jeszcze jedna rozgrywka.

Czarny anioł stawia kosę przy drzwiach i siada ze mną, to już ostatnie rozdanie.

Nie powinienem pisać po zmroku. Nocą słowa niosą fałsz, budzą lęk. Ale też właśnie wtedy mają największą siłę. Szeherezada nocami snuła tysiąc i jedną opowieść, a każda z nich stawała się drzwiami, przez które żona szacha ciągle na nowo umykała śmierci tropiącej ją krok w krok. Mądra niewiasta znała potęgę słów. Gdybym nie zarzucił pogoni za kobietą doskonałą, powinienem się udać na poszukiwanie Szeherezady – istoty smukłej i wiotkiej, o cerze barwy chińskiej herbaty. Oczy ma czarne jak noc, chodzi boso, butna poganka, nieskrępowana moralnością ani poczuciem wstydu. A przy tym jest chytra jak lis; toczy bój ze śmiercią i wygrywa bitwę za bitwą, wciąż na nowo znajdując siły, by jej okrutny mąż co noc spotkał nową Szeherezadę, nieznajomą, która znika, gdy wstaje słońce. Co rano władca budzi się i widzi ją w świetle dnia bladą i cichą. Poprzysięga sobie, że nie da się więcej omotać, lecz gdy tylko zapada zmierzch, kobieta znowu rozsnuwa pajęczą sieć opowieści, a małżonek myśli: Jeszcze tylko jedna noc...

Dziś ja jestem Szeherezadą.

PUSTELNIK

1

Nie patrz na mnie w ten sposób, to nie do zniesienia! Myślisz o tym, jak bardzo się zmieniłem. Widzisz na obrazie młodego mężczyznę o gładkim czole, ciemnych lokach i śmiałym spojrzeniu. Zastanawiasz się, jakim cudem to ja. Śmiały rys szczęki, wysokie kości policzkowe. Długie, lekko szpiczaste palce u dłoni zdają się sugerować domieszkę egzotycznej krwi, choć rodowód angielski nie ulega wątpliwości. Tak wyglądałem, gdy miałem lat trzydzieści dziewięć. Przyjrzyj mi się uważnie i zapamiętaj. To mógłbyś być ty.

Mój ojciec pełnił funkcję pastora pod Oxfordem, matka była córką bogatego właściciela ziemskiego z Oxfordshire. Dzieciństwo upłynęło mi bez wstrząsów, w bezpiecznej, sielskiej atmosferze. Pamiętam niedzielne wyprawy do kościoła, śpiewanie w chórze, tęczowe światło spływające z witraży na białe komże chórzystów jak deszcz barwnych płatków.

Czarny anioł porusza się nieznacznie, w jego oczach dostrzegam bezlitosną wiedzę, jaką znam ze wzroku Boga. Nie czas na nostalgię, Henry Paulu Chesterze. On ma dostać prawdę, nie wymysły. Chcesz zwodzić Boga?

Nie do wiary, że nadal kusi mnie oszustwo! Mnie, człowieka, który żył w fałszu przez lat czterdzieści z okładem. Prawda jest gorzka. Nie chcę jej przy tym ostatnim spotkaniu.

A przecież jestem, który jestem. Po raz pierwszy ośmielam się odnieść do siebie boskie słowa. I nie jest to przesłodzony fikcyjny wizerunek. Oto Henry Chester. Możesz mnie surowo osądzać, jeśli chcesz. Jestem, który jestem.

Oczywiście nie było idyllicznego dzieciństwa. Najmłodszych lat nie pamiętam wcale, wspomnienia sięgają mniej więcej ósmego, może siódmego roku życia, są nieczyste, zbrukane. Już wtedy wiedziałem, że gdzieś we mnie wzrasta podły gad. Nie przypominam sobie czasu, gdy nie byłem świadomy swojej winy, gdy nie wiedziałem o grzechu. Nie mogła go ukryć żadna komża, choćby śnieżnobiała. Napełniał mnie nikczemnymi myślami, kazał się śmiać w kościele, okłamywać ojca i krzyżować palce za plecami, żeby nie ponosić za łgarstwa odpowiedzialności.

W moim domu rodzinnym w każdym pomieszczeniu wisiała makata, dzieło matki. Na wszystkich znajdowały się cytaty z Biblii. Jeszcze teraz mam je przed oczyma, zwłaszcza tę z mojego pokoju, ostrą plamę na białej ścianie naprzeciwko łóżka. „Jestem, który jestem". Przez kolejne lata dzieciństwa, w chwilach spokoju i kontemplacji samotnych występków, dzień w dzień patrzyłem na tę makatę. A czasem we śnie wypłakiwałem sobie oczy przez straszną obojętność Boga. I zawsze otrzymywałem ten sam przekaz, wyryty już na wieki w mojej pamięci zawiłym deseniem. „Jestem, który jestem".

Ojciec był człowiekiem bogobojnym, a dla mnie bardziej przerażającym niż sam Bóg. Oczy miał smoliście czarne, głęboko osadzone i potrafił przejrzeć mnie na wylot, zaglądnąć w każdy zakątek mojej grzesznej duszy. Osądzał był tak samo nielitościwie i obojętnie jak Stwórca, nieskażony ludzką wrażliwością. Wszystkie ciepłe uczucia przelał na kolekcję mechanicznych zabawek. Był poniekąd antykwariuszem, cały jeden pokój zajmowały jego bogate zbiory obejmujące całą gamę najróżniejszych przedmiotów, od najprostszych drewnianych figur działających na zasadzie przeciwwagi, po bajecznie precyzyjne chińskie organy z setką podskakujących karłów.

Mnie, rzecz jasna, nie wolno było niczego dotknąć, przedmioty miały zbyt wielką wartość, żeby je oddać w ręce dziecka. A mimo to doskonale pamiętam tańczącą Kolombinę. Była to lalka nieomal wielkości trzyletniego dziecka, zrobiona ze szlachetnej porcelany. Któregoś razu, w rzadkim momencie familiarności, ojciec zdradził mi, że została stworzona przez ślepego francuskiego rzemieślnika w dekadenckich latach jeszcze przed rewolucją. Muskając dłonią lalczyny policzek bez skazy, opowiedział mi jej historię. Kolombina z początku należała do rozpuszczonego królewskiego bastarda. W czasie rewolucji, gdy z karków spadały głowy i niewinnych, i bezbożników, została samotna, porzucona między gnijącymi brokatami. Stamtąd ją zabrała jakaś żebraczka, uratowała rzemieślnicze cudeńko przed prymitywnymi sankiulotami. Dziecko tej nieszczęsnej umarło z głodu, więc Kolombinę tuliła do snu i jej śpiewała kołysanki. W końcu samotną, przymierającą głodem wariatkę zabrali do azylu. Tam zmarła.

Kolombina przetrwała. W roku moich narodzin trafiła do paryskiego antykwariatu. Mój ojciec, który akurat wracał z Lourdes, zakochał się w niej od pierwszego wejrzenia, choć zaniedbana i niewłaściwie traktowana oczy miała zapadnięte w głąb głowy, a jedwabną suknię przeżartą zgnilizną. Nakręcił ją kluczem umieszczonym w dolnej części pleców zabawki. Zaczęła się poruszać – z początku sztywno, potem coraz płynniej, z nadludzką precyzją unosząc ramiona, kłaniając się w pas, zginając kolana, ukazując pulchne krągłości porcelanowych łydek pod zwiewną spódnicą. Natychmiast ją kupił. Po długich miesiącach starannej renowacji odzyskała urodę i w końcu zasiadła w całym przepychu białych i błękitnych atłasów jako część kolekcji mojego ojca, między indyjską pozytywką a perskim klaunem.

Mnie nigdy nie pozwolono jej nakręcić. Czasami, gdy leżałem rozbudzony w środku nocy, dobiegały mnie zza zamkniętych drzwi ledwo słyszalne nuty, ciche, intymne, prawie zmysłowe... Oczyma wyobraźni widziałem ojca w koszuli nocnej, z tańczącą Kolombiną w rękach. Obraz absurdalnie fascynujący. Nie potrafiłem uwolnić się od domysłów: Jak ją trzymał? Czy miał czelność wsuwać dłonie pod spienioną koronkę halek...?

Matkę widywałem rzadko. Zwykle była niedysponowana i wiele czasu spędzała w swoim pokoju, do którego ja wstęp miałem wzbroniony. Pozostawała dla mnie czarowną zagadką o ciemnych włosach i fiołkowych oczach. Gdy któregoś dnia zerknąłem ukradkiem do tajemniczego wnętrza buduaru, ujrzałem zwierciadło, klejnoty, apaszki oraz urokliwe suknie, rozłożone na łóżku. Wszystko spowijała woń jaśminu, aromat mojej matki, spływający na mnie, gdy pochylała się, by mnie pocałować na dobranoc, zapach jej prześcieradeł i ręczników, które przytulałem do twarzy, gdy służąca suszyła je na sznurkach.

Wiedziałem od niani, że moja matka była pięknością. Wyszła za mąż wbrew woli rodziców, a co za tym idzie, nie utrzymywała kontaktu z rodziną. Może właśnie dlatego dostrzegałem w jej wzroku nutkę pogardy, może to była przyczyna, dla której najwyraźniej nie chciała mnie przytulać, a nawet dotykać. Wyidealizowałem ją. Zdawała się górować nade mną nieskończenie, była tak delikatna i czysta, że przytłoczony własną niedoskonałością nie potrafiłem wyrazić swego uwielbienia. Nigdy matki nie obwiniałem za czyny, których przez nią dokonałem. Długie lata przeklinałem własne robaczywe serce – podobnie jak Adam obwiniał węża za grzech Ewy.

Miałem dwanaście lat. Jeszcze śpiewałem w chórze, lecz mój głos już osiągnął tę nieomal nadludzką czystość tonu, która wieści koniec dzieciństwa. Był sierpień, kończyło się piękne lato, czas marzeń i zmysłowych woni. Bawiłem się z przyjaciółmi w ogrodzie. Było mi gorąco i chciało mi się pić. Włosy miałem sztywne od brudu, jak u dzikusa, spodnie na kolanach powalane trawą. Wślizgnąłem się do domu po cichu – chciałem zmienić ubranie, zanim niania mnie zobaczy.

Budynek ział pustką, tylko w kuchni pracowała służąca. Ojciec w kościele przygotowywał się do wieczornej mszy, matka spacerowała nad rzeką. Biegiem pokonałem schody prowadzące na piętro. Pędząc do siebie, spostrzegłem, że drzwi pokoju matki są uchylone. Pamiętam, stałem, przyglądając się porcelanowej gałce, białej, malowanej w niebieskie kwiaty. Z chłodnego półmroku wypływał zapach jaśminu. Nieomal wbrew sobie podszedłem bliżej i zerknąłem zza framugi. Nikogo. Obejrzałem się przez ramię i zdusiwszy poczucie winy, pchnąłem drzwi. Wytłumaczyłem sobie, bez odrobiny fałszu, że skoro nie były zamknięte, trudno mnie obarczyć winą za łamanie zakazu. Po raz pierwszy w życiu znalazłem się sam w sypialni matki.

Jakiś czas wystarczyło mi patrzenie na rzędy flaszeczek i błyskotek przy lustrze toaletki, potem ośmieliłem się dotknąć jedwabnej apaszki, następnie koronki negliżu, gazy jakiejś halki. Zafascynowały mnie kobiece drobiazgi, tajemnicze buteleczki, fiolki i słoiczki, grzebienie i szczotki, na których tu i ówdzie pozostał włos. Wydawało mi się, że pokój nieomal stał się moją matką, przesiąknięty jej istotą. Gdybym zdołał wchłonąć esencję tego wnętrza, wiedziałbym, jak jej powiedzieć o swojej miłości, jakich użyć słów, by mnie zrozumiała.

Sięgając do odbicia w lustrze, strąciłem którąś buteleczkę. W powietrze buchnął zapach jaśminu i kapryfolium. Niezdarnie próbowałem szybko naprawić szkodę i rozsypałem puder na blacie toaletki, ale zapach perfum tak dziwnie podziałał mi na nerwy, żc zamiast poczuć strach, tylko zaśmiałem się pod nosem. Matka ze spaceru wróci nieprędko, ojciec z kościoła także. Co komu zaszkodzi, że się rozejrzę? Ogarnęło mnie podniecenie, poczucie władzy. Przypatrywałem się rzeczom matki pod jej nieobecność. Bursztynowy naszyjnik połyskiwał w półmroku, przyzywał mnie i nie zdołałem mu się oprzeć. Wziąłem go w rękę, wiedziony impulsem włożyłem na szyję. Na wpół przezroczysta, leciutka jak mgiełka apaszka musnęła mi ramię. Podniosłem ją do warg.

Po raz pierwszy w życiu zaczęło we mnie narastać przedziwne, fascynujące uczucie, całe ciało opanowało mrowienie, skupiające się coraz silniej w miejscu ogromnego napięcia, które obudziło w moim umyśle na wpół rozpoznane obrazy zmysłowości. Chciałem siebie przekonać, że przyczyną mojego niezwyczajnego zachowania jest ten pokój. Apaszka wyraźnie chciała owinąć się czule wokół mojej szyi, bransolety same wsunęły mi się na rękę. Ściągnąłem koszulę, spojrzałem na siebie w lustrze i niewiele myśląc, zdjąłem spodnie. Na łóżku leżał negliż z prześwitującego jedwabiu, obszyty pianą koronki. Otuliłem się delikatną tkaniną, gładziłem ją i pieściłem, wyobrażając sobie, że muskam gładką skórę mojej matki, mając przed oczyma jej obraz...

Ogarnęła mnie słabość, byłem zdezorientowany, magia rozlanych perfum objęła mnie niewidzialnymi ramionami sukubów... słyszałem trzepotanie ich skrzydeł. Właśnie wtedy uświadomiłem sobie, że jestem diabelskim nasieniem. Jakiś nieludzki zmysł kazał mi robić swoje. Choć wiedziałem, że postępuję źle, że popełniam śmiertelny grzech, nie czułem się winny. Poczucie nieśmiertelności obdarzyło mnie bezkarnością. Moje dłonie opanowane szatańską mądrością zwijały apaszkę, wiązały na niej supły, z całej siły ściskały negliż.

Podrygiwałem w szaleńczym tańcu ekstatycznej radości, aż nagle zamarłem, zmrożony wzniosłym paraliżem, zgiąłem się wpół, ścięty mocą rozkoszy, jakiej nie umiałbym sobie wyobrazić. Na krótką chwilę wystrzeliłem ponad chmury, wyżej niż sam Bóg... a potem spadłem niczym Lucyfer. Znów byłem chłopcem. Leżałem na dywanie, na zgniecionym, podartym jedwabnym negliżu, ozdobiony błyskotkami – groteskowymi na moich kościstych rękach.

Nastał moment obojętności wypływającej z odurzenia. A potem niczym ołowiany ciężar spadła na mnie świadomość popełnionych czynów. Krzyknąłem histerycznie, rozdygotany wciągnąłem na siebie ubranie. Kolana się pode mną uginały. Zniszczoną zwiewną bieliznę zwinąłem w kłębek, wepchnąłem pod koszulę. Chwyciłem buty i wybiegłem, popędziłem do swojego pokoju. Tam ukryłem negliż w kominie, za obluzowanym kamieniem, zdecydowany wydać tkaninę na pastwę płomieni, gdy tylko niańka rozpali ogień.

Nieco spokojniejszy obmyłem twarz chłodną wodą, przebrałem się i położyłem na kilka minut, próbując opanować drżenie. Ogarnęła mnie dziwna ulga. Oto nie zostałem przyłapany na gorącym uczynku. Strach i poczucie winy przeszły metamorfozę. Szybowałem na skrzydłach radości, bo nawet jeśli zostanę ukarany za wtargnięcie do buduaru matki, o najgorszym nikt nigdy się nie dowie. Pozostanie to moim sekretem, będę go ukrywał w sercu jak uśpionego węża. Rósł on we mnie, rósł ze mną, wzrastał w siłę przez całe życie, także i teraz potężnieje.

Oczywiście moje wybryki nie pozostały niezauważone. Wydał mnie rozsypany puder i rozlane perfumy, a także zniknięcie jedwabnej bielizny. W tej kwestii przyznałem się ojcu. Powiedziałem, że do pokoju matki zawiodła mnie ciekawość, w swojej niezdarności nastąpiłem na koronkę i ją oddarłem, więc by uniknąć odpowiedzialności, wrzuciłem negliż do stawu. Uwierzył mi, nawet pochwalił szczerość i uczciwość, czym do łez rozśmieszył tkwiącego we mnie diabła. Za bezmyślne postępki dostałem lanie, które wcale nie przygasiło we mnie ulgi ani podekscytowania. Ojciec nagle przestał być wszechpotężny. Zwiądł i skarlał. Oszukałem go, okłamałem, przechytrzyłem, a on niczego się nie domyślił. Możliwe, że matka coś odgadła, bo raz czy drugi pochwyciłem jej trudne do wytłumaczenia spojrzenie, ale nigdy nie poruszyła ze mną tematu tamtego incydentu i wkrótce wszyscy o nim zapomnieli.

W końcu jednak nie spaliłem negliżu, ukrytego w kominie. Czasami, gdy byłem sam, wyjmowałem go ze schowka i gładziłem jedwab. Po latach dotyk i dym zmieniły szlachetną tkaninę w kruchy pobrązowiały pergamin, który wreszcie się rozpadł, przemienił w garstkę jesiennych liści.

* * *

Matka zmarła, gdy miałem czternaście lat, dwa lata po urodzeniu mojego brata Williama. Pamiętam, jak jej cudny pokój został przekształcony w izbę chorych, potem odnajduję w pamięci ciężkie wieńce na każdym meblu. Była blada i krucha, lecz piękna do samego końca.

Ojciec towarzyszył jej stale, twarz miał nieprzeniknioną. Któregoś dnia, mijając drzwi, usłyszałem zza nich rozpaczliwy szloch. Usta same ułożyły mi się w drwiący uśmiech. Byłem dumny, że nic nie czułem.

Pochowana została na przykościelnym cmentarzu, tuż obok wejścia do świątyni, by ojciec widział grób, witając parafian. Często przemyśliwałem nad tym, jak to się stało, że srogi, bogobojny mężczyzna poślubił tak delikatną i wrażliwą istotę. Przypuszczenie, iż mogła nim kierować namiętność, budziło we mnie dziwaczny niepokój, więc odsuwałem od siebie podobne myśli.

Ojca straciłem, mając dwadzieścia pięć lat. Akurat odbywałem *Grand Tour*, toteż dowiedziałem się o wszystkim po fakcie. Ponoć zimą zapadł na przeziębienie. Nie podjął odpowiednich środków, kazał palić w kominkach jedynie w najsroższe mrozy, odmówił leżenia w łóżku, aż któregoś dnia w kościele zemdlał. Wtedy wdała się gorączka. Zmarł, nie odzyskawszy przytomności. Został mi po nim całkiem spory majątek i niejasne poczucie, że teraz, po śmierci, będzie bacznie obserwował każdy mój ruch.

Przeprowadziłem się do Londynu. Odkryłem w sobie niejaki talent malarski, chciałem zostać artystą. W stolicy szybko trafiłem do British Museum oraz Royal Academy, natychmiast zakochałem się w sztuce. Postanowiłem wyrobić sobie nazwisko. Wynająłem studio w Kennington i pięć lat poświęciłem na stworzenie odpowiedniej liczby prac, umożliwiającej otwarcie własnej wystawy. Najczęściej malowałem portrety alegoryczne, pełnymi garściami czerpiąc z Szekspira i mitologii klasycznej. Używałem głównie farb olejnych, najodpowiedniejszych przy drobiazgowej pracy, która najbardziej mi odpowiadała. Jeden z gości, którzy zaglądali niekiedy, by obejrzeć moje płótna, powiedział, że są prawdziwie prerafaelickie, czym sprawił mi ogromną przyjemność. Od tamtego czasu dokładałem starań, by podkreślać tę zbieżność, nawet poprzez tematy wybierane z poezji Rossettiego, chociaż czułem, iż twórca ten, jako mężczyzna, jest bardzo daleki od ideału.

Największym kłopotem okazało się znajdowanie odpowiednich modelek; w Londynie miałem niewielu przyjaciół, a po żenujących doświadczeniach w pobliżu Haymarket straciłem śmiałość, by kobietom tego autoramentu oferować pracę. Nie interesowało mnie malowanie mężczyzn, bo w formie kobiecej znajdowałem więcej poezji. Zwłaszcza w pewnym, konkretnym typie urody. Dałem ogłoszenie w „Timesie", jednak spośród dwudziestu z okładem kandydatek zaledwie jedna, może dwie okazały się niebrzydkie, a żadnej nie sposób było nazwać kobietą przyzwoitą. Tak czy inaczej, póki nie otwierały prostackich ust, starałem się nie uskarżać. Dopiero później, wracając pamięcią do swoich najwcześniejszych dzieł, z trudem dawałem wiarę własnym wspomnieniom, że „Julia" o eterycznej twarzy miała panieńskie dziecko, a niewinny „Kopciuszek" nie rozstawał się z butelką ginu. Dowiedziałem się w tamtym czasie o kobietach więcej, niżbym chciał. Słuchając ich niemoralnych słów, poznając brudne myśli, nienawidziłem swych modelek, mimo że podziwiałem piękno twarzy.

Niektóre próbowały na mnie żałosnych sztuczek uwodzenia, ale wówczas jeszcze panowałem nad gadziną zagnieżdżoną w sercu; co niedzielę chodziłem do kościoła, malowałem za dnia, a wieczorami bywałem w przyzwoitych klubach. Zawierałem znajomości, lecz nie czułem potrzeby towarzystwa. Najważniejsza była sztuka. Wyobrażałem sobie nawet, że kobiety nie wywierają na mnie wpływu, że pokonałem żądze występnego ciała. Takie przekonanie to koło tortur, na którym Bóg łamie grzeszników. Ale, ale, czas goni, więc przesuńmy się w opowieści o następne trzy lata, do chwili gdy jako trzydziestotrzyletni mężczyzna pewnego pogodnego jesiennego dnia napotkałem swoją nemezis.

Od jakiegoś czasu malowałem dzieci. Zwykle nietrudno znaleźć śliczne dziecko, którego matka zechce poświęcić sztuce kilka godzin dziennie. Płaciłem szylinga za godzinę, dla niektórych rodzicielek było to więcej, niż same zarabiały. Tamtego dnia, jak to często bywało, spacerowałem po parku. W pewnej chwili zobaczyłem te dwie. Kobieta ubrana była w czarny strój całkowicie pozbawiony smaku, a dziewczynka, może dziesięcioletnia, miała tak niezwykłe rysy twarzy, że stanąłem jak wmurowany, nie mogąc oderwać od niej wzroku.

Kruchą postać okrywała brzydka czarna peleryna, najpewniej otrzymana od kogoś, kto z niej wyrósł, ale jednocześnie dziewczynka poruszała się z gracją niezwykłą w jej wieku. Włosy miała w kolorze szalenie trudnym do określenia, w odcieniu bardziej białym niż złotym, toteż chwilami sprawiała wrażenie drobnej staruszki, jak podrzutek w gronie dziatwy o rumianych policzkach. Twarzyczkę miała pociągłą, tak jasną, że niemal całkowicie pozbawioną koloru – wyzierały z niej tylko wielkie ciemne oczy, bo nawet usta, choć pełne, wręcz pełniejsze niż u większości dzieci, były blade. Wszystko razem nadawało jej osobliwie tragiczny wyraz.

Natychmiast pojąłem, że musi zostać moją modelką. W jej twarzy kryła się obietnica bezkresnej ekspresji, a każdy ruch był arcydziełem wyrazu. Patrząc na nią, wiedziałem, że będzie moim wybawieniem. Jej niewinność poruszała mnie w równym stopniu co eteryczna uroda. Biegnąc za kobietą z dzieckiem, miałem łzy w oczach, a serce tak wezbrane uczuciami, że nie mogłem wydobyć z siebie słowa.

Dziewczynka miała na imię Effie, kobieta bez gustu okazała się jej ciotką. Mieszkały razem z matką małej, modystką, nad sklepikiem na Cranbourn Alley. Rodzina należała do szacownych: pani Shelbeck, zubożała wdowa, była, jak się później przekonałem, irytującą kobietą o piskliwym głosie, kompletnie pozbawioną zdumiewających cech widocznych u córki. Moja propozycja szylinga za godzinę została przyjęta bez wahań i rezerwy, z jakimi spotkałbym się w rodzinie o szlachetniejszym pochodzeniu. Podejrzewam, że gdybym zaoferował połowę tej sumy, spotkałbym się z równie entuzjastyczną reakcją. Z drugiej strony byłem skłonny proponować nawet podwójną stawkę.

Jeszcze w tym samym tygodniu Effie przyszła do studia, oczywiście w towarzystwie ciotki. Cały ranek robiłem jej szkice: z profilu, trois-quattre, en face, z uniesioną brodą, z głową przechyloną na bok... Każdy miał więcej uroku od poprzedniego. Dziewczynka okazała się modelką doskonałą. Nie wierciła się jak inne, nie paplała, nawet się nie uśmiechała. Wydawała się onieśmielona wnętrzem i mną, przyglądała mi się potajemnie, z pełnym szacunku zdumieniem. Została do mnie przyprowadzona drugi raz i trzeci, a potem przychodziła już sama.

Pierwszy obraz, do którego mi pozowała, zatytułowałem „Sen mojej siostry", jak wiersz Rossettiego. Malowałem go dwa miesiące. Płótno było niewielkie, ale schlebiałem sobie, że udało mi się pochwycić czar Effie. Namalowałem ją w dziecinnym łóżeczku, na białej ścianie krzyż, a na nocnym stoliku wazon z ostrokrzewem – symbol świąt Bożego Narodzenia. Brat siedzi na podłodze przy łóżku, głowę złożył na pościeli, a matka dziewczynki, cała w czerni, stoi u stóp łóżka, twarz ma ukrytą w dłoniach. Wzrok patrzącego skupia się na Effie, pozostałe figury są pozbawione twarzy i ciemno ubrane, a ona jest cała w bieli, obleczona w marszczoną koszulkę nocną, którą nabyłem specjalnie do tej sceny. Jej włosy spływają na poduszkę, rozkładają się wokół drobnej postaci. Ręce ma odsłonięte, jedna leży bezwładnie wzdłuż boku, dłoń drugiej jest po dziecinnemu podłożona pod policzek. Światło wpadające przez okno zmienia ją w obietnicę odkupienia, eksponuje czystość istoty niewinnej, zmarłej w młodości. Był to temat bliski memu sercu, w ciągu następnych siedmiu lat powracałem do niego wiele razy. Z coraz większą niechęcią wypuszczałem modelkę wieczorami do domu, bo rosła tak szybko, że liczyła się każda godzina pozowania.

Effie mówiła niewiele. Była istotą spokojną, nieskalaną zarozumiałością i próżnością, powszechną wśród dziewcząt w jej wieku. Chciwie pochłaniała lektury, zwłaszcza poezję – Tennysona, Keatsa, Byrona, Szekspira – dzieła niezbyt odpowiednie dla dziecka, lecz jej matka najwyraźniej nie przywiązywała do tego faktu szczególnej wagi. Któregoś dnia pozwoliłem sobie wyjaśnić Effie, że poezja, bezspornie godna polecenia choćby młodemu człowiekowi, nie należy do lektur odpowiednich dla wrażliwej panienki. Wiersze często poruszają tematy trudne, a przy tym zbyt mocno operują emocjami. Podsunąłem jej kilka doskonałych książek i z przyjemnością stwierdziłem, iż wszystkie sumiennie przeczytała. Wydawała się wcieleniem wszelkich kobiecych cnót, a jednocześnie była całkowicie pozbawiona przewrotności właściwej słabej płci.

Nie planowałem zostać kawalerem, jednak moja nieufność wobec kobiet, zrodzona z profesjonalnych kontaktów z nimi, kazała mi zwątpić, czy kiedykolwiek znajdę tę „jedną na tysiąc", o której mówił święty Paweł, cnotliwą i posłuszną. A teraz, im dłużej znałem Effie, tym bardziej urzekała mnie jej uroda i zachowanie. W końcu zdałem sobie sprawę, że ideał istnieje.

Effie nie miała jednej skazy, była czysta jak łza. Gdybym tylko zyskał możliwość wspierania jej zalet, gdybym mógł ojcowskim okiem śledzić jej dojrzewanie i wykształcenie, z pewnością wyrosłaby na osobę wyjątkową, niespotykaną, niedościgniona. Chroniłbym ją przed światem, zadbał o edukację, by mogła mi dorównać. Ukształtowałbym ją, a w końcu, gdy dzieło zostanie ukończone... Skoro tylko idea ta uformowała się w moim umyśle, pamięć podsunęła wspomnienie chłopca w buduarze pełnym zabronionych cudów, powietrze wypełniła ulotna, nostalgiczna woń jaśminu. Po raz pierwszy obraz ten nie wywołał we mnie uczucia winy. Nieskazitelna czystość Effie zapewni mi odkupienie, to pewne. Próżno by szukać w tej dziewczynie czegokolwiek, co by ją wiązało ze światem materialnym, jakichkolwiek cech zmysłowych. Chłodna, obojętna, była uosobieniem niewinności. Za jej sprawą uzyskam zbawienie.

Zatrudniłem dla niej prywatnych nauczycieli, chciałem, by z innymi dziećmi spotykała się jak najrzadziej. Kupowałem jej ubrania i książki. Nająłem szacowną gospodynię dla matki i ciotki, żeby Effie nie traciła czasu na pomaganie w pracach domowych. Zaprzyjaźniłem się z jej nudną matką, by zyskać pretekst do częstszych odwiedzin na Cranbourn Alley, i dbałem, żeby im nie brakło pieniędzy.

Malowałem wtedy nieomal wyłącznie Effie, zrezygnowałem z wszystkich innych modelek, chyba że były potrzebne jako postacie drugoplanowe. Skupiłem się wyłącznie na Effie. Effie dwunastoletnia, już nieco wyższa, w ładnej białej sukience z niebieską szarfą... Sam zachęciłem matkę dziewczynki do kupna tego stroju. Effie trzynastoletnia, potem czternastoletnia, dziewczyna o smukłej figurze tancerki. Piętnastolatka z pociemniałymi oczyma i ustami, z twarzą o doroślejszych rysach. Szesnastolatka z jasnymi włosami splecionymi w schludną koronę, ustami o najdelikatniejszym łuku, pięknymi oczyma w kolorze deszczu, z ciężkimi powiekami i skórą wokół nich tak delikatną, że aż błękitną.

Rysowałem i malowałem Effie pewnie ze sto razy. Była Świętą Dziewicą, Kopciuszkiem, była młodą zakonnicą w „Kwiecie passiflory", Beatrycze w raju Dantego, Julią na grobie okrytą liliami, spowitą bluszczem Ofelią i małą żebraczką z wierszyka dla dzieci. Ostatni portret z tamtego czasu przedstawia ją w roli Śpiącej Królewny, podobnie jak na płótnie „Sen mojej siostry", całą w bieli, niczym pannę młodą lub zakonnicę, leżącą na tym samym dziecinnym łóżeczku. Włosy znacznie dłuższe niż wówczas, gdy miała dziesięć lat, bo naciskałem, by ich nie obcinała, spływają falą na podłogę, gdzie zalega stuletni kurz. Przez wąskie okna wpadają ukośne promienie słońca i zaglądają niesforne pędy bluszczu. Opleciony zielonymi łodygami szkielet w zbroi zagradza drogę wszelkiemu złu, które by chciało zakłócić sen niewinnej piękności. Effie ma twarz zwróconą w stronę światła, uśmiecha się przez sen, nieświadoma swej krzywdy.

Nie mogłem zwlekać dłużej. Udało mi się otoczyć ją szklanym kloszem, dzięki któremu czekała na mnie przez długie lata; teraz nadszedł czas, by ten klosz stłuc. Nadal była bardzo młoda, tak, to prawda, ale gdybym miał przeciągać sprawę jeszcze choćby rok, ryzykowałbym, że utracę ją na zawsze.

Matka nie wydawała się zdziwiona. Co więcej, żarliwość, z jakim przyjęła moją propozycję, kazała mi się domyślać, że już wcześniej rozważała tę możliwość. Cóż, w końcu byłem człowiekiem majętnym, a skoro miałem poślubić Effie, należało oczekiwać, iż będę wspomagał jej krewnych. Przy tym dobiegałem czterdziestki, podczas gdy ona miała lat zaledwie siedemnaście, a po śmierci męża jego rodowa fortuna przypada żonie... Natomiast sprzeciwiła się ciotka, stara panna, osoba wiecznie skwaszona, której jedyną zaletą było całkowite poświęcenie dla siostrzenicy. Twierdziła, że Effie jest jeszcze za młoda na ten krok, zbyt wrażliwa, nie rozumiała, na czym polegają obowiązki małżeńskie... Nie wziąłem pod uwagę jej obiekcji, ponieważ liczyła się dla mnie wyłącznie Effie. Była moja. Wzrastała przy mnie – jak bluszcz, który oplata pień dębu.

Poślubiła mnie odziana w cudowną, wyszywaną suknię, w której pozowała do „Śpiącej Królewny”.

GWIAZDA

2

„Oto, czego uczę: postępujcie według ducha, a nie spełnicie pożądania ciała. Ciało bowiem do czego innego dąży niż duch, a duch do czego innego niż ciało, i stąd nie ma między nimi zgody, tak że nie czynicie tego, co chcecie. Jeśli jednak pozwolicie się prowadzić duchowi, nie znajdziecie się w niewoli Prawa. Jest zaś rzeczą wiadomą, jakie uczynki rodzą się z ciała: nierząd, nieczystość, wyuzdanie, uprawianie bałwochwalstwa, czary, nienawiść...".

Czarny karawan słów brnął z mozołem. Byłam zadowolona, że przed mszą przyjęłam laudanum. Migrena prawie zniknęła, została po niej tylko czarna chłodna dziura, do której uciekły wszystkie myśli, odległe jak gwiazdy.

„...wzburzenie, niewłaściwa pogoń za zaszczytami, niezgoda, rozłamy...".

Wycofana we własny spokój, uśmiechnęłam się do siebie. Rytm okrutnych biblijnych wersów mimo wszystko niósł ze sobą posmak poezji, nieodparty jak pogańska przyśpiewka, jedna z tych, które chętnie nuciłam, zanim wyszłam za pana Chestera.

Im wyżej skaczemy,
tym wyżej rosną.
Dokoła, dokoła, dokolusia!

Wspomnienie piosenki powlokło moje serce żalem i tęsknotą za tym odległym czasem, na zawsze utraconym, gdy mama nie chorowała, tatko żył i wszyscy razem czytaliśmy wiersze, siedząc w bibliotece naszego rodzinnego domu. Jeszcze przed przeprowadzką na Cranbourn Alley, gdy wyjście do kościoła było okazją do świętowania, śpiewania i szczęścia.

Ogarnęły mnie mdłości. Mocno zacisnęłam dłonie, zagryzłam wargę, by przezwyciężyć słabość. William uśmiechnął się do mnie smutno. Siedział tuż obok, ale nie podniosłam głowy. Pan Chester nie byłby zadowolony, gdybym się uśmiechała w kościele. Postać świętego Sebastiana przeszytego strzałami, widoczną nad głową pastora, oblał słoneczny blask.

Im wyżej skaczemy...

Święty Sebastian miał twarz chłodną i obojętną, całkiem jak Henry.

Nagle poczułam, że spadam. Zamachałam rękoma, usta otworzyłam szeroko w milczącym krzyku przerażenia... ale spadałam w górę! W stronę wysokiego sklepienia kościelnej nawy. Już widziałam złocenia i rollwerki, i chłodny wzrok świętego Sebastiana... Upadek wytracił impet. Oszołomiona spojrzałam w dół na głowy wiernych, strach ustąpił miejsca zdumieniu i euforii. Jakim cudem się tu znalazłam? Czy umarłam i opuściłam ciało? A może śniłam? Na próbę podskoczyłam i zatańczyłam w powietrzu. Roześmiałam się głośno. Zawirowałam wokół głowy pastora, łysej jak kolano. Nikt mnie nie widział. Nikt nie słyszał.

Sprawdzając nowe możliwości, przemknęłam nad ciemnymi głowami zgromadzonych. Widziałam i słyszałam znacznie lepiej niż kiedykolwiek wcześniej, każdy szczegół docierał do mnie z niesłychaną precyzją. Widziałam nawet słowa pastora płynące do nieba niczym dym z fabrycznego komina. A także posępny mrok w dole, tu i ówdzie przetykany jasnym promieniem dziecięcej nieuwagi. Przyjrzawszy się bliżej, stwierdziłam, że niewyjaśnionym sposobem potrafię zaglądnąć w ludzkie dusze, dostrzec esencję człowieczą, jakby mój wzrok był światłem słonecznym przechodzącym przez witraże. Pewna stara kobieta, o ostrym języku i skwaszonej twarzy, pod okrywą ciała biła w oczy promiennym blaskiem. Któreś dziecko iskrzyło się szczerą radością, gdy tymczasem ciemnowłosa młoda kobieta przerażała smolistą czernią śmierci. To, co w niej ujrzałam, ścięło mi serce lodem, więc jak najszybciej poszybowałam w górę.

Spod sklepienia przyjrzałam się własnemu porzuconemu ciału. Blada twarzyczka ledwo widoczna spod ciemnego czepca, kredowobiałe usta, powieki zamknięte, fioletowawe jak sińce. Patrzyłam na siebie z litością. Cóż to za mizerna istota...! Lepiej się przyjrzeć panu Chesterowi, on ma twarz srogą, lecz przystojną... albo Williamowi, mojemu szwagrowi o włosach opadających na twarz.

– Marta! – zabrzmiał jakiś głos.

Rozejrzałam się ciekawie, lecz nikt nie zareagował.

– Marto! – Tym razem ton był rozkazujący, a mimo to pastor nie przerwał odprawiania mszy. Ach, więc tylko ja słyszałam wołanie. W dole nadal widziałam jedynie pochylone głowy i złożone ręce.

Dopiero na samym końcu nawy dostrzegłam kobietę z uniesioną twarzą, z głową lekko przechyloną, jakby się czemuś uważnie przyglądała. Ledwo zerknęłam na gęste miedziane loki pod frywolnym złotym kapeluszem, gdy usłyszałam swoje imię.

– Effie!

To William odwrócił się do mojego ciała pozbawionego życia i chcąc mnie ocucić z omdlenia, zaczął rozwiązywać wstążki mojego czepka. Przyglądałam się z niejakim rozbawieniem, gdy niezdarnie szperał mi w torebce, szukając soli trzeźwiących. Kochany William! Taki niezręczny, a jednocześnie zawsze z sercem na dłoni. Tak różny od brata.

Henry wstał, wzbudzając falę zainteresowania wśród wiernych siedzących w najbliższych ławkach. Usta miał zaciśnięte. Nie powiedział ani słowa, tylko postawił mnie na nogi i poprowadził nawą. William poszedł za nami. Ten i ów się na nas obejrzał, inni skwitowali scenę pobłażliwym uśmiechem i ponownie skupili się na mszy. W końcu przecież w stanie pani Chester omdlenie jest sprawą naturalną.

Im wyżej skaczemy...

Miałam zawroty głowy. Spojrzawszy w oczy biednego, przeszytego strzałami świętego Sebastiana, doznałam dziwacznego uczucia oszołomienia, żołądek podszedł pod gardło, jakbym spadała. Dokoła, dokoła, dokolusia!

Dotarło do mnie, co się dzieje, podjęłam walkę z nieuniknionym, niestety na próżno.

Nie chcę wracać! – zaprotestowałam w myślach. Nie chcę...!

Gdy spadałam, wróciło niewyraźne wspomnienie spojrzenia kobiety w złotym kapeluszu. Widziałam, jej wargi się poruszyły. Jej usta wymówiły obce dla mnie imię. Marta.

Zapadła ciemność.

Nade mną widniała twarz Henry'ego. Rozluźniał mi sznurówki gorsetu. Zawieszona między snem a świadomością, miałam czas podziwiać gładko ogolone policzki męża, jego proste brwi oraz oczy o czujnym spojrzeniu. Włosy, ciemniejsze niż u brata, obcięte miał bardzo krótko. William trzymał się nieco z tyłu, trochę niepewny. Gdy zobaczył, że otwieram oczy, podskoczył do mnie z solami trzeźwiącymi.

– Effie! Jak się czujesz?

Henry rzucił mu spojrzenie wyrażające zimną furię.

– Czego tu stoisz jak ostatni głupiec? – warknął. – Rusz się, wezwij powóz!

William zerknął na mnie po raz ostatni i poszedł wykonać polecenie.

– Stanowczo za bardzo się o ciebie troszczy – rzucił Henry. – Ludzie widzą... – Urwał. – Możesz wstać?

Kiwnęłam głową.

– Dziecko ci się daje we znaki?

– Nie, chyba nie.

Nawet mi w głowie nie postało, by mu opowiadać, co przeżyłam w kościele. Z doświadczenia wiedziałam, jak bardzo go złoszczą moje „wydumane dziwactwa".

Gdy wchodziłam do powozu, zasłabłam ponownie, mało brakowało, a byłabym upadła. Henry mnie podtrzymał, objął i z łatwością posadził. Zerknęłam na niego ukradkiem. Twarz miał stężałą, malował się na niej strach. I odraza. W tej jednej chwili podświadomie zdałam sobie sprawę, że mąż się mnie boi, czułam głębię jego zmieszania. Wrażenie zniknęło równie szybko, jak się pojawiło, nie zdążyłam się nad nim zastanowić, ponownie zemdlałam.

3

Straciła dziecko, jakże by inaczej. Upojona laudanum spała, gdy położna je zaszywała w prześcieradło. Nie zażądałem, by mi pokazano syna. Zanim wyszedłem do studia, poczekałem na wieści, że moja żona dojdzie do siebie. Mieszkaliśmy w dzielnicy Highgate, pracownię specjalnie wynająłem daleko od domu. Zyskiwałem dzięki temu poczucie odosobnienia, niezbędne przy malowaniu, a poza tym światło było tam chłodne i czyste, klasztorne, więc moje obrazy rozwieszone na gołych białych ścianach lśniły niczym zamknięte w gablotach motyle. Tutaj byłem najwyższym kapłanem, Effie moim dziełem, jej słodka twarz spoglądała na mnie z każdego płótna, ze stonowanych pasteli, z grubych teczek brązowego pergaminu. Effie, istota wierna mojej duszy, nietknięta przekleństwem żądzy naszych ciał. Tej nocy, nie po raz pierwszy, spałem w studiu, na łóżeczku, które uwieczniłem w „Śnie mojej siostry" i „Śpiącej Królewnie". Dopiero tam, w świeżej, chłodnej pościeli odnalazłem ukojenie.

Wróciłem do domu następnego dnia o dziesiątej. Od służby dowiedziałem się, że lekarz wyszedł nad ranem. Nasza gosposia, Tabby Gaunt, strzegła Effie prawie całą noc, podając jej laudanum i ciepłą wodę. Gdy wszedłem do pokoju chorej, podniosła na mnie wzrok znad obrębianej koszuli. Wyglądała na zmęczoną, oczy miała zaczerwienione, ale uśmiech promienny jak u dziecka. Zerwała się na równe nogi, poprawiła czepiec na potarganych siwych włosach.

– Pani śpi, proszę pana – szepnęła. – Lekarz powiedział, że jest słaba, ale dzięki Bogu nie ma gorączki. Ma przez kilka dni poleżeć w łóżku.

Kiwnąłem głową.

– Dziękuję, Tabby. Możesz przynieść pani Chester gorącą czekoladę.

Odwróciłem się w stronę łoża, na którym spoczywała Effie. Jej jasne włosy rozsypały się po kołdrze i poduszkach. Dłoń włożyła pod policzek, jak dziecko. Trudno mi było uwierzyć, że skończyła osiemnaście lat i właśnie urodziła pierwsze dziecko. Wbrew sobie zadrżałem na tę myśl. Samo wspomnienie jej nabrzmiałego w ciąży ciała, nawet ukrytego pod odzieżą, było nieczyste, budziło niepokój. Wolałem widzieć ją taką jak teraz: w łóżku, ze szczupłym ramieniem na oczach, ledwo dostrzegalną wypukłością piersi... to słowo przeszkadzało mi nawet w myślach, więc odrzuciłem je gniewnie. Prawie nie było jej widać w fałdach nocnej koszuli.

Zalała mnie fala czułości. Niewinnym gestem pogładziłem włosy śpiącej żony.

– Effie?

Spomiędzy jej warg dobył się niegłośny dźwięk. Owionął mnie wzruszający zapach talku, gorączki i czekolady, kwintesencja dzieciństwa. Otworzyła oczy, skupiła na mnie wzrok i poderwała się gwałtownie. Na twarzy miała wypisane poczucie winy, niczym uczennica przyłapana na myśleniu o niebieskich migdałach.

– Ja... Pan Chester!

– Spokojnie, spokojnie, moja droga. Ciągle jesteś słaba. Tabby zaraz ci przyniesie gorącą czekoladę.

– Tak mi przykro... – Oczy Effie wypełniły się łzami. – Zemdlałam w kościele...

– Nie szkodzi, nic nie szkodzi. Uspokój się, moja droga. Usiądę obok, przytulę cię... Tak lepiej? – Podparłem ją poduszką i objąłem. Wreszcie się uśmiechnęła.

– Dziękuję, to takie miłe – szepnęła, wciąż jeszcze rozespana. – Całkiem jak dawniej... Przed ślubem.

Zesztywniałem.

Z jej nieskładnych myśli wyłoniło się zrozumienie.

– Dziecko! – krzyknęła. – Co z dzieckiem?!

Odsunąłem się. Nie potrafiłem o nim myśleć.

– Henry, powiedz mi, co z dzieckiem?! Błagam, powiedz! Henry!

– Nie nazywaj mnie tak! – Wstałem gwałtownie. Z niemałym trudem się opanowałem. – Effie, zrozum... dziecko było chore – rzekłem, przymuszając się do łagodnego tonu. – Nie miało szans przeżyć. Było za małe.

W sypialni rozległo się przenikliwe wycie. Chwyciłem Effie za ręce. Uspokajałem ją, a jednocześnie karciłem.

– Jesteś za młoda na rodzenie dzieci. Niepotrzebnie się to stało, to był błąd...

– Nie, nie, nie!

– Przestań krzyczeć.

– Nie... nie...

– Dosyć! – Chwyciłem ją za ramiona, potrząsnąłem. Instynktownie zasłoniła twarz rękoma. Oczy miała szalone, na policzkach plamy od płaczu. Jej łzy wydały mi się na wskroś erotyczne. Odwróciłem się z rumieńcem gniewu na twarzy.

– Tak będzie lepiej – stwierdziłem. – Możemy zacząć wszystko od początku. Nie płacz. Jesteś za delikatna, żeby rodzić dzieci. Za młoda. – Sięgnąłem po buteleczkę laudanum, starannie odmierzyłem do szklanki z wodą sześć kropel. – Masz, połknij. Pomoże ci się uspokoić.

Cierpliwie podtrzymywałem szklankę, gdy piła, uczepiona mojego ramienia, przełykając razem z wodą obficie płynące łzy. Powoli. Wreszcie uspokoiła się, ucichła i przygasła.

– Teraz się zachowujesz jak należy – pochwaliłem szczerze. – Lepiej się czujesz?

Apatycznie pokiwała głową, ukryła twarz na moim ramieniu. Gdy zapadała w sen, przez chwilę owionął mnie aromat jaśminu... prawdziwy czy wyimaginowany? Nie potrafię ocenić, wrażenie trwało zbyt krótko.

DZIEWIĄTKA MIECZY

4

Przez kilka tygodni chorowałam. Fatalna pogoda opóźniała moją rekonwalescencję, przeziębiłam się i przez to zostałam w łóżku dłużej, niż powinnam ze względu na samo poronienie. Pamiętam pojawiające się wokół mnie twarze, zastygły na nich grymas współczucia, ale serce miałam ścięte lodem i chociaż pragnęłam dziękować za troskę ludziom, którzy mnie odwiedzali, nie umiałam tego robić szczerze. Tabby, która była ze mną od moich dziecinnych lat, jeszcze na Cranbourn Alley, opiekowała się mną z oddaniem, poiła chudymi rosołkami i wciąż się o mnie martwiła. Moja pokojówka, Em, rozczesywała mi włosy, przebierała mnie w śliczne koszule nocne z koronką i paplała o swojej rodzinie, zwłaszcza o siostrach mieszkających w odległym Yorkshire. Edwin, ogrodnik, przynosił od czasu do czasu pęk wczesnych krokusów albo żonkili, kiełkujących na jego ukochanych rabatach, burkliwie zapewniając, że „kwiaty obudzą kolory na buzi młodej pani". Mimo otaczającej mnie serdeczności nie mogłam wyjść z letargu. Zwykle siedziałam przy kominku, otulona grubym szalem, czasami coś wyszywałam, ale najczęściej tylko patrzyłam w ogień.

William, który zapewne by mnie podniósł na duchu, wrócił do Oxfordu, gdzie czekało na niego towarzystwo rówieśników. Był rozdarty między chęcią uczestniczenia w życiu studenckim a niepokojem, że mnie zostawia w tak fatalnym stanie.

Henry zmienił się w uosobienie troski. Przez nieomal miesiąc nie wolno mi było przyjmować gości, bo jego zdaniem miało mnie to uchronić od zmartwień. W tym czasie ani razu nie wyszedł do studia, pracował w domu. Powstały wtedy dziesiątki moich szkiców, tyle że ja, kiedyś oczarowana jego dziełami, teraz miałam je za nic. Swego czasu lubiłam, gdy mnie rysował. Zawsze podkreślał moje oczy i czystość rysów. Teraz jego sztuka nie robiła na mnie żadnego wrażenia, dziwiłam się nawet, że go uważałam za człowieka obdarzonego talentem.

Obrazy przyprawiały mnie o mdłości. Porozwieszane były wszędzie, w każdym pokoju, a co najgorsze, także w sypialni. „Mała żebraczka", namalowana, gdy miałam zaledwie trzynaście lat, prześladowała mnie jak mój własny duch. Londyńskie slumsy, oddane w najdrobniejszych szczegółach od rynsztoków po czarny dym wzbijający się z kominów w mętne niebo. Wychudzony kot obwąchuje zdechłego ptaka. Obok siedzi umierające dziecko, bose, odziane jedynie w nędzną koszulinę. Długie włosy dziewczynki spływają aż na bruk, promień światła wyławia z półmroku jej uniesioną twarz. Jest na tym obrazie również strofa z wiersza o tym samym tytule co obraz.

O, niewinności, ziemską troską nieskalana!
O, nietknięta miłości cielesnym skażeniem,
Oddajesz swą promienność, a ja na kolanach
Patrzę na nią odzianą jeno w uniesienie.
Ty jesteś najpiękniejszym z wszystkich ludzkich istnień,
Przed tobą się kłaniają niebios gospodarze.
Ty jedna z Wszechmogącym śluby bierzesz czyste
Na tronie posadzona w ekstazie. Z Nim w parze.

Niegdyś przepełniało mnie uwielbienie dla pana Chestera, dla jego łatwości tworzenia poezji. Nie było we mnie nawet krztyny krytycyzmu, płakałam nad przykrymi słowami pana Ruskina przy okazji pierwszej wystawy Henry'ego. Ciągle jeszcze pamiętam, choć coraz słabiej, ten czas, gdy wielbiłam tego człowieka jak Boga, gdy każde jego słowo napisane dla mnie miało wartość szczerozłotego skarbu. Byłam mu niewymownie wdzięczna za wynajęcie nauczycieli, a gdy pewnego dnia usłyszałam jego rozmowę z mamą, w bibliotece, zorientowałam się, że planują nasz ślub... moje serce wywinęło kozła z radości. Ciotka May nie była zachwycona, że mam poślubić człowieka znacznie ode mnie starszego, ale matkę zaślepiła myśl o możliwościach, jakie małżeństwo z panem Chesterem otwierało przed jej córką. A ja? Ja byłam bezkrytycznie zapatrzona w pana Chestera. Skończywszy siedemnaście lat, wyszłam za niego za mąż.

Poślubiłam go!

Nagle zakipiałam gniewem i nienawiścią. Z furią dziobnęłam tkaninę igłą. Ścieg namiotowy – raz. Krzyżyk – dwa. Praca była mniej więcej w połowie, wzór pomysłu Henry'ego, soczyste, jaskrawe kolory. Śpiąca Królewna leżąca na łóżku, opleciona pędami róż. Już na tym etapie twarz uśpionej dziewczyny przypominała moją.

Krzyżyk – raz, ścieg namiotowy – dwa. Po chwili tylko kłułam nitki splotu, nawet nie starając się haftować. Narastał we mnie gniew, wrzał, kazał rwać delikatny wzór, szarpać złoty kordonek. Całkiem bezwiednie zapłakałam głośno, choć bez łez. Wyrwał mi się z gardła ochrypły prymitywny dźwięk – kiedy indziej by mnie przeraził.

– Panienko! – Wstrząśnięta Tabby zapomniała, że jestem mężatką.

Wytrącona z transu drgnęłam i podniosłam na nią wzrok. Okrągłą, dobroduszną twarz służącej wykrzywiała troska.

– Ojej, co też panienka narobiła... I całe ręce, i taki piękny wzór... Och, proszę pani!

Spojrzałam na robótkę i ze zdumieniem spostrzegłam na swoich dłoniach krwawe znaki. Szkarłatny ślad napiętnował tkaninę, zamazując pół twarzy bajkowej postaci. Pozwoliłam gosposi zabrać zniszczony haft, spróbowałam się uśmiechnąć.

– Ależ ze mnie niezdara – powiedziałam cicho.

Tabby ze łzami w oczach zamierzała pytać, lecz nie dałam jej dojść do słowa.

– Nie, Tabby, czuję się zupełnie dobrze. Pójdę umyć ręce.

– Ależ z pewnością zechce pani przyjąć kropelkę laudanum! Pan doktor powiedział...

– Tabby, czy mogłabyś zebrać szycie? Dzisiaj nie będzie mi już potrzebne.

– Tak, proszę pani – odparła służąca głosem bez wyrazu, ale stała bez ruchu, patrząc, jak sztywno wychodzę z pokoju, zakrwawioną ręką macając drzwi w poszukiwaniu gałki. Jak lunatyk morderca.

* * *

Chorowałam prawie dwa miesiące, zanim lekarz wreszcie pozwolił mi przyjmować gości. Zresztą kogóż to ja widywałam... Raz przyszła matka, by porozmawiać o swoich toaletach i zapewnić mnie, że nadal mam mnóstwo czasu na powiększenie rodziny. Dwukrotnie zajrzała ciotka May – spokojnie mówiła o rzeczach najzwyklejszych z łagodnością całkiem do niej niepodobną. Kochana ciocia! Gdyby wiedziała, jak bardzo chciałam z nią porozmawiać od serca...! Niestety, byłam świadoma, że w chwili, gdy przez moje usta wyjdzie pierwsze słowo na najważniejsze tematy, runie tama i powiem wszystko, nawet to, do czego sama przed sobą nie potrafiłam się przyznać. Wobec tego milczałam, udając, że jestem szczęśliwa i że zimny, chorobliwie schludny budynek jest moim domem. Ciotka nie dała się zwieść, ale też, dla mojego dobra, robiła co w ludzkiej mocy, by ukryć niechęć do Henry'ego: sztywno wyprostowana w krześle kierowała pod jego adresem zwięzłe, krótkie zdania.

Henry darzył ją taką samą niechęcią, jak ona jego, więc przy drugich odwiedzinach pozwolił sobie na przykry komentarz, że po jej wizytach zawsze jestem wyczerpana. Ciotka nie pozostała mu dłużna i tak rozpoczęła się szermierka słowna. Henry podsunął jej myśl, by powstrzymała się od wizyt, póki nie opanuje bardziej stonowanego stylu konwersacji, żeby nie narażać jego żony na przykre doświadczenia. Ciotka dała się sprowokować i wyszła otoczona gęstą chmurą wzajemnych oskarżeń.

Patrzyłam za nią przez okno. Oddalała się ode mnie, drobna szara figurka pod zimnym niebem. Henry postawił na swoim. Miał mnie już tylko dla siebie. Na zawsze.

Tamten marzec, chociaż dość chłodny, często rozjaśniał się słońcem, więc szybko zapachniało wiosną. Z salonu miałam piękny widok na ogród ze stawem i starannie rozplanowane rabaty. Któregoś ranka pozowałam Henry'emu we frontowym oknie. Byłam jeszcze mizerna, ale słoneczne ciepło rozgrzało mi policzki i rozświetliło włosy.

Chętnie bym wyszła do ogrodu, na powietrze, chciałam poczuć na skórze chłód i wilgoć trawy na stopach. Pragnęłam czuć zapach ziemi, położyć się na niej i turlać w zieleni jak beztroski kociak...

– Effie, przestań się wiercić! – przywołał mnie do rzeczywistości Henry. – Profil trois-quattre i postaraj się nie upuścić cymbałów. Dałem za nie wcale niemałą sumę. – Zamilkł na moment. – Teraz lepiej. Pamiętaj, bardzo mi zależy, by obraz był gotowy na wystawę, nie ma wiele czasu.

Skorygowałam pozycję, poprawiłam instrument na kolanach. Najnowszy pomysł Henry'ego nosił tytuł „Dama z cymbałami". Praca nad dziełem trwała już czwarty tydzień. Portret miał mnie przedstawiać w roli zagadkowej panny z wiersza Coleridge'a. Henry zaplanował „młodą dziewczynę, całą w bieli, siedzącą na prostej ławie, z jedną nogą podwiniętą pod siebie, uroczo skupioną na muzyce. Za nią rozciąga się krajobraz leśny, w dali wznosi się tajemnicza góra".

Znałam ten wiersz na pamięć, więc ośmieliłam się zaoponować i podpowiedzieć, że „dziewczka młoda z Abisynii" powinna być raczej postacią egzotyczną i malowniczą, a nie istotą bezbarwną i nudną, w odpowiedzi na co pan Chester nie pozostawił najmniejszych wątpliwości co do swojej opinii na temat mojego gustu malarskiego, literackiego oraz w każdej innej dziedzinie. Za wystarczający dowód prawdziwości swoich słów uznał moje nieudolne próby malowania i pisania wierszy. A przecież pamiętam takie chwile, jeszcze zanim Henry zabronił mi marnować czas na próby w dziedzinach, w których natura poskąpiła mi talentu, że zaglądałam w płótna jak w gniewne wiry gwiazd, czułam radość... radość i coś jeszcze... jakby narodziny namiętności.

Namiętność...

Pierwszej nocy naszego małżeństwa pan Chester przyszedł do mnie z poczuciem winy w oczach i nauczył mnie wszystkiego, co powinnam wiedzieć o namiętności. Niewinny żar wygasł we mnie natychmiast. Na widok mojego ciała mąż padł na kolana, ale nie z radości, tylko przytłoczony wyrzutami sumienia. I tak akt miłosny zmienił się w akt skruchy dla nas obojga, zimne, smutne połączenie dwóch lokomotyw. Gdy poczęłam dziecko, nawet to się skończyło.

Nigdy tego nie zrozumiałam. Matka mówiła, że nie ma nic złego w akcie połączenia kobiety i mężczyzny, którzy wzajemnie darzą się miłością; to boska zachęta do rozmnażania gatunku ludzkiego. Jesteśmy istotami uczuciowymi i czystymi, póki złe myśli nie odbiorą nam niewinności. Nie pragnienie wiedzy było grzechem pierworodnym, ale wstyd przed nagością. Właśnie on wygnał Adama i Ewę z rajskiego ogrodu i ten sam wstyd teraz bronił nam do niego wejść.

Z pewnością matka by nie pojęła lodowatej pogardy na twarzy Henry'ego, gdy mąż wyswobodził się z moich objęć.

– Kobieto, czy ty nie masz wstydu? – zapytał.

Wstyd... Nie znałam go, póki nie poznałam Henry'ego.

Mimo wszystko płonął we mnie ogień. Nie zdusiła go śmierć dziecka ani lodowaty chłód małżeństwa. Czasami poprzez zimne welony tłumiące moje życie przedzierało się coś więcej, coś nieomal przerażającego. Gdy teraz patrzyłam na twarz Henry'ego, skupionego na szkicowaniu, rodził się we mnie bunt. Chciałam rzucić cymbałami o ziemię, zerwać się na równe nogi, tańczyć nago w wiosennym słońcu. Ogarnęło mnie podniecenie, zanim pojęłam, co się dzieje, już stałam i krzyczałam – głośno, rozpaczliwie... Tyle że Henry mnie nie słyszał. W nabożnym skupieniu pracował nad obrazem. Zerknął na jakiś przedmiot za moimi plecami i wrócił do szkicowania. Obróciłam się gwałtownie – i zobaczyłam siebie. Siedziałam bez ruchu, z cymbałami na kolanach.

Zalała mnie ulga, opanowało cudowne uniesienie. Choć nikomu nie wspomniałam o epizodzie w kościele, myślami często do niego wracałam. Narosło we mnie przekonanie, że był to skutek działania laudanum i nie należy się go spodziewać powtórnie. Tym razem jednak minął cały dzień, odkąd ostatnio przyjęłam lekarstwo, nie byłam chora, nie miałam mdłości ani zawrotów głowy, jak poprzednim razem. Niepewnie przyjrzałam się nowej sobie. Moje „ciało" okazało się białą, nagą kopią tego, które opuściłam. Emanowało nieśmiałym srebrzystym połyskiem. Czułam meszek dywanu pod stopami i muśnięcia powietrza na skórze. Rozpierała mnie energia, dygotałam z podniecenia, wszystkie zmysły miałam wyostrzone – uwolnione z oków ciała zyskały nową wrażliwość.

Ostrożnie zbliżyłam się do ciała fizycznego, ciekawa, czy kiedy go dotknę, będę musiała tam wrócić. Nie. Ręka przeszła przez ubranie i przeze mnie samą, nie napotykając oporu. Na krótki czas miałam wrażenie zawieszenia między dwoma różnymi stanami: cielesna powłoka skojarzyła mi się z porzuconą koszulą nocną, która jeszcze niedawno spowijała moją prawdziwą, żywą tożsamość. Weszłam w ciało. Świat apatycznie wrócił na swoje miejsce, ułożył się wokół mnie jak zwykle. Wyskoczyłam z ciała ponownie, uszczęśliwiona myślą, że mogę to zrobić, kiedy tylko zechcę. Szybko zyskiwałam pewność siebie. Przemknęłam lekko przez salon. Natchniona całkiem nową ochotą do psot, wykręciłam kilka piruetów na czubku głowy Henry'ego, a on nic nie zauważył, ciągle skupiony na szkicowaniu! Zeskoczyłam na ziemię, podbiegłam do okna. Wyjrzałam przez nie, z jednej strony gotowa przejść przez szkło, z drugiej – niepewna, jak daleko wolno mi się oddalić od ciała. Zerknęłam przez ramię – wszystko w porządku. Precz z ostrożnością! Razem z nią odrzuciłam resztkę ziemskiego brzemienia. Przekroczyłam szybę i znalazłam się w ogrodzie.

Tak śni o locie gąsienica w kokonie albo poczwarka w jedwabnej kołysce.

Co ze mną będzie? W jakie kruche, mordercze stworzenie się przepoczwarzę?

Czy będę fruwała?

Czy będę żądliła?

5

Kłamie. Nigdy w życiu nie zrobiłem jej nic złego, nigdy. Kochałem ją miłością, do jakiej nie miała prawa żadna kobieta, ubóstwiałem ją, oddałem jej własną duszę. Dałem jej wszystko, czego chciała: ślub w białej sukni, mój wspaniały dom, moją sztukę i poezję. W dniu, gdy oddała mi swoją rękę, byłem najszczęśliwszym człowiekiem na świecie.

A ona to wszystko zniszczyła, jak Ewa w raju. Tkwiło w niej nasienie zła, choć wychowałem ją tak starannie. Powinienem był wiedzieć.

Co ci powiedziała? Że ją odepchnąłem? Że byłem oziębły? Pamiętam, pamiętam doskonale, jak czekała na mnie w sypialni, gdy skończyły się ślubne uroczystości. Cała w bieli, z rozpuszczonymi włosami spływającymi jasną falą aż na podłogę. W pierwszej chwili sądziłem, że śpi. Podkradłem się do łóżka, nie chcąc jej zbudzić. Ponad wszystko chciałem leżeć obok niej, rozkoszować się jaśminową wonią jej włosów. W tamtej chwili byłem człowiekiem błogosławionym, próżno by szukać we mnie żądzy, pragnąłem jedynie snu tuż obok tej najsłodszej niewinności. Kładąc głowę na poduszce, miałem łzy w oczach.

Przez chwilę trwał święty spokój, po czym otworzyła oczy. Zobaczyłem w nich własne odbicie jak w krysztale, malutkie dwa portreciki w błyszczących źrenicach. Chłodnymi bladymi rękoma objęła mnie za szyję. Zareagowałem odruchowo, wbrew sobie. Nigdy dotąd nawet jej nie pocałowałem, a tutaj nagle utonąłem w niej cały, gdy nasze usta się odnalazły, zostałem wchłonięty przez burzę włosów, w dłoniach miałem delikatne piersi...

Dziwne, że wtedy nie umarłem. Żaden mężczyzna nie jest stworzony, by przetrwać taki napór błogości. Przez cienką koszulę nocną czułem bicie jej serca, moje ciało reagowało, nie pytając mnie o zgodę. Nagle znalazłem się znowu w domu rodzinnym, w sypialni matki, tego dnia, gdy woń jaśminu wypełniła mi nozdrza, znowu poczułem gorące, grzeszne pożądanie, które mnie wtedy opanowało, które ciągle ma nade mną władzę. Nie mogłem się ruszyć. Nie potrafiłem sobie zaufać nawet na tyle, by się choć odwrócić. Może krzyknąłem coś rozpaczliwie, przekląłem siebie z nienawiścią. Effie przywarła do mnie jak Furia, a gdy próbowałem ją z siebie strząsnąć, przyszpiliła mnie do materaca, uwięziła w uścisku długich nóg, przycisnęła wargi ustami.

Smakowała solą. Utonąłem w niej, miałem jej włosy w ustach, w oczach i wszędzie wokół, niczym pajęczynę jakiejś przerażającej bogini pajęczycy. Wysunęła się z koszuli nocnej jak wąż zrzucający skórę i dosiadła mnie na kształt strasznego centaura, głowę odrzuciła do tyłu, wyzuta z wszelkiej przyzwoitości i skromności. Jakiś czas nie potrafiłem jej się oprzeć, została we mnie jedynie żądza.

Gdy odzyskałem zdolność myślenia, nadal byłem przygwożdżony do materaca.

Gdzie moja mała żebraczka – pomyślałem struchlały ze strachu. Gdzie Śpiąca Królewna, gdzie bladolica zakonnica?

Okolona czarnym żarem namiętności, nagle stała się dorosła. Dopiero kiedy zamknęła oczy, udało mi się uciec spod hipnotycznego spojrzenia. Odepchnąłem ją z całej siły, jaką potrafiłem wykrzesać z osłabłych członków. Natychmiast otworzyła oczy, więc uczyniłem jedyne, co mogłem, by nie zatonąć na nowo w mrocznej przepaści jej duszy, i ostatkiem woli odwróciłem twarz.

Żadnego wstydu w tej kobiecie! Z goryczą uświadomiłem sobie, że przepadła ostatnia nadzieja, nie uzyskam zbawienia poprzez tę zbrukaną istotę. Jej pocałunki wciąż zostawiały mi na ustach słony smak. Przekląłem swoją słabość i grzeszne ciało. Przekląłem i ją także, tę Ewę, przyczynę mojego upadku. Jej białą skórę i ogromne oczy, włosy, które doprowadzały mnie do szaleństwa. Łzy płynęły mi strumieniami. Ukląkłem i modliłem się o wybaczenie, ale nie było przy mnie Boga. W ciemności tańczyły demony namiętności. Effie nie zrozumiała, dlaczego się od niej odsunąłem, usiłowała mnie odwieść od pokuty, błagała ze łzami w oczach, kusiła pieszczotami.

– Co się stało? – pytała cicho. – Co ci jest?

Gdybym nie wiedział z całkowitą pewnością, że opanował nas ten sam demon, mógłbym własną głową zaświadczyć o jej czystości. Głos miała drżący, objęła mnie za szyję gestem miękkim i czułym – tak samo zrobiłaby, mając lat dziesięć.

Nie ośmieliłem się odpowiedzieć, tylko ją odepchnąłem. Dłonie same zacisnęły mi się w pięści.

– Henry... Proszę cię, powiedz... Henry... – Wtedy po raz pierwszy zwróciła się do mnie po imieniu. Intymność takiego wołania wzbudziła we mnie wyrzuty sumienia.

– Nie nazywaj mnie tak!

Nie rozumiała, o co chodzi. Wsunęła dłoń w moją rękę, ale czy chciała pocieszyć mnie, czy siebie, tego nie wiedziałem.

– Henry...

– Cisza! Dosyć już narobiłaś szkody!

Może naprawdę nie wiedziała, jaką niepowetowaną szkodę wyrządziła? Była wyraźnie zmieszana. Znienawidziłem ją, tę zbrukaną niewinność. Rozpłakała się, a wtedy ogarnęła mnie jeszcze większa nienawiść. Lepiej gdyby była martwa niż taka wyuzdana, rozpalona żarem namiętności!

Lepiej gdyby była martwa! – powtórzyłem w myślach.

Jej bezwstydność zabiła moją ukochaną dziewuszkę. I to tej nocy, gdy miała być moja. Ściągnęła przekleństwo na nas oboje i w dodatku będzie ze mną do końca życia, do ostatniego dnia przypominając mi o ostatecznej utracie złudzeń.

– Nie rozumiem... – szepnęła. – Co zrobiłam złego?

W jej głosie była niekłamana szczerość. W ciemności moja żona zdawała się delikatna, krucha, skrzywdzona.

Zaśmiałem się gorzko.

– Myślałem, że jesteś czysta, że choć każdą inną kobietę, nawet moją matkę, można nazwać nierządnicą, ty jesteś wolna od zepsucia.

– Ależ ja nie...

– Cisza! – przerwałem gwałtownie. – Patrzyłem, jak dorastasz. Odgrodziłem cię od innych dzieci, chroniłem. Gdzieś ty się tego nauczyła? Skąd ci się to wzięło? Czy wtedy, gdy malowałem cię jako Świętą Dziewicę albo Julię, czy młodą zakonnicę, już się wiłaś nocami w łóżku, śniąc o kochanku? Czy w Noc Walpurgii zaglądasz w lustro i widzisz, jak on ci się przygląda? – Chwyciłem ją za ramiona, potrząsnąłem. – Mów!

Wyswobodziła się z mojego uścisku, cała drżąca. Nawet wtedy jej ciało budziło we mnie pożądanie, więc narzuciłem na nią koc.

– Okryj się, kobieto! – krzyknąłem, zagryzając wargi. Musiałem jakoś powstrzymać histerię.

Owinęła się kocem ciasno, oczy miała wielkie, nieprzeniknione.

– Nic nie rozumiem – odezwała się w końcu cicho. – Myślałam, że mnie kochasz. Dlaczego się boisz uczynić ze mnie swoją żonę?

– Nie boję się! – rzuciłem wściekle. – Mogło nas połączyć tak wiele! Poświęciłaś to w imię aktu cielesnego! Kocham cię miłością czystą jak uczucie dziecka do matki. A ty zhańbiłaś tę miłość.

– Przecież rozkosz...

– Milcz! – przerwałem jej natychmiast. – Rozkosz nie ma nic wspólnego z nieskalaną radością czystości w małżeństwie. Ona istnieje tylko w Bogu. Ciało jest domem szatana, a wszelkie jego rozkosze są sprośne i nieczyste. Effie, nie pozwolimy się zbrukać. Chcę, żebyś pozostała niewinna. I piękna.

Ale ona tylko owinęła się szczelniej kocem i odwróciła twarz do ściany.

GIERMEK DENARÓW

6

Walet kier, bardzo proszę, oznaczony symbolem serca. Bądź uprzejmy określać mnie, jak należy. Nawet giermek ma swój honor. Ileż ja mam serc! Jedno ofiarowuję kochance, drugie damie, kolejne żebraczce płaczącej na ulicy – tylko po to, by osuszyć jej łzy... właśnie tak. A one cóż mi dają w zamian? Kilka drżących westchnień, parę uścisków i wannę łez... Kobiety! Z nimi źle, bez nich jeszcze gorzej... Nawet kiedy mnie doprowadzą do grobu, jeszcze w piekle będę flirtował z jakąś diabliczką. Taki ze mnie gorący wielbiciel płci pięknej.

O co chodzi?

Ach, moja opowieść. No tak, opowieść. Sam widzisz, wcale się do niej nie palę. No cóż, mam swoje pięć minut i nie zamierzam z nich rezygnować. Dobrze więc, pykaj fajkę, staruszku, ruszamy. Najpierw się przedstawię.

Nazywam się Mose Zachary Harper, jestem poetą, niekiedy malarzem, grzesznikiem, flirciarzem i hedonistą. Waletem kier i asem buław. Ongi kochanek pani Euphemii Chester.

Dwa słowa o poczciwym Henrym...

Powiedzmy, że sytuacja była niezręczna. Może z powodu kobiety – któż to wie – albo prawdy ubranej w żart rzucony pod adresem pobożnego pana Chestera? Dość powiedzieć, że wiało od niego chłodem, ale chłodem profesjonalnym. Panu Ruskinowi spodobała się moja „Sodoma i Gomora", wydał o niej przychylną opinię. To dopiero było płótno! Trzysta osób splecionych w żarliwym uścisku pełnym udręki. I każdy centymetr kobiecego ciała przedstawiony jako ziemia podbita! Uduchowiony pan Chester nienawidził mnie z całego serca, ale jednocześnie zazdrościł mi koneksji – których, szczerze mówiąc, nie miałem wcale. W każdym razie oficjalnie, bo dzięki kobietom to i owo udało mi się osiągnąć.

Wyobraźmy sobie uprzejmą rozmowę przy herbatce. Henry, posępny jak zwykle, przywodzi na myśl ciotkę przyzwoitkę.

– Czy ma pan ochotę na filiżankę herbaty, panie Harper? Słyszałem, że pańska wystawa spotkała się z niejakim uznaniem...

Swobodna atmosfera, pan Chester bez kapelusza i w rozpiętej koszuli wbija szpile zawoalowanych zniewag.

– Odnoszę wrażenie, iż dostrzegam w pańskich pracach wpływ Joshuy Reynoldsa...

Przyznaję, byłem jak zadra. Biedaczek Henry nie miał zadatków na artystę. Nie miał artystycznego temperamentu, w dodatku przejawiał irytujące zamiłowanie do życia w zgodzie z wszelkimi zasadami, łącznie z regularnym chodzeniem do kościoła, co zawsze mnie drażniło.

Wyobraź sobie moje zdumienie, gdy wróciwszy z długiej podróży zagranicznej, usłyszałem o jego ożenku! W pierwszym odruchu roześmiałem się z niedowierzaniem. Och, owszem, był na swój sposób przystojny, ale wystarczyło mieć krztynę rozumu, by wiedzieć, że namiętności w nim tyle co w drewnianym pajacu. Co poniekąd dowodzi braku rozumu u kobiet.

I zaraz ogarnęła mnie nieprzezwyciężona ciekawość. Chciałem zobaczyć, cóż to za nieszczęsną usidlił ten człowiek.

Oczyma wyobraźni widziałem jakąś brzydką dziewczynę, niewątpliwie podporę miejscowej społeczności kościelnej, biegłą w malowaniu akwareli. Popytałem trochę w kołach artystycznych i dowiedziałem się, że Henry był żonaty już prawie od roku. Jego żona, istota krucha i słabego zdrowia, w styczniu powiła martwe dziecko. Wedle powszechnego przekonania była dość ładna, w nieszablonowym stylu. Henry akurat planował wystawę dla uczczenia rocznicy małżeństwa. Była to dla mnie wyjątkowa i zapewne jedyna okazja, by ten stary pedant przyjął moją wizytę.

Na miejsce ekspozycji wybrano dom pana Chestera, w dzielnicy Highgate, przy Cromwell Square, co uznałem za błąd. Lepiej było wynająć niewielką galerię, na przykład Chatham Place. Ale jemu zabrakło odwagi, by wystawić prace pod samym nosem własnych prerafaelickich idoli. Zresztą od początku miał pretensje do wystawiania w Royal Academy, wobec czego, jak go znałem, nie zamierzał godzić się na nic poniżej tego poziomu. We właściwym czasie ukazało się w „Timesie" odpowiednie powiadomienie, następnie rozesłano ugrzecznione zaproszenia dla różnych wpływowych krytyków i artystów. Mnie w tej grupie nie było, rzecz jasna.

Zjawiłem się około południa, tuż po lunchu w pobliskiej gospodzie. Podchodząc do budynku, ujrzałem przed bramą wianuszek gości, jakby niepewnych, czy są mile widziani. Rozpoznałem wśród nich Holy'ego Hunta i Morrisa, naburmuszonych z powodu jakiejś uwagi Hunta. Towarzyszącą mu kobietą była pani Morris. Rozpoznałem ją bez kłopotu – z malowideł Rossettiego. Osobiście uważałem ją za nieco zbyt wyszukaną. Natomiast Henry'emu by się spodobała, oczywiście póki nie musiałby z nią rozmawiać. Nie znosił osobowości ekscentrycznych ani gwałtownych, a z tego, co słyszałem o pani Morris, nie traktowała napuszonych typów w stylu Henry'ego szczególnie uprzejmie.

Zobaczyłem też parę przyjaciół przybyłych z niewielkim towarzystwem, więc dołączyłem do nich, zachodząc w głowę, po co w ogóle się zjawili. On – Finglass – był niewydarzonym poetą, ona – Jenny – jego muzą. Z szerokim uśmiechem słuchałem, jak wierszokleta przedstawia ją w drzwiach jako panią Finglass. Służąca wyraźnie mu nie uwierzyła, ale grzecznie wpuściła nas wszystkich do środka.

Gdy znalazłem się we wnętrzu, od razu nasunęło mi się na myśl, jakie to typowe dla Henry'ego Chestera, by organizować wystawę *a domicile*, choć jego żona, wedle wszelkich znaków na niebie i ziemi, dopiero co wykaraskała się z choroby. Na pewno poczułby się urażony, gdyby mu ktokolwiek zwrócił uwagę na ten nietakt. Henry był właśnie taki. Wszystkie jego modelki się co do tego zgadzały. Chociaż, trzeba przyznać, płacił przyzwoicie. Był z niego raptus, wpadał we wściekłość, jeśli dziewczyna choćby o włos zmieniła pozycję, zapominał przewidzieć dla nich czas na odpoczynek, a co najgorsze, faszerował te biedne stworzenia morałami. A przecież większość tych istot zarabiała na życie na ulicy nie z własnego wyboru. Pozowanie traktowały jako lepiej płatną i bardziej godną szacunku formę prostytucji.

W sumie przybyło niewiele ponad dziesięć osób, ktoś oglądał oprawione płótna w korytarzu, lecz większość zgromadziła się w salonie, gdzie wyeksponowano główną część wystawy. Tutaj Henry rozprawiał ze swadą w centrum grupki gości z kieliszkami sherry oraz ratafii w dłoniach. Zobaczywszy mnie, skinął krótko głową. Odpowiedziałem szerokim uśmiechem, poczęstowałem się kieliszkiem sherry i ruszyłem na obchód obrazów, które okazały się dokładnie tak złe, jak podejrzewałem.

W tym człowieku próżno by szukać ognia. Jego prace były blade, zwiędłe i straszliwie cudaczne, a jednocześnie naznaczone sentymentalnością duszy pospolitej, której wyraźnie brak jakiejkolwiek pasji. Och, oczywiście potrafił malować, a i modelka, przyznaję, była dość interesująca, tyle że, niestety, pozbawiona koloru. Wyraźnie ją faworyzował, jej twarz spoglądała na mnie prawie ze wszystkich ram. Dziwna istota, bardzo daleka od współczesnych standardów urody, z jakimś średniowiecznym rysem w dziecinnej figurze i rozpuszczonych jasnych włosach. Ulubiona kuzynka? Przebiegłem wzrokiem po tytułach. „Julia w grobie", „Nauzykaa", „Mała żebraczka", „Chłodne zaślubiny"... Nic dziwnego, że dziewczę wyglądało żałośnie: na każdym obrazie występowała w jakiejś makabrycznej, ponurej roli – umierająca, martwa, chora, ślepa, porzucona... Chuda i pożałowania godna jako martwe dziecko, Julia owinięta w białe prześcieradło, żebraczka w łachmanach, przestraszona i zagubiona w bogatych jedwabiach i aksamitach Persefona...

Z krytycznej zadumy wyrwało mnie otwarcie drzwi. Ze zdumieniem spostrzegłem w nich dziewczynę, którą od dłuższej chwili miałem przed oczyma, oglądając obrazy. Od razu ją rozpoznałem i natychmiast stwierdziłem, że Henry nie potrafi oddać jej urody. Była zjawiskiem prześlicznym niczym srebrna brzoza, z talią najszczuplejszą pod słońcem, delikatnymi dłońmi i smukłymi palcami o długich paznokciach. A usta z pewnością rozkwitały czerwienią w żarze pocałunków. Miała na sobie poważną suknię z szarej flaneli. Powiedziałbym, że jeszcze nie skończyła lat dwudziestu. Zapewne jakaś krewna Henry'ego lub może zawodowa modelka? Do głowy mi nie przyszło dopatrywać się w niej pani Chester. Przywitałem się z pięknością całkiem niewinnie.

– Nazywam się Mose Harper, witam panią.

Zaczerwieniła się, odpowiedziała coś niewyraźnie, rozejrzała się wokół tymi wielkimi oczyma, jakby wystraszona, że ktoś może nas zobaczyć razem. Czyżby Henry zdążył ją przede mną ostrzec?

– Henry nie powinien był pani malować. – Uśmiechnąłem się. – Nie należy poprawiać natury. Czy mogę wiedzieć, jak pani na imię?

Następne zerknięcie na Henry'ego, ciągle zajętego rozmową.

– Effie Chester. Jestem... – Kolejny nerwowy rzut oka.

– Krewną Henry'ego? – podsunąłem. – Interesujące. Mam nadzieję, że z tej mniej poważnej części rodziny?

Ponownie to spojrzenie. Piękność spuściła głowę i coś odparła, cicho, niewyraźnie. Uświadomiłem sobie, że naprawdę ją zmieszałem, i domyślając się u niej błękitnej krwi, zmieniłem taktykę.

– Jestem wielbicielem prac Henry'ego – skłamałem odważnie. – Można mnie zaliczyć do jego kolegów... a na pewno uczniów.

Zamrugała fiołkowymi oczyma.

– Naprawdę? – rzekła z rozbawieniem, a może z pogardą...?

Flirciarka niepoprawna, ona się ze mnie śmiała! Ogniki w tych wielkich oczyskach, z pewnością iskry radości... Nagle jej twarz się rozpromieniła, a ja wyszczerzyłem w uśmiechu wszystkie zęby.

– Nie. To nieprawda. Jest pani rozczarowana?

Pokręciła głową.

– Nie znoszę stylu Henry'ego Chestera – ciągnąłem. – Nie znajduję żadnej winy w modelce. Biedaczek jest malarzem, ale nie artystą. Daj mu, człowieku, dojrzałe jabłko, a rzuci jego cień na jedwabny ekran i co zobaczy, to namaluje. Działanie pozbawione sensu. Ani publiczność, ani jabłko nie docenią takiej sztuki.

Wyglądała na zdziwioną, ale i zaintrygowaną. Przestała wreszcie zerkać na Henry'ego.

– A co pan robi? – spytała.

– Ja? Cóż, moim zdaniem człowiek, który chce malować życie, musi je znać. A jabłka są do jedzenia, nie do malowania. – Bezczelnie puściłem do niej oko i szeroko się uśmiechnąłem. – Młode dziewczęta są jak jabłka.

– Och! – Zasłoniła usta rękoma, znowu uciekła wzrokiem do Chestera, który właśnie odkrył między swoimi gośćmi Holmana Hunta i rozpoczął z nim uprzejmą, nudną rozmowę. Moja piękność odwróciła się, wyraźnie przestraszona. A więc to nie był flirt. Od flirtu była jak najdalsza. Ująłem ją pod ramię, delikatnie okręciłem w swoją stronę.

– Przepraszam. Żartowałem. Nie zrobię tego więcej.

Zajrzała mi głęboko w oczy, sprawdzając, czy mówię prawdę.

– Dorzuciłbym „słowo honoru", ale czegoś takiego nie mam od dawna – przyznałem. – Przypuszczam, że Henry panią przede mną ostrzegał. Mam rację?

Pokręciła głową, jakaś mało przytomna, nieobecna duchem.

– Czyli jednak nie – stwierdziłem. – Proszę mi powiedzieć, czy lubi pani pozowanie? I czy Henry dzieli się panią z przyjaciółmi? Ciekaw jestem... Nie? Mądry z niego człowiek. I o cóż to teraz chodzi?

Znowu się ode mnie odwróciła, na twarzy miała głębokie, szczere strapienie. Dłonie zacisnęła na miękkiej tkaninie sukni.

– Bardzo pana proszę... – powiedziała cicho, z gwałtownością w głosie.

– O co chodzi? – Znalazłem się na granicy poirytowania i troski.

– Nie mówmy o pozowaniu! Nie mówmy o tych nieszczęsnych obrazach. Każdy, kogo spotkam, chce rozmawiać o obrazach. Nienawidzę ich!

Interesujące.

– Szczerze mówiąc – zniżyłem głos – ja też.

Wyrwał jej się cichy śmiech, z oczu zniknął cień przestrachu.

– Nienawidzę odgrywać dzień w dzień tej samej roli – podjęła jak we śnie. – Zawsze cicha i spokojna, wiecznie nad robótką, w należytej pozie, gdy tak naprawdę chciałabym... – Przerwała. Może sobie uświadomiła, że właśnie miała zamiar przekroczyć granice przyzwoitości.

– No, ale zapewne dobrze pani płaci! – podsunąłem.

– Płaci?! – Tyle pogardy zawarła w jednym słowie, że zorientowałem się od razu: nie była zawodową modelką.

– Chciałbym umieć tak jak pani lekceważyć temat finansów – rzuciłem lekko. – A jeszcze lepiej, gdyby zechcieli to zrobić moi wierzyciele.

Znów się cicho zaśmiała.

– Pan jest mężczyzną – stwierdziła nagle całkiem trzeźwo. – Może pan robić, co zechce. Nie musi pan... – Niedokończone zdanie utknęło między nami żałośnie.

– A czego pani by chciała? – zapytałem.

Przez chwilę patrzyła na mnie bez słowa. Dostrzegłem w jej spojrzeniu coś takiego... co przywiodło mi na myśl obietnicę zimnej pasji. A potem wrócił na jej twarz obojętny wyraz.

– Niczego.

Już miałem się odezwać, gdy sobie uświadomiłem czyjąś obecność. I rzeczywiście, za moimi plecami stanął Henry. Jak zwykle z nieomylnym wyczuciem czasu, nareszcie porzucił Hunta, pozwolił mu odejść do innych gości. Towarzysząca mi dziewczyna zesztywniała, twarz jej zastygła. Zastanowiłem się przelotnie, co też stary dobry Henry na nią miał, że się go tak bała. Bała? Mało powiedziane. Była przerażona.

– Pan Harper – odezwał się Henry z nieskazitelną kurtuazją. – Witam pana. Widzę, że ogląda pan moje płótna.

– W rzeczy samej – odparłem. – Nie sposób im odmówić maestrii, a jednak nie oddają w pełni uroku modelki.

Fatalnie. Henry zmiażdżył mnie spojrzeniem. I w końcu przedstawił damie, lodowatym tonem.

– Zechce pan poznać moją żonę, panią Chester.

Pewnie już się zorientowałeś, że dysponuję pewną dozą uroku osobistego. Przywołałem go w całości, by zmazać faux pas i stworzyć dobre wrażenie. Przez kilka minut schlebiałem Henry'emu tak bezwstydnie, że w końcu zmiękł na nowo. Młoda kobieta o urodzie smukłej topoli i w kolorystyce brzozy zerknęła na mnie jeszcze kilka razy. Przysięgam, gotów byłem oddać jej serce. W każdym razie – na jakiś czas.

Przede wszystkim musiałem zyskać dostęp do tej piękności. Uwiedzenie mężatki wymaga cierpliwości oraz zastosowania odpowiedniej strategii, możesz mi wierzyć. A jednocześnie przepustki do obozu wroga. Tymczasem chwilowo brakowało mi pomysłu, jak wsączyć moją rozpustną osobowość w życie wybranki, jak zdobyć jej uczucie.

Cierpliwości, Mose, pomyślałem. Bez pośpiechu.

W czasie rozmowy ze wszystkich sił uwodziłem – nie żonę, lecz męża. Mówiłem o swoim podziwie dla Holmana Hunta, bo wiedziałem, że Henry darzy go uwielbieniem, bolałem nad nowymi dekadenckimi tendencjami Rossettiego, opowiedziałem o swoich doświadczeniach zdobytych za granicą, wyraziłem zainteresowanie najnowszym płótnem Henry'ego, obiektywnie biorąc, dziełem nędznym, przewyższającym w swojej ohydzie wszystkie poprzednie, aż w końcu wyraziłem pragnienie, by zechciał mnie namalować.

– Portret? – zainteresował się Henry.

– Tak... – potwierdziłem niepewnie, z odpowiednią dozą skromności. – Może portret historyczny? Biblijny czy średniowieczny... Nie myślałem jeszcze o szczegółach. Pomysł wziął się z uwielbienia dla pańskiego talentu, stylu, którym zachwycam się już od jakiegoś czasu. A po tej wspaniałej wystawie... Któregoś dnia wspomniałem o panu Swinburne'owi... w gruncie rzeczy to on był pomysłodawcą w kwestii portretu.

Łgałem jak z nut. Wiedziałem, że purytański Henry nie miał wielkich szans na wymianę poglądów z człowiekiem takim jak Swinburne, więc nie zweryfikuje moich słów. Z drugiej strony, równie dobrze jak ja znał stosunki między Swinburne'em i Rossettim. Z próżności nadął się jak balon. Uważnie zbadał wzrokiem moją twarz.

– Doskonałe rysy, powiedziałbym... regularne – ocenił. – Bez przykrości podejmę się przeniesienia ich na płótno. Głowa będzie na wprost? A może profil trois-quattre?

Szybko przemieniłem prostackie łypnięcie okiem w uśmiech.

– Oddaję się w pańskie ręce – oznajmiłem.

7

Kiedy otworzyłam drzwi i zobaczyłam go po raz pierwszy, byłam pewna, że mnie dostrzegł. Nie to ciało, ale esencję mnie, postać nagą, bezradną. Myśl ta okazała się z jednej strony przerażająca, a z drugiej niesłychanie podniecająca. Przez chwilę miałam ochotę przechadzać się przed tym obcym dumna jak paw, tańczyć przed nim bezwstydnie, wyrwawszy się z bladej powłoki cielesnej, którą mogłam porzucać, kiedy zechciałam. A mój mąż stałby obok, niczego nie podejrzewając.

Nie potrafię nazwać tego dziwnego uczucia rozpasanej swobody. Może spowodowało je wyostrzenie zmysłów, jakie się zjawiło po ostatniej chorobie, może laudanum, które przyjęłam, by uśmierzyć ból głowy – nie wiem, ale z pewnością gdy po raz pierwszy zobaczyłam Mose'a Harpera, wiedziałam, że to mężczyzna bezwzględnie fizyczny, rządzony pragnieniami, kierujący się dążeniem do przyjemności. Obserwując go, rozmawiając z nim w obecności męża, wyraźnie dostrzegłam w nim swoje przeciwieństwo. Niczym słońce promieniował energią, emanowała z niego pewność siebie, niezależność i zadowolenie. A co najwspanialsze, nie było w nim nawet śladu wstydu i właśnie to mnie do niego nieodparcie przyciągało. Gdy dotknął mojego ramienia, gdy odezwał się cicho, pieszczotliwym tonem, przekazał mi obietnicę zmysłowości. Policzki mi zapłonęły żywym ogniem, ale nie ze wstydu.

Obserwowałam go potajemnie, gdy rozmawiał z Henrym. Nie umiałabym powtórzyć ani jednego słowa, ale ton jego głosu wprawiał mnie w rozkoszne drżenie. Był młodszy od mojego męża o jakieś dziesięć lat. Miał ostre rysy i kpiący wyraz twarzy. Włosy długie, związane na karku w ekscentryczny, staromodny sposób. Ubrany był w stylu zbyt swobodnym, nawet jak na poranną wizytę, i nie miał kapelusza. Spodobały mi się jego oczy – niebieskie, dość wąskie, jakby się bez przerwy śmiały; ujął mnie szelmowski wyraz ust. Spostrzegłszy, że mu się przyglądam, posłał mi łobuzerski uśmiech.

Zdziwiłam się, gdy usłyszałam, że zlecił mojemu mężowi namalowanie portretu, bo z tego, co wcześniej słyszałam, pan Harper był zuchwałym lekkoduchem, gustującym w pracach nieczystych, pozbawionym zdrowego rozsądku, a co gorsza także gustu. A teraz nagle Henry opowiada mi, w pobłażliwym tonie, że Mose, ten młody szelma, na skutek podróży po całym świecie bardzo się poprawił i któregoś dnia z pewnością będzie świetnym malarzem, ponieważ charakteryzuje go doskonały warsztat i pewna oryginalność stylu.

Przez jakiś czas Henry rozważał różne pomysły na portret; podsuwał je, następnie odrzucał, brał pod uwagę tak różne, jak „Młody Salomon" albo „Jakobita". Mose spisał listę własnych propozycji, na której znalazły się: „Prometeusz", „Adam w rajskim ogrodzie" – ta została natychmiast odrzucona przez Henry'ego, ze względu na „skromność, jakiej bezwzględnie wymaga ten temat" – i w końcu „Karciarze".

Ta myśl zaintrygowała Henry'ego, do tego stopnia, że spotkał się z Mose'em w studiu, by ją przedyskutować. Harper stwierdził, że idea narodziła się, gdy czytał wiersz francuskiego poety, Baudelaire'a, w którym:

Le beau valet de coeur et dla dame de pique
Causent sinistrement de leurs amours defunts.

Tylko dwa wersy, a tyle treści! Piękny mężczyzna, kobieta, groźba i miłość... Nie czytałam nic tego poety, ale słyszałam o jego bulwersujących dziełach. Jakoś mnie nie zdziwiło, że jest ulubionym twórcą Mose'a.

Pan Harper uznał motto za inspirujące i naszkicował słowami scenę osadzoną w brudnej paryskiej kawiarni, gdzie na blatach stoją butelki absyntu, a podłoga jest przysypana trocinami. Przy jednym ze stołów siedzi młody człowiek trzymający w dłoni waleta kier, a tuż obok niego piękna kobieta właśnie kładzie damę pik.

Henry nie był zachwycony, pomysł wydał mu się plugawy. Wolał malować Mose'a w średniowiecznej todze, może jako lamentującego minstrela, z wiolą w dłoniach, siedzącego pod zegarem słonecznym. W tle widział zachodzące słońce i jadące konno kobiety o twarzach skrytych pod welonami, trzymające różne instrumenty muzyczne.

Mose wykazał uprzejmy brak zainteresowania tematem. Oznajmił, że nie widzi siebie w roli średniowiecznego muzykanta. Zresztą proponowane tło także trzeba by jeszcze przemyśleć. Malowanie średniowiecznego krajobrazu z damami na koniach może potrwać długie miesiące. Z pewnością łatwiej będzie oddać ciemne wnętrze i skoncentrować się na samym portrecie.

Był jakiś sens w tych argumentach, więc Henry, chociaż niechętnie, wreszcie się poddał. Uznał, że rozważany temat nikomu nie przyniesie ujmy, jeśli tylko zostanie podany z wyczuciem i smakiem. Rozważył jeszcze wpisanie francuskiego wiersza na ramie obrazu, ale Mose zapewnił go, że to nie będzie konieczne. Wobec czego Henry rozpoczął planowanie nowego płótna, ku mojej ogromnej uldze porzucając „Damę z cymbałami".

Nie mam pojęcia, jaką zapłatę Mose obiecał Henry'emu, lecz mój mąż wyraźnie wiele sobie obiecywał po samym dziele. Uznał, że dzięki koneksjom portretowanego niechybnie zawiśnie ono w Royal Academy, co jest wielce pożądane dla każdego malarza.

Mnie to wszystko mało obchodziło. I tak nie żyliśmy ze sprzedaży obrazów. Pieniądze, jakie na nich zarabiał mój mąż, miały głównie wartość osobistej satysfakcji, stanowiły dowód talentu. Mnie nowy obraz interesował o tyle, że praca nad nim łączyła się z prawie codziennymi wizytami Mose'a.

8

Nigdy nie lubiłem Mose'a Harpera. Zawsze miałem go za człowieka niebezpiecznego i wyrachowanego. Co więcej, słyszałem, że bywa zaangażowany w najróżniejsze ciemne sprawki, począwszy od fałszerstw, a na szantażu skończywszy, przy czym żadna z tych pogłosek, które, nawiasem mówiąc, w znacznym stopniu ułatwiały mu podboje sercowe, nigdy nie została potwierdzona.

W moich oczach był osobnikiem niższego gatunku, niemoralnym i źle wychowanym. Dobre maniery okazywał tylko wtedy, gdy chciał się komuś przypodobać. Można go w pewnym sensie uznać za artystę, chociaż te jego prace, z którymi się zetknąłem – w równym stopniu malarstwo i poezja – wydawały się obliczone jedynie na wywołanie szokującego efektu. Próżno by się w nich doszukiwać jakiejkolwiek harmonii albo obrazów życia. Gustował w grotesce, w absurdzie i wulgarności.

Mimo niechęci do ludzi takiego pokroju uświadomiłem sobie z zaskoczeniem, iż jego koneksje mogą się dla mnie okazać użyteczne. Zresztą mój pomysł na portret był doskonały, miał szansę przyciągnąć uwagę Royal Academy. Już wcześniej zgłosiłem „Małą żebraczkę" i „Śpiącą Królewnę". Przychylna krytyka dodawała mi odwagi, choć

„Times" osądził moją modelkę jako osobę bez wyrazu i sugerował, że powinienem ponownie rozważyć kwestię doboru. Z tego też powodu zdecydowałem się zarzucić pracę nad „Damą z cymbałami" i natychmiast przystąpić do szkicowania portretu, choć bardzo nie odpowiadał mi bliski kontakt z Harperem. Biorąc pod uwagę jego reputację, nie chciałem, by przestawał z Effie. Nie podejrzewałem, oczywiście, żeby ona mogła jemu czynić jakiekolwiek awanse, to zrozumiałe, lecz mierziła mnie sama myśl o tym, jak on na nią patrzy, jak się do niej odnosi, jak jej pożąda.

Tak czy inaczej, ponieważ Effie znowu chorowała, wybór miałem niewielki. Wobec czego urządziłem niewielkie studio na ostatnim piętrze i tam pracowałem. Harper często mi pozował, siedząc w ogrodzie lub w salonie. Szkicowałem go pod różnymi kątami, a Effie pracowała nad swoim haftem albo czytała jakąś książkę, najwyraźniej całkowicie ukontentowana milczącym towarzystwem. Nie wykazywała najmniejszego zainteresowania Harperem, lecz to akurat niewielką mi zapewniało pociechę. W zasadzie pewnie znalazłbym dla niej więcej cierpliwości, gdyby wykazywała choć trochę ożywienia.

A ona myślała tylko o swoich książkach. Kilka dni wcześniej odkryłem, że zaczytywała się w całkowicie nieodpowiedniej dla niej powieści, absolutnie fatalnej, napisanej przez niejakiego Ellisa Bella, zatytułowanej „Wichrowe wzgórza" czy jakoś podobnie bezsensownie. Lektura wpędzała ją w migreny i rodziła w jej głowie wydumane dziwactwa, ale kiedy książkę odebrałem żonie – przecież wyłącznie dla jej dobra – niewdzięczna istota śmiała mi urządzić karczemną awanturę! Krzyczała: „Jakim prawem nie pozwalasz mi czytać?!". Szlochała, dostała spazmów i w ogóle zachowywała się niczym dziecko rozpuszczone do granic możliwości, którym zresztą przecież była. Dopiero słuszna dawka laudanum zdołała ją uspokoić. Przez kilka dni po tym incydencie Effie została w łóżku, zbyt słaba i drażliwa, żeby normalnie egzystować. Gdy wreszcie nieco wydobrzała, powiedziałem jej, co od dawna podejrzewałem: czytała stanowczo za dużo. Właśnie stąd się brały jej dziwactwa. A do tego jeszcze podatność na choroby i zwykłe lenistwo. Uświadomiłem jej, że nie ma nic złego w czytaniu przyzwoitych dzieł chrześcijańskich, natomiast zabroniłem marnowania czasu na powieści lub cokolwiek innego poza najlżejszą poezją. Już i tak Effie miała nerwy w fatalnym stanie.

Nie wiem, co ci powiedziała, ale z pewnością nie byłem dla niej niedobry. Zdawałem sobie sprawę, w jakim przykrym stanie się znajdowała, pomagałem jej, zachęcając do zajęć stosownych dla młodej kobiety. Tymczasem robótki leżały nietknięte tygodniami, wręcz musiałem jej o nich przypominać. A przecież nie o mnie tu chodziło, lecz o nią. Wiedziałem, że podobnie jak ja chciała błysnąć talentem. W dzieciństwie próbowała malować sceny z ulubionych poetów. Zawsze byłem wobec niej szczery i również tym razem nie schlebiałem jej, lecz odsłoniłem okrutną prawdę: kobiety z zasady nie są stworzone do działań artystycznych. Ich zdolności dotyczą spokojnych obowiązków domowych.

Nie słuchała mnie. Upierała się przy swoich bohomazach, twierdziła, że maluje to, co widzi w wyobraźni. Wyobraźnia! Oznajmiłem jej bez ogródek, że powinna mniej sobie wyobrażać, a bardziej się poświęcać obowiązkom żony.

Jak widzisz, nie sposób mi zarzucić, bym o nią nie dbał. Kochałem ją zbyt mocno, by pozwolić jej się oszukiwać, zwodzić próżności i zarozumiałości. Jak długo mogłem, dbałem o jej czystość, znosiłem niedoskonałości, wybaczałem nieszczerość i nikczemność, którymi była obciążona jak każda kobieta. A cóż otrzymywałem w zamian? Kaprysy, zachcianki, głupotę i zdradę. Nie pozwól, jak ja, zwieść się jej niewinnej, słodkiej twarzyczce. Była chora, jak moja matka, kwiat jej młodości otwierał się z pąka usmolonego czarną zgnilizną. Skądże ja mogłem o tym wiedzieć?... A Bóg w swojej nieposkromionej zazdrości postawił ją na ścieżce mojego życia, by mnie poddać próbie. Wpuść kobietę do Królestwa Niebieskiego, choćby tylko jedną, a sprowadzi na złą drogę wszystkie anioły, jednego po drugim.

Przekleństwo! Przez nią jestem taki, jakiego teraz widzisz: kaleki, upadły anioł, z gadzim pomiotem w zmrożonych wnętrznościach. Jeśli przekroisz jabłko, znajdziesz w środku gwiazdę, a w jej wnętrzu przeklęte nasiona. Bóg o tym wiedział także wtedy. On wie wszystko i wszystko widzi. Z pewnością zaśmiewał się do rozpuku, gdy wyciągał żebro z ciała śpiącego Adama! Zdaje mi się, że jeszcze słyszę Jego śmiech. Czuję. W najczarniejszej otchłani duszy. Przeklinam światło. Dwadzieścia granulek chloralu pomoże mi ten śmiech uciszyć.

9

Przez dwa tygodnie zadowalałam się obserwowaniem i czekaniem. Mose nawiedzał moje sny wizjami rozkosznego poddania. Na jawie widywałam go dzień w dzień. Trwałam w ciepłym, przemiłym stanie pół snu, pół jawy, niczym królewna czekająca na pocałunek, który ją przebudzi z uśpienia. Ufałam mu bezgranicznie. Widziałam, jak mi się przygląda. Wiedziałam, że się do mnie zbliży.

Dni mijały, Henry w końcu wycofał się do studia i tam pracował. Zrobił dość szkiców Mose'a i ciągnęło go do przelania pomysłu na płótno. Niezobowiązująco rozważał wykorzystanie mnie jako modelki do kobiety kładącej damę pik, ale Mose, dyskretnie puściwszy oko w moją stronę, oznajmił stanowczo, że nie jestem w jego typie. Henry nie wiedział, czy powinien być oburzony, czy poczuć ulgę, więc ograniczył się do skąpego uśmiechu i obiecał przemyśleć sprawę. Mose przez jakiś czas dotrzymywał mu towarzystwa w pracowni – wtedy go nie widywałam, ale tak czy inaczej, wyobraźnia stale podsuwała mi przed oczy jego twarz.

Czułam się z dnia na dzień coraz lepiej, potrzebowałam coraz mniej laudanum, a Henry stale mi je przynosił. Którejś nocy zorientował się, że wylałam lekarstwo, i był bardzo zły. Pytał, jakim sposobem zamierzam wyzdrowieć, skoro nie przyjmuję leku. Przypomniał, że mam grzecznie łykać kropelki trzy razy dziennie, bo w przeciwnym razie znowu dopadnie mnie słabość, znów będą się mnie imały wyduma-ne dziwactwa, wrócą koszmary nocne, a wtedy, do niczego niezdatna, będę tylko próżnowała. Jego zdaniem miałam wątłe zdrowie, a umysł osłabiony bezczynnością. Należało mnie skłaniać do prób jakiegoś działania, żebym nie sta-nowiła dla niego obciążenia, zwłaszcza teraz, gdy w końcu doceniono jego pracę.

Zgodziłam się potulnie. Obiecałam, że codziennie wybiorę się na spacer do kościoła, zobowiązałam się do regularnego przyjmowania kropli. Od tamtej rozmowy dbałam, żeby ilość leku we flaszce systematycznie malała. Araukaria na schodach była nim podlewana trzy razy dziennie. Henry niczego nie podejrzewał. W tamtym czasie najlepszy humor miał, gdy wracał ze studia. Chociaż malowanie szło powoli, jednak robił postępy w pracy nad portretem. Mose pozował jakieś trzy godziny dziennie, natomiast Henry stał za sztalugami do wieczora.

W miarę jak dni się wydłużały i aura łagodniała, nabrałam zwyczaju przedłużania spaceru – popołudniami wybierałam się na cmentarz. Raz czy drugi towarzyszyła mi Tabby, ale za dużo miała obowiązków domowych, żeby jeszcze na stałe pełnić rolę mojej przyzwoitki. Powiedziałam jej, że chadzam tylko do kościoła, cóż złego może mnie spotkać po drodze? Na dodatek, odkąd zima odeszła na dobre, czułam się co-raz lepiej. Trzy lub cztery razy przeszłam tą samą drogą: z Cromwell Square w dół wzgórza po Swain's Lane, na cmen-tarz Świętego Michała. Od dnia, gdy przeżyłam w kościele wizję, gdy straciłam dziecko, czułam się z tym budynkiem w szczególny sposób związana. Pragnęłam się w nim znaleźć sama i raz jeszcze zyskać poznane wtedy uczucie objawienia. Zawsze jednak byli tam inni ludzie. A w niedziele, w towarzystwie Henry'ego, oczywiście nie było mowy o spełnieniu marzenia. Po wyjeździe Williama do Oxfordu czułam się obserwowana jeszcze baczniej. Nie śmiałam zrzucić maski ani na chwilę.

Z nastaniem cieplejszych dni zaczęły się dla mnie prawdziwe wakacje. Wyprawy z domu ogromnie mnie radowały, a przy tym Henry pozostawał w przekonaniu, iż spaceruję wyłącznie po to, by wypełnić jego polecenie. Gdyby wiedział, ile te wyjścia dla mnie znaczą, z pewnością by mi je ukrócił. Nic zatem dziwnego, że trzymałam radość w tajemnicy, a moja dusza brykała, szalała i śmiała się do całego świata. Jeszcze kilka razy szukałam samotności w kościele, lecz zawsze było tam dużo ludzi, nie miałam śmiałości wejść. A to wycieczki, a to chrzty albo śluby...

Raz trafiłam na pogrzeb. Czarno odziani żałobnicy śpiewali mroczne hymny przy smętnym zawodzeniu organów. Zawróciłam do na wpół otwartych drzwi, zażenowana i trochę przestraszona, jakby fala dźwięku mnie uderzyła. W pomieszaniu o mało nie zrzuciłam wazonu z białymi chryzantemami. Hałas ściągnął na mnie uwagę jakiejś kobiety – przyszpiliła mnie groźnym wzrokiem. Przeprosiłam oszczędnym bezradnym gestem i znów ruszyłam do drzwi, lecz nagle poczułam, że nogi się pode mną uginają. Podniosłam wzrok – sufit ciągnął mnie do góry szaloną spiralą, nagle tuż przede mną znalazła się twarz świętego Sebastiana, uśmiechniętego, pokazującego zęby...

Nie teraz!

Ze wszystkich sił starałam się odzyskać panowanie nad sobą. Popatrując gorączkowo to tu, to tam, pochwyciłam spojrzenie tej samej kobiety; ciągle na mnie patrzyła, lecz teraz jakoś inaczej, jakby mnie rozpoznawała. Z daleka usłyszałam wołanie takie jak wtedy, zimą. Zmroził mnie niewyjaśniony przestrach, obróciłam się, gwałtownie uwolniona z transu, pobiegłam do wyjścia, trzasnęłam ciężkimi drzwiami. Potknęłam się i wpadłam prosto na jakiegoś czarno odzianego osobnika u podnóża schodów. Chwycił mnie mocno w ramiona. Byłam na krawędzi histerii, niewiele brakowało, żebym zaczęła głośno krzyczeć. Spojrzałam w twarz napastnika. To był Mose.

– Pani Chester! – wyglądał na zdziwionego. Natychmiast mnie puścił, gestem wyraził ubolewanie, które można by odebrać serio, gdyby nie psotny błysk w oczach. – Bardzo mi przykro, że panią wystraszyłem. Proszę o wybaczenie.

Z niejakim trudem odzyskiwałam spokój.

– Nic się nie stało. Nie pan mnie wystraszył. Wybrałam się do kościoła, trafiłam na nabożeństwo żałobne... Mam nadzieję, że nie zrobiłam panu krzywdy? – dokończyłam niezgrabnie.

Roześmiał się głośno, ale zaraz zmrużył oczy, wyraźnie zatroskany.

– Pani się jednak wystraszyła. Bardzo pani zbladła. Usiądźmy na moment. – Objął mnie za ramiona i poprowadził w stronę pobliskiej ławki. – Ależ pani jest zimna!

Nie zdążyłam odpowiedzieć, a już zdjął płaszcz i mnie nim okrył. Dopiero wtedy zaprotestowałam, lecz bez przekonania, zresztą na nic się to zdało wobec jego władczej postawy i pogody ducha. Poza tym dobrze mi było, gdy siedziałam na ławce, otulona wełnianym płaszczem, pachnącym tytoniem. Gdyby mnie wtedy pocałował, odwdzięczyłabym się tym samym, z całą żarliwością. Wiedziałam o tym doskonale i całkiem nie czułam się winna.

10

Włóczyłem się za nią prawie przez tydzień, zanim zrobiłem pierwszy ruch. Nie była to łatwa zwierzyna, musiałem działać ostrożnie, jeśli nie chciałem dziewczęcia wystraszyć. Jak dotąd była wzruszająco łatwowierna. Od czasu sceny pod kościołem zaczęliśmy się spotykać codziennie. Po tygodniu mówiła mi po imieniu i trzymała mnie za rękę, jak dziecko. Gdybym nie znał prawdy, przysiągłbym, że jest dziewicą.

Co mówisz? Że to panna nie w moim guście? Cóż, ja także nie potrafię tego wytłumaczyć. Może chciałem raz odegrać rolę księcia, skoro tyle razy byłem giermkiem... Zresztą nie sposób zaprzeczyć, była piękna.

Każdy by się zakochał.

Każdy, tylko nie ja.

Tymczasem jednak było w niej coś niesamowitego... coś innego. Z jednej strony chłód, z drugiej pierwotna zmysłowość, coś, co rozpaliło we mnie skryte dotąd uczucia. Stanowiła dla mnie całkowicie nowe doświadczenie. Czułem się jak alkoholik o podniebieniu spalonym żrącymi trunkami, który pierwszy raz w życiu skosztował słodzonego napoju dla dzieci. I rozkoszowałem się nieznanym, nową świeżością. A ona nie stawiała żadnej bariery między tym, co słuszne, a tym, co niewłaściwe. Szła bez protestu tam, gdzie ją prowadziłem, drżała z rozkoszy, gdy jej dotykałem, z uwagą chłonęła każde moje słowo. Rozmawiałem z nią dużo więcej i częściej niż z jakąkolwiek inną kobietą, zapominałem się, mówiłem nawet o moich wierszach i obrazach, o tęsknotach i pragnieniach. Najczęściej widywaliśmy się na cmentarzu – jest ogromny, łatwo tam znaleźć spokój i odosobnienie. Któregoś chłodnego, ponurego wieczoru, gdy Henry pracował do późna, spotkaliśmy się przy Circle of Lebanon. Spacerowaliśmy całkiem sami, a we mnie budził się diabeł. Effie pachniała różami i świeżym chlebem, twarz miała zaróżowioną od wieczornego chłodu, włosy lekko w nieładzie, tu i tam niesforne pasmo spadało jej na twarz.

W tamtej chwili stanowiłem jej własność.

Po raz pierwszy ją pocałowałem. Wyleciały mi z głowy wszystkie starannie ułożone plany, postanowienia, by jej nie wystraszyć, nie spłoszyć. Stała przy jakimś okazałym grobowcu, a ja popchnąłem ją na ścianę. Kapelusz jej spadł, nie zwróciłem na to uwagi. Jej włosy, częściowo wyswobodzone ze spinek, muskały mi twarz. Odgarnąłem je, wsunąłem palce między jedwabiste pasma. Z trudem chwytałem oddech, jak nurek, który zbyt długo został pod powierzchnią wody. Musiałem się przygotować do ponownego zanurzenia. Podejrzewam, że pocałunku tego rodzaju się nie spodziewała, bo potem krzyknęła z cicha, przycisnęła dłonie do ust i wpatrywała się we mnie bez słowa. Na policzkach miała rumieńce, a oczy wielkie jak spodki. Uświadomiłem sobie, że ulegając gwałtownemu impulsowi, najpewniej zmarnowałem efekty długich i starannych zachodów. Zakląłem głośno. I zaraz przekląłem siebie – za przeklinanie.

Ochłonąwszy nieco, odsunąłem się od niej i padłem na kolana, odgrywając skruszonego kochanka. Było mi ogromnie przykro, bardziej niż mogłem wyrazić, zachowałem się w sposób naganny, nie istniała na świecie kara, która by zmazała moją winę, uległem nieprzezwyciężonej pokusie, poddałem się słabości, bo od chwili pierwszego spotkania tak bardzo pragnąłem pocałunku, że w końcu nie zdołałem nad sobą zapanować, przecież nie jestem z kamienia! Ale oczywiście wina leży wyłącznie po mojej stronie, przestraszyłem ją, obraziłem, zasługuję na chłostę.

Może ociupinę przesadziłem, ale miałem tę technikę opanowaną do perfekcji, zawsze się doskonale sprawdzała w przypadku mężatek. Zaczerpnąłem ją ze stronic powieści sir Waltera Scotta. Bóg mi świadkiem, tym razem mówiłem prawie szczerze. Zerknąłem ostrożnie, czy wzięła przynętę, patrzę, a Effie ledwo tłumi śmiech! Zobaczywszy moje spojrzenie, roześmiała się głośno. Wcale nie szyderczo, ot, po prostu, z całego serca.

Natychmiast urosła w moich oczach. Wstałem, uśmiechnąłem się ponuro.

– No cóż... – mruknąłem. – Warto było spróbować. – Lekko wzruszyłem ramionami.

Effie tylko pokręciła głową i znowu się roześmiała.

– Och, Mose – wykrztusiła wreszcie. – Ależ z ciebie hipokryta! Powinieneś grać na scenie!

Spróbowałem z innej strony. Tym razem: dumny kochanek.

– Myślałem o tym, owszem. Tak czy inaczej, ta rola odnosi skutek również w prawdziwym życiu. No dobrze – ciągnąłem z rozbrajającym uśmiechem. – Przyznaję. Niczego nie żałuję.

– Tak lepiej – uznała Effie. – W to wierzę.

– Wobec tego powiem jeszcze jedno. Kocham cię.

Przecież nie mogła mi nie uwierzyć. Sam prawie ufałem własnym słowom.

– Kocham cię – podjąłem – i cierpię, bo jesteś żoną tego nadętego safanduły. On wcale nie widzi w tobie kobiety.

Uważa cię za swoją własność, żebraczkę, chorego upadłego anioła. Effie, potrzebujesz mnie. Ktoś cię musi nauczyć żyć i cieszyć się życiem.

Mówiłem prawie szczerze. W zasadzie nieomal przekonałem samego siebie. Obserwowałem ją, sprawdzając, jak przyjmuje moje słowa, a ona odpowiedziała mi otwartym spojrzeniem. Zrobiła krok w moją stronę, a taka w niej była jakaś moc, że o mało się nie cofnąłem. Nieomal z roztargnieniem ujęła moją twarz w chłodne dłonie. Pocałowała mnie delikatnie, smakowała solą. Pozwoliłem jej smukłym palcom odkrywać moją twarz, kark, włosy. Lekko pchnęła mnie w stronę grobowca. Usłyszałem, jak za mną otwiera się furta, pozwoliłem się wprowadzić do środka. Stanęliśmy w jednej z rodzinnych kapliczek, gdzie stały ołtarzyk, klęcznik i krzesło. Naprzeciwko wejścia znajdowało się okienko witrażowe. Ledwo mieściły się tam dwie osoby, ale nie mógł zajrzeć nikt niepowołany. Zamknąłem oczy i otworzyłem ramiona.

Tuż przed moim nosem trzasnęła furta.

A po drugiej stronie kraty stała ona, flirciarka niepoprawna, szeroko uśmiechnięta. Zaśmiałem się i ja, pchnąłem furtkę, ale zapadka była od zewnątrz.

– Effie!

– Przerażające, prawda?

– Wypuść mnie!

– Straszne, kiedy człowiek jest zamknięty, nie może się wyswobodzić. Tak ja się czuję przy Henrym przez cały czas. On nie pozwala mi żyć. Woli, żebym była milcząca i zimna jak trup. Nie masz pojęcia, jakie to uczucie. Poi mnie laudanum, żebym była spokojna i posłuszna, ale co z tego, skoro dusza we mnie wyje, skoro mam ochotę krzyczeć na cały głos i biegać po domu nago jak dzikuska!

Usłyszałem w jej głosie pasję i nienawiść. Trudno wyrazić, jakie to ożywcze dla człowieka nieco zblazowanego. Ale też niepokojące. Przemknęło mi przez głowę, by rzucić całą sprawę w diabły, bo na tej wyjątkowej dziewczynie mogę się sparzyć. W końcu jednak nie oparłem się wyzwaniu. Warknąłem na nią zza krat niczym tygrys i chwyciłem zębami palce. Roześmiała się w głos, jak ptak krzyczący na bagnach.

– Nie zdradzisz mnie – stwierdziła.

Pokręciłem głową.

– Bo jeśli to zrobisz, sprowadzę cię tutaj i żywcem pogrzebię.

Trochę żartowała. A trochę nie.

Pocałowałem jej dłoń.

– Będę grzeczny, obiecuję.

Usłyszałem zgrzyt zapadki, w półmroku Effie weszła do kapliczki. Jej płaszcz zsunął się na podłogę, zaraz za nim flanelowa suknia. W bieliźnie wyglądała niczym zjawa, lecz jej dotyk parzył. Nie miała żadnego doświadczenia, ale z nawiązką nadrabiała entuzjazmem. Mówię ci, momentami czułem strach. Szarpała mnie, gryzła, drapała, zdominowała mnie swoją namiętnością, a w półmroku nawet nie potrafiłem powiedzieć, czy krzyczała w udręce czy z rozkoszy. Na moją ostrożność i delikatność odpowiadała niespodziewaną porywczością. Sam akt był szybki i brutalny, jak morderstwo, a potem Effie płakała, ale raczej nie ze smutku.

Było w niej coś mistycznego, co przepełniało mnie trwogą, a jednocześnie wrażeniem świętości. Nigdy się tak nie czułem z inną kobietą. W jakiś niewytłumaczalny sposób miałem wrażenie, że mnie oczyściła.

* * *

Tak, tak, wiem, co myślisz.

Sądzisz, że się zakochałem w smarkuli. Nic podobnego. Ale tamtego wieczoru, naprawdę tylko wtedy, sądziłem, że czuję coś głębszego niż krótka namiętność, jaką obdarzałem inne kobiety. Jakby akt połączenia coś we mnie otworzył. Nie kochałem Effie, a przecież wróciwszy do siebie tej nocy, cały podrapany i obolały, jakbym zakosztował wojny, nie mogłem spać. Aż do rana siedziałem przy kominku, piłem wino i myślałem o Effie, spoglądając w płomienie. Mogłem pić, ile chciałem. Trunek nie ugasił pragnienia, które we mnie rozpalił jej gorący dotyk, tak samo jak wszystkie kokoty świata nie dałyby rady zaspokoić mojej żądzy, bo chodziło tylko o nią jedną.

11

Dopisało mi szczęście – tym razem Henry wrócił do domu bardzo późno. Ja zjawiłam się po siódmej, a on zwykle docierał punktualnie na kolację. Gdy weszłam tylnymi drzwiami i usłyszałam Tabby podśpiewującą w kuchni, od razu wiedziałam, że pana Chestera jeszcze nie ma. Przekradłam się na górę, do swojego pokoju, zdjęłam pogniecioną suknię, włożyłam inną, z białej bawełny z błękitną szarfą. Właściwie już z niej wyrosłam, ale mój mąż ją uwielbiał. Ciekawa byłam, czy Henry zauważy we mnie jakąś różnicę, czy dostrzeże, co mam wypisane na twarzy, czy pojmie, że rozdarłam welon, którym mnie tak długo odgradzał od świata żywych. Ciągle jeszcze drżałam, więc długo siedziałam przed lustrem, zanim się upewniłam, że ślady po moim kochanku, które czułam szkarłatem na całej skórze, istnieją tylko w mojej wyobraźni.

Podniosłam wzrok na „Małą żebraczkę" i nie zdołałam powstrzymać śmiechu. Z początku był prawie histeryczny, musiałam walczyć o oddech. Taką reakcję wyzwoliło we mnie łagodne, niewidzące spojrzenie dziewczynki, która zawsze miała ze mną bardzo niewiele wspólnego. Nie byłam żebraczką Henry'ego nawet jako dziecko. Mój prawdziwy portret tkwił ukryty na dnie koszyka do robótek, twarz miał naznaczoną purpurą. Śpiąca Królewna, przebudzona ze snu, znalazła się pod działaniem całkiem innej klątwy. Ani Henry, ani nikt inny nie zdoła mnie uśpić ponownie.

Ktoś zastukał do drzwi. Drgnęłam gwałtownie i obróciłam się szybko. W progu stał Henry z nieodgadnionym wyrazem twarzy. Nie potrafiłam powstrzymać drżenia. Żeby je ukryć, zaczęłam rozczesywać włosy długimi, gładkimi pociągnięciami. Z góry na dół i znów, z góry na dół, jak syrena z wiersza. Pasma włosów w dłoniach dodawały mi odwagi, jakby zaległo w nich wspomnienie siły mojego kochanka i ślad jego śmiałości.

– Effie, moja droga! – odezwał się Henry ze zwykłą jowialnością. – Wyglądasz dziś bardzo dobrze! Powiedziałbym nawet, doskonale. Czy przyjmujesz lekarstwo?

Nie ufałam głosowi, więc tylko kiwnęłam głową. Henry powtórzył mój gest, wyrażając aprobatę.

– Widzę wyraźną poprawę. Masz rumieńce na policzkach. Kapitalnie!

Poklepał mnie po twarzy, pan zadowolony ze swojej własności, a ja musiałam się zdobyć na niemały wysiłek, by nie uciec z obrzydzeniem przed jego dotykiem. Miałam na skórze wspomnienie gorących pieszczot kochanka, przy nich zimna troska Henry'ego budziła odrazę.

– Kolacja pewnie już gotowa? – spytałam, rozdzielając włosy, by je zapleść w warkocz.

– Tak. Dzisiaj pasternak z masłem zapiekany w cieście. – Ściągnął brwi, przyjrzał się mojemu odbiciu w lustrze. – Nie upinaj włosów. Tylko zawiążemy wstążki, jak dawniej. – Wyjął z toaletki błękitną tasiemkę i delikatnie przeplótł ją przez warkocz, zawiązując na końcu w dużą kokardę. – Moja śliczna dziewczynka – powiedział z uśmiechem. – Wstań.

Wstałam. Strzepnęłam spódnicę i przyjrzałam się sobie w lustrze, nieruchoma, całkiem jak to drugie, nieporuszone odbicie – ujęta w ramę „Mała żebraczka".

– Doskonale – ocenił Henry.

Chociaż był maj, a na kominku płonął ogień, przejął mnie dreszcz.

W czasie kolacji udało mi się odzyskać równowagę. Zjadłam trochę warzyw i talerzyk kremu jajecznego. Dopiero wtedy oznajmiłam z fałszywą pogodą, że nie przełknę już nic więcej. Henry był w doskonałym nastroju. Wypił prawie całą butelkę wina, choć w zasadzie nie tykał alkoholu, do tego dwa kieliszki porto i jeszcze wypalił cygaro, więc choć się nie upił, był podchmielony.

Nie potrafię wytłumaczyć dlaczego, ale wolałabym, żeby raczej zachowywał się obojętnie jak zwykle. Tymczasem on poświęcał mi wyjątkowo dużo uwagi. Nalał mi wino, którego nie tknęłam, zasypywał mnie komplementami, wychwalając sukienkę i fryzurę, przy wstawaniu od stołu pocałował mnie w rękę, a rozkoszując się cygarem, poprosił, żebym zagrała na fortepianie i zaśpiewała.

Trudno by u mnie doszukiwać się talentu muzycznego. Znam na pamięć dosłownie parę utworów i kilka piosenek. Tamtego wieczoru Henry pozostawał pod wrażeniem mojego repertuaru, nawet prosił, żebym „Pójdź ze mną do altany" zaśpiewała trzy razy z rzędu. Dopiero gdy poskarżyłam się na zmęczenie, pozwolił mi usiąść. Nagle zrobił się szalenie troskliwy. Kazał mi oprzeć stopy na jego kolanach, zamknąć oczy, wąchać lawendę. Mówiłam, że nic mi nie jest, po prostu się zmęczyłam, ale jakby mnie nie słyszał. Czułam się przytłoczona jego staraniami, więc w końcu udałam ból głowy i poprosiłam o pozwolenie na pójście do łóżka.

– Biedne dziecko – zmitygował się Henry, nadal w doskonałym nastroju. – Oczywiście, czas do łóżka. Weź lekarstwo, a Tabby przyniesie ci gorącego mleka.

Opuściłam salon jak na skrzydłach, już mniejsza o mleko. Wzięłam kilka kropli laudanum ze znienawidzonej butelki, bo wiedziałam, że bez niego nie zasnę. Zdjęłam białą sukienkę, przebrałam się w marszczoną koszulę nocną i usiadłam przy toaletce, żeby rozczesać włosy. Wtedy rozległo się pukanie do drzwi.

– Wejdź, Tabby! – zawołałam.

Ciężkie stąpanie, tak różne od drobnych kroczków gosposi, kazało mi się odwrócić. W progu stanął Henry, już drugi raz tego wieczoru. W rękach trzymał tacę ze szklanką mleka i biszkoptami.

– Dla mojej dziewuszki – oznajmił żartobliwym tonem, ale w oczach miał błyski, które zmroziły mnie do szpiku kości. – Zostań, kochanie, zostań – rzucił, gdy wstałam, by pójść do łóżka. – Chodź, usiądziesz mi na kolanach, jak dawniej, wypijesz mleko. – Umilkł, a ja dojrzałam skryty pod uśmiechem chytry grymas.

– Zmarznę – zaprotestowałam. – I nie chcę mleka, głowa mnie boli.

– Nie denerwuj się – powiedział. – Dorzucę do ognia, mleko wypijesz z kropelkami, zaraz poczujesz się lepiej.

Sięgnął po butelkę stojącą na gzymsie kominka.

– Nie trzeba! Już brałam lekarstwo – zaprotestowałam, ale on jakby nie słyszał. Odmierzył do szklanki trzy krople i podsunął mi naczynie.

– Henry...

– Nie zwracaj się do mnie w ten sposób!

Dobroduszny ton zniknął. Taca w rękach mojego męża się zakołysała, mleko chlusnęło przez krawędź szklanki. Henry oczywiście to zauważył, lecz nie skomentował. Tylko zacisnął szczęki, bo nienawidził marnotrawstwa i brudu.

– Ach, ty mała niezdaro! – odezwał się, znowu łagodnym tonem. – Na pewno nie chcesz mnie zdenerwować. Bądź grzeczna, wypij mleko, a potem posiedzisz mi na kolanach.

– Dobrze, proszę pana – odparłam z wymuszonym uśmiechem.

Rysy mu złagodniały, dopiero gdy opróżniłam szklankę. Nieuważnie odłożył tacę na podłogę, otoczył mnie ramionami. Bardzo się starałam nie zesztywnieć, co nie było łatwe, na dodatek mleko ciążyło mi w żołądku. Zakręciło mi się w głowie, setki śladów po uściskach Mose'a paliły mi ciało, a każdy z nich wściekle krzyczał z oburzenia, że ten człowiek ma czelność mnie dotykać. Reakcja mojego ciała w końcu potwierdziła to, co mózg wiedział od dawna, do czego obawiałam się przyznać przed samą sobą. Nienawidziłam człowieka, którego poślubiłam, z którym byłam związana prawem i powinnością. Nienawidziłam.

– Nie bój się – szepnął, przesuwając mi dłonią po plecach. – Moje słodkie kochanie. Moja droga Effie.

Gdy drżącą ręką sięgnął do guzików koszuli nocnej, ogarnęła mnie fala mdłości. Poddałam się jego dotykowi, zanosząc modły do pogańskiego bożka, którego zbudził we mnie Mose, żeby wszystko skończyło się jak najszybciej, żebym mogła zapaść się w studnię laudanum, gdzie zgasną wspomnienia tych słabowitych uścisków napiętnowanych poczuciem winy.

* * *

Wyszłam ze snu jak z głębokiego omdlenia. Przez kotary ledwo sączyło się światło dnia. Z wysiłkiem wstałam i niepewnie podeszłam do okna. Owionęło mnie świeże, wilgotne powietrze, wyciągnęłam ręce do słońca i wtedy nieco siły wróciło w moje rozdygotane ciało. Umyłam się starannie, przebrałam w czystą bieliznę, włożyłam szarą flanelową suknię. W końcu nabrałam odwagi, by zejść na śniadanie. Jeszcze nie minęło wpół do siódmej. Henry wstawał późno, więc nie spodziewałam się go przy stole, miałam czas dojść do siebie po wydarzeniach minionej nocy. Nie chciałam, by się zorientował, w jakim jestem stanie, żeby sobie uświadomił, jaką ma nade mną władzę.

Tabby przygotowała jajka z szynką, ale nic nie przełknęłam. Wypiłam tylko trochę gorącej czekolady, bardziej żeby sprawić przyjemność gosposi niż z rzeczywistej potrzeby. Nie chciałam też, żeby przekazała Henry'emu, że źle się czuję. I tak siedziałam przy oknie, popijałam czekoladę i czekałam, przerzucając kartki tomiku poezji, obserwując wschód słońca. Henry pojawił się o ósmej, ubrany na czarno, jakby się wybierał do kościoła. Minął mnie bez słowa, usiadł przy stole, rozłożył „Morning Post" i nałożył sobie solidną porcję jajek, szynki, tostów oraz cynaderek. Posiłek upłynął mu w całkowitej ciszy, tylko od czasu do czasu rozlegał się szelest papieru. W końcu Henry wstał, zostawiwszy na talerzu znaczną część tego, co sobie nałożył, metodycznie złożył gazetę i na mnie spojrzał.

– Dzień dobry – powiedziałam, odwracając kartkę.

Nie odpowiedział, jedynie zacisnął usta. Zawsze tak robił, kiedy był zły albo ktoś go irytował. Dlaczego miałby być zły akurat teraz, nie miałam pojęcia. Wiedziałam jedynie, że często miewał zmienne nastroje, dawno już zrezygnowałam z prób odgadnięcia ich przyczyny. Zerknął na książkę w moich dłoniach i zmarszczył brwi.

– Wiersze miłosne – rzekł tonem pełnym goryczy. – Spodziewałbym się, droga pani, że dzięki edukacji, jaką ci w swojej hojności zapewniłem, nie będziesz marnowała rozsądku, którym cię Bóg obdarzył, na czytanie podobnych bzdur!

Pośpiesznie zamknęłam książkę, ale było już za późno.

– Przecież niczego ci nie brakuje! Masz suknie, płaszcze i czepków, ile dusza zapragnie! Pielęgnowałem cię w chorobie, zrodzonej z migren i histerii... – Głos Henry'ego przeszedł w pisk.

Posłusznie skinęłam głową.

– Wiersze miłosne! – powtórzył kwaśno. – Czy naprawdę wszystkie kobiety są takie same? Czy nie ma wśród nich ani jednej wolnej od skazy przypisanej słabej płci? „Znalazłem jednego prawego mężczyznę pośród tysiąca, ale kobiety prawej w tej liczbie nie znalazłem". Czy takim niewydarzonym jestem nauczycielem, że uczennica, którą miałem za nietkniętą słabością właściwą jej płci, traci czas na fantazyjne wymysły? Daj mi tę książkę!

Wyrwał mi ją z rąk i rzucił w ogień.

– Ale oczywiście – podjął jadowitym tonem – czegóż się spodziewać po córce modystki, osoby zaprzysiężonej próżności świata mody. Nikt nie pomyślał o tym, by cię skierować na właściwą drogę. Marnym duchownym był twój ojciec, skoro pozwolił ci zaśmiecać głowę takimi wydumanymi dziwactwami! Pewnie takie niebezpieczne dyrdymały uważał za romantyczne!

Powinnam była milczeć, wtedy nie doszłoby do sprzeczki, lecz ciągle jeszcze tkwiło we mnie ohydne wspomnienie minionej nocy, a w kominku płomienie łapczywie pochłaniały książkę z wierszami Shelleya, Szekspira i Tennysona. Opanował mnie gniew.

– Mój ojciec był dobrym człowiekiem – oznajmiłam z mocą. – Czasami mam wrażenie, że jest przy mnie. I patrzy na nas oboje.

Henry zesztywniał.

– Ciekawa jestem, co widzi – ciągnęłam niegłośno. – Co sobie myśli.

Twarz mojego męża stężała.

– Jak śmiałeś wrzucić do ognia moją książkę?! – krzyknęłam. – Jakim prawem pouczasz mnie i straszysz?! Nie jestem dzieckiem! A zeszłej nocy... – Głos mi się załamał, zacisnęłam zęby, żeby nie wykrzyczeć skrytej nienawiści.

– Zeszłej nocy... – powtórzył cicho.

– Właśnie! – Uniosłam wysoko brodę. Doskonale wiedział, co miałam na myśli.

– Effie, nie jestem święty – bronił się słabo. – Popełniam błędy, jak każdy człowiek. Ale to przez ciebie, ty mnie do tego nakłoniłaś. Bóg mi świadkiem, robię co w mojej mocy, żebyś była niewinna i czysta. Wszystko, co się zdarzyło tej nocy, to twoja wina. Widziałem, jak na mnie patrzyłaś, rozczesując włosy. I te rumieńce na policzkach! Postanowiłaś mnie uwieść, a że jestem słaby, uległem. Ale ciągle cię kocham. Dlatego chcę, żebyś była nieskalana, jak wtedy w parku, gdy się spotkaliśmy po raz pierwszy. – Chwycił moje dłonie. – Wyglądałaś jak aniołek. Już wtedy przeczuwałem, że będziesz mnie wodziła na pokuszenie. Wiem, Effie, wiem, to nie twoja wina, to sprawa kobiecej natury. Bóg stworzył cię jako istotę niedoskonałą, zepsutą i zdradziecką. Tyle że przez wdzięczność dla mnie winnaś podjąć walkę ze swoimi przypadłościami, starać się przeciwstawić grzechowi i przyjąć Boga do serca. Och, Effie, naprawdę cię kocham. Nie sprzeciwiaj się najczystszej miłości. Przyjmij ją, razem z moim autorytetem, jak przyjęłabyś kochającego ojca. Zaufaj mojej wiedzy, mojej znajomości świata, szanuj mnie, jak szanowałaś swojego ojca. Zrobisz to?

Ściskając moje ręce, zaglądał mi w twarz, na wskroś szczery i uczciwy. Tak wielką moc miały nade mną minione lata posłuszeństwa, że skinęłam głową.

– Moje kochanie! Teraz poproś mnie o przebaczenie za grzech gniewu.

Wahałam się przez moment, szukając w sobie buntu, bezwstydności i pewności siebie, jakie czułam, będąc na cmentarzu z Mose'em. Nie znalazłam. Zniknęły razem z krótką chwilą wzburzenia. Czułam się bezsilna, łzy piekły mnie pod powiekami.

– Przepraszam – wymamrotałam. – Przepraszam, że zachowałam się wobec pana nieuprzejmie. – Łzy spłynęły mi po policzkach.

– Moje kochanie! – wykrzyknął triumfalnie. – Co to, płaczesz? No już, już... Widzisz? Miałem rację w sprawie tych wierszy. Robisz się od nich drażliwa i melancholijna. Wytrzyj oczy. Powiem Tabby, żeby ci przyniosła lekarstwo.

Pół godziny później wyszedł. Leżałam w łóżku. Oczy miałam suche, lecz pogrążona byłam w bezdennej rozpaczy. Flaszeczka z laudanum została na stoliku nocnym. Przez jakiś czas rozważałam popełnienie najcięższego grzechu, czynu skierowanego przeciwko Duchowi Świętemu. Gdyby nie Mose, gdyby nie tęsknota za miłością i nienawiść w sercu, popełniłabym wtedy owo najpotworniejsze morderstwo, bo widziałam życie niczym setki zwielokrotnionych odbić w gabinecie luster: twarz dziecka, kobiety w średnim wieku, staruszki – zdobiące ściany domu Henry'ego ponure trofea, coraz liczniejsze, w miarę jak coraz bardziej mnie ubywało. Pragnęłam zedrzeć z siebie skórę, uwolnić istotę, którą byłam, gdy tańczyłam nago w deszczu światła... Gdyby nie Mose, popełniłabym ten czyn. Z radością.

12

Zajrzałem do mojego ulubionego klubu – Pod Palmą Kokosową – na późne śniadanie. Nie mogłem jeść w towarzystwie Effie, która wpatrywała się we mnie tymi ciemnymi oczyma pełnymi cierpienia. Zupełnie jakbym był czemukolwiek winien! Nie miała pojęcia, na jakie poświęcenie się dla niej zdobywam, jakie męczarnie przechodzę dla jej dobra. Wcale jej to nie obchodziło. Myślała jedynie o nieszczęsnych książkach. Starałem się skupić na lekturze „Timesa", ale nie mogłem czytać ciasnych akapitów – bez przerwy przesłaniała mi je twarz Effie. Wykrzywiona przerażeniem, kiedy ją pocałowałem.

Przeklęte gierki! Za późno już było na udawanie cnotliwej, wiedziałem, że jest zepsuta do szpiku kości. Dla jej dobra odwiedzałem dom na Crook Street, wyłącznie dla jej dobra. Po to, by chronić jej zbrukaną czystość. Mężczyzna może odwiedzać takie miejsca bez skrupułów, w końcu to w zasadzie to samo, co bywanie w ekskluzywnych klubach dla dżentelmenów. Mam przecież swoje potrzeby, jak każdy człowiek. Lepiej żebym je zaspokajał z jakąś nierządnicą z Haymarket niż z moim kochanym maleństwem. Niestety, zeszłej nocy było w niej coś takiego... coś innego, dziwnego, nowego... Miała zaróżowione policzki, tchnęło od niej zmysłowością, podnieceniem i ciepłem, jej skóra pachniała trawą i cedrem, włosy... ech, mniejsza. Chciała mnie uwieść. Bez wątpienia.

I niby dlaczegóż to ja miałbym się czuć zbrukany? Ona mnie oskarża!

Upiłem łyk kawy, z przyjemnością wdychając zapach skóry i dymu z cygar zadomowiony w ciepłym powietrzu. Docierały do mnie przytłumione dźwięki rozmów – wyłącznie męskie głosy. Tego ranka nawet myśl o kobiecie była mi nie w smak. Bardzo dobrze zrobiłem, że spaliłem tę jej durną lekturę. Później przejrzę, co stoi u niej na półkach, i wynajdę inne podobne.

– Pan Chester?

Drgnąłem, rozlewając kawę na spodeczek. Mężczyzna, który się do mnie zwrócił, był smukły, miał jasną karnację, długi nos i szare oczy. Nosił binokle.

– Przepraszam, że panu przeszkadzam – rzekł z uśmiechem – ale miałem przyjemność obejrzeć pańską wystawę i chciałbym wyrazić swoje uznanie. – Mówił zwięźle, miał wyjątkowo białe zęby. – Nazywam się Russell. Doktor Francis Russell, autor dwóch dzieł: „Teoria i praktyka hipnotyzmu" oraz „Dziesięć przypadków histerii".

Nazwisko wydało mi się znajome. A teraz, gdy wspominam tamto spotkanie, odnoszę wrażenie, że twarz również. Zapewne widzieliśmy się na wystawie.

– Zechciałby pan wypić ze mną kropelkę czegoś mocniejszego? – spytał.

Odstawiłem niedopitą kawę.

– Nie jestem wielbicielem trunków – oznajmiłem – ale filiżanka świeżej kawy bardzo mi się przyda. Jestem nieco... zmęczony.

– Skutki artystycznego temperamentu. – Russell ze zrozumieniem pokiwał głową. – Bezsenność, bóle głowy, kłopoty trawienne... Wielu moich pacjentów uskarża się na takie objawy.

– Rozumiem. – I rzeczywiście, wszystko stało się jasne. Ten człowiek zamierzał mi oferować swoje usługi. Jakoś mnie to odkrycie uspokoiło, bo jeszcze przed chwilą zachodziłem w głowę, czy za jego przyjaznym podejściem nie kryje się przypadkiem coś groźnego. Zły na siebie, że w ogóle mogła mi powstać w głowie podobna myśl, uśmiechnąłem się do rozmówcy ciepło. – I cóż pan w takich przypadkach rekomenduje? – spytałem.

Dalej rozmowa potoczyła się równie gładko. Russell okazał się interesującym towarzyszem, obeznanym z malarstwem i literaturą. Poruszyliśmy również temat leków i narkotyków, ich roli w symbolizmie oraz konieczności zażywania w przypadkach wyjątkowego wzburzenia. Wspomniałem o Effie i zyskałem zapewnienie, że przyjmowanie laudanum, zwłaszcza jeśli chodzi o wrażliwą młodą kobietę, jest najlepszym sposobem walki z depresją.

Francis Russell okazał się wyjątkowo rozsądnym młodym człowiekiem. Po godzinie spędzonej w jego towarzystwie uznałem, iż mogę ostrożnie poruszyć temat dziwnych nastrojów Effie. Rzecz jasna nie przedstawiłem sprawy otwarcie, zaledwie wspomniałem, że moja żona miewa bardzo zmienne humory i cierpi na niewyjaśnione dolegliwości. Miło mi było, gdy doktor potwierdził moją diagnozę, bo opuściło mnie nieokreślone poczucie winy, jakbym w jakiś sposób był odpowiedzialny za zachowanie żony zeszłej nocy. Dowiedziałem się, że takie uczucie nie jest niczym wyjątkowym, jest nawet określane fachowym terminem empatia. Co za tym idzie, nie powinienem popadać w przygnębienie z powodu własnych jak najbardziej naturalnych reakcji.

Opuściliśmy klub w najlepszej komitywie. Wymieniliśmy karty wizytowe i obiecaliśmy sobie ponowne spotkanie.

Do pracowni, gdzie byłem umówiony z Mose'em Harperem, udałem się w optymistycznym nastroju, uzbrojony w świadomość, że w Russellu mam sprzymierzeńca, a na dodatek zyskałem broń przeciwko zjawom tworzonym przez moją zbyt obowiązkową wyobraźnię. Miałem po swojej stronie naukę.

13

Nie da się ukryć, po prostu mnie potrzebowała. Możesz mnie nazwać łajdakiem, jeśli masz ochotę, ale dałem jej szczęście, a to znacznie cenniejsze niż twoje morały. Kiedy ją poznałem, była najbardziej samotną istotą na tym świecie, zamkniętą przez lodowatego księcia w wieży z kości słoniowej, miała do towarzystwa służbę i dostawała wszystko, czego tylko zapragnęła, oprócz miłości. Potrzebowała mnie. I niezależnie od tego, jak bardzo mną gardzisz, to ja nauczyłem ją tego, co sam umiałem. Była pojętną uczennicą, nie hamowały jej zakazy. Zgadzała się na wszystko bez okazywania rezerwy, bez fałszywego wstydu czy skromności. Z pewnością nie można powiedzieć, że ją zepsułem. Jeśli już – to ona mnie.

Spotykaliśmy się, kiedy tylko mogliśmy, najczęściej popołudniami, gdy Henry jeszcze malował, a ja już nie pozowałem. Praca nad portretem postępowała w ślimaczym tempie, choć mój wynajęty artysta mozolił się nad nią aż do siódmej wieczór. W tej sytuacji mogłem zapraszać Effie do siebie, a on nie miał pojęcia, na jak długo wychodziła z domu. Jeżeli stara Tabby cokolwiek podejrzewała, nigdy się z tym nie zdradziła.

Tak to wyglądało przez mniej więcej miesiąc. Spotykaliśmy się u mnie albo na cmentarzu. Effie miewała humory.

Czasami była spięta i zamknięta w sobie, kiedy indziej promienna i beztroska – wciąż inna. A każdy nastrój znajdował odzwierciedlenie w kochaniu, więc miałem wrażenie, jakbym się spotykał z wieloma różnymi kobietami. Pewnie dlatego wszystko trwało tak długo. Bo widzisz, ja się szybko nudzę.

Powiedziała mi, że miewa sny, w których podróżuje po całym świecie. Bywało, że opisywała mi obce dalekie miejsca i szlochała nad zagubioną urodą marzenia. Powiedziała mi też, że jeśli zechce, potrafi wyjść z ciała i obserwować ludzi bez ich wiedzy. Opisała mi rozkosz, jaką niesie ten stan, i kazała mi próbować. Była przekonana, że jeśli i ja się tego nauczę, będziemy mogli się kochać poza ciałami i zostaniemy połączeni na zawsze. Chyba nie muszę mówić, że mi się ta sztuka nie udała, choć rzeczywiście próbowałem. Nawet wspomagałem się opium, choć czułem się jak ostatni głupiec, bo jej wierzyłem. Ona w każdym razie wierzyła w swoją historyjkę równie mocno jak we wszystko, co ja jej opowiadałem. Z łatwością wywoływałem u niej drżenie; słuchając moich słów, bladła, płakała, śmiała się i czerwieniała z gniewu, a ja czerpałem z tych scen niewinną przyjemność. Opowiadałem jej o bogach i duchach, o czarownicach i wampirach, odszukiwałem w pamięci historie zasłyszane w najwcześniejszych latach życia, ciągle na nowo zdumiony jej dziecinnym głodem takiej wiedzy, ogromem jej zaniedbanego potencjału do nauki.

Zapewniam cię, stanowiła dla mnie całkiem nowe doświadczenie, potrafiła mnie rozbroić w jednej chwili. Ale prawdziwy talent, jak większość kobiet, wyrażała w uczuciach. Niekiedy nawet współczułem biednemu Henry'emu, który nie potrafił docenić ani wykorzystać niewyczerpanych zasobów namiętności kryjących się w maleńkiej Effie.

Zmiana nastąpiła w dniu, gdy zabrałem ją do wędrownego lunaparku, który rozłożył się przy Islington Road. Wszystkie kobiety uwielbiają jarmarki, najróżniejsze bibeloty, tunel miłości i wróżby przepowiadające bogatego przystojnego męża oraz dużą, szczęśliwą rodzinę. Jeśli o mnie chodzi, słyszałem, że będzie można obejrzeć imponującą wystawę patronów, a temu nie umiałem się oprzeć od wczesnego dzieciństwa. Zawsze mnie fascynowali ci nieszczęśnicy, zabawki nieuważnego Boga. O ile mi wiadomo, w Chinach takie wystawy okazały się na tyle lukratywne i powszechne, że zwykłe wybryki natury już nie wystarczały, stały się zbyt pospolite, wobec czego przyjął się zwyczaj kupowania małych dzieci do lunaparku, by tam stanowiły koszmarną atrakcję. Te dzieci, najczęściej dziewczynki, które i Chińczycy mają w pogardzie, są celowo deformowane. Trzyma się je w ciasnych klatkach, przez co nie mogą swobodnie rosnąć. Po kilku latach takiej hodowli otrzymuje się komicznie skurczone stworzenie, uwielbiane przez wszystkie dzieci na całym świecie, a mianowicie karła.

Opowiedziałem o tym Effie w drodze do lunaparku i przez kwadrans musiałem osuszać jej łzy. Nie potrafiła zrozumieć, jak można być tak okrutnym, tak nieludzkim. Pytała, czy potrafię sobie wyobrazić bezmierną nienawiść, jaka musi wypełniać serce takiej zdeformowanej istoty... Tutaj wpadła w histerię, woźnica obrzucił mnie przez szybę oskarżycielskim spojrzeniem. Trzeba było całego mojego daru przekonywania, by jej wytłumaczyć, że w tym akurat lunaparku żadne ludzkie dziwo nie zostało wyprodukowane celowo. Wszystkie były rzeczywistymi błędami natury, świetnie sobie radzącymi w wybranym fachu. Zresztą będą też inne ciekawostki, kupię jej ładne wstążki, a może też trochę gorącego piernika, jeśli tylko będzie chciała. W duchu krzywiłem się niemiłosiernie i zanotowałem sobie w pamięci, żeby już nigdy nie opowiadać jej o Chinach.

Gdy dotarliśmy na miejsce, przygnębienie ją opuściło, zaczęła się interesować dziwami, które otaczały nas ze wszystkich stron. Tu domokrążca z barwnymi towarami, tam jakiś staruch z małpą w czerwonym kubraczku grający na katarynce, paru żonglerów i akrobatów, połykacz ognia i oczywiście Cyganki tańczące przy wtórze piszczałek i tamburynów.

Effie przystanęła na dłuższą chwilę przed tancerkami, przypatrując się zwłaszcza jednej, mniej więcej w jej wieku, ale poza tym całkowicie odmiennej. Tamta miała ciemną cerę, rozpuszczone kruczoczarne włosy, jak to Cyganka, bose nogi i piękne, smukłe nadgarstki – ciężkie od brzęczących bransoletek. Ubrana była w sukienkę obrębioną złotą nicią. Spod spódnicy wystawały czerwone halki. Dekolt przesłaniało kilka naszyjników.

Effie patrzyła zauroczona.

– Mose – szepnęła, gdy taniec się skończył. – To najpiękniejsza kobieta na świecie.

– Ty jesteś ładniejsza. – Wziąłem ją za rękę.

Nachmurzyła się.

– Daj spokój! – Zirytowana potrząsnęła głową. – Wiem, co mówię.

Kobiety!

Chciałem iść dalej, rozpoczął się pokaz ludzkich potworów, z daleka słyszałem głośne zapowiedzi.

– ...Oto Adolf, ludzki tors!

Tymczasem Effie ciągle obserwowała Cygankę. Podeszła bliżej do wypłowiałego błękitno-złotego namiotu rozbitego przy ścieżce.

– Wejdź, poznaj swoją przyszłość! – zachęcił ją naganiacz. – Przepowie ci ją Szeherezada, księżniczka z tajemniczego Wschodu. Wróży z kart tarota i z kryształowej kuli.

Effie zalśniły oczy. Poddałem się nieuniknionemu.

– Pewnie chciałabyś poznać przyszłość?

Pokiwała głową niecierpliwie.

– Czy ona naprawdę jest księżniczką?

– Prawie na pewno – stwierdziłem z wielką powagą.

Effie przycisnęła dłonie do piersi.

– Przypuszczam, że została przeklęta przez złą czarownicę – podjąłem – i musi teraz żyć w nędzy. Straciła pamięć, dlatego oddała swoje magiczne siły w służbę szarlatanerii. Ale nocami zmienia się w srebrnego łabędzia i wzlatuje we snach do miejsc, gdzie nikt prócz niej nie dociera.

– Naśmiewasz się ze mnie – zaprotestowała.

– Ani trochę.

Ale ona już nie słuchała.

– Czy wiesz, że jeszcze nigdy nikt mi nie wróżył? Henry mówi, że to gusła ukryte pod pozorami zabawy. Że w średniowieczu za takie postępki ludzi wieszano i bardzo dobrze.

– Pobożniś z tego twojego Henry'ego – parsknąłem.

– Co mi tam Henry! – żachnęła się Effie. – Zaczekasz na mnie? Wrócę niedługo.

Ależ oczywiście. Wszystko dla pań. Usiadłem na jakimś pniaku.

NAJWYŻSZA KAPŁANKA

14

W namiocie było gorąco. Jedyne światło dawała czerwona lampa ustawiona na stole. Cyganka siedziała na stołku i tasowała karty. Powitała mnie uśmiechem, gestem poprosiła, bym usiadła. Przez chwilę stałam niezdecydowana, bo spodziewałam się zobaczyć tę, która tańczyła, a ta była znacznie starsza. Ciemne oczy podkreślone grubą kreską kohlu. Na stole obok lampy znajdowało się coś przykrytego czarną tkaniną. Gdy starałam się odgadnąć, co to takiego, Szeherezada wskazała ów przedmiot silną, ciągle jeszcze piękną dłonią.

– Kryształowa kula – rzekła. Głos miała jasny i przyjemny, chociaż mówiła z kornijskim akcentem.

– Trzeba ją zakrywać, inaczej traci moc. Przełóż karty, proszę.

– Ja... A gdzie jest ta dziewczyna, która tańczyła przed namiotem? – spytałam niepewnie. – Myślałam, że to ona przepowiada przyszłość.

– Moja córka – stwierdziła Cyganka krótko. – Pracujemy razem. Przełóż karty, proszę.

Podsunęła mi talię kart, wzięłam ją do ręki. Były ciężkie, wyglądały na bardzo stare, lekko połyskliwe, wcale nie brudne – najwyraźniej traktowano je z szacunkiem. Przełożyłam je i oddałam z ociąganiem, bo chętnie bym się im przyjrzała bliżej. Cyganka zaczęła rozkładać kartoniki po spirali.

– Pustelnik – zaczęła – i dziesiątka buław. Kłopoty. Ten człowiek mówi o cnotach, ale sam kryje wstydliwy sekret. Siódemka pucharów. Rozpusta. Dalej dziewiątka mieczy – okrucieństwo i morderstwo. Są i Kochankowie, ale przykryci giermkiem denarów. Przyniesie ci on radość i rozpacz, bo w rękach ma dwójkę pucharów i Wieżę. A kogo my tu mamy, o, tutaj, na Rydwanie? Najwyższa Kapłanka z dziesiątką mieczy, co oznacza ruinę, a potem as pucharów, to wielkie szczęście. Zaufasz jej, przyniesie ci ocalenie, ale kielich, który ci oferuje, pełen jest goryczy. Jej rydwanem powożą giermek i Głupiec, a pod kołami leży as buław i Wisielec. W dłoniach ma Sprawiedliwość oraz dwójkę pucharów, co wróży miłość, ale w pucharach ukryte jest Koło Fortuny i Śmierć. – Zamilkła, jakby całkiem o mnie zapomniała. Po chwili odezwała się cicho po rumuńsku, aż w końcu ucichła, zasłuchana we własne myśli.

– Czy widać coś jeszcze? – spytałam po dłuższej chwili.

Zawahała się, po czym skinęła głową. Czas jakiś przyglądała mi się z nieodgadnionym wyrazem twarzy, potem podeszła, pocałowała mnie w czoło i trzema palcami lewej dłoni uczyniła jakiś znak.

– Twoje przeznaczenie jest dziwne. I magiczne, *ma dordi* – powiedziała. – Sama zobacz. – Ostrożnie ściągnęła z kryształowej kuli czarny pokrowiec i przesunęła ją w moją stronę.

W pierwszej chwili nie wiedziałam, gdzie jestem: za sprawą światła dziwacznie odbitego w szklanej powierzchni odniosłam wrażenie, że tkwię zawieszona nad własnym ciałem i spoglądam na nie z góry. Zobaczyłam znajomą scenę, stylizowaną jak figury na kartach tarota: dziewczynę przy stole, gdzie Cyganka zagląda w talię kart. Trochę kręciło mi się w głowie, narastał we mnie śmiech bez przyczyny, trwałam zawieszona w nicości, jakbym próbowała odnaleźć zagubione wspomnienia.

Kiedy znowu spotkamy się we trzy? – zapytałam siebie i zaśmiałam się głośno, swobodnie, jakby na wspomnienie jakiegoś doskonałego, szalonego żartu.

Wtedy zalał mnie smutek, równie gwałtownie jak przed chwilą wesołość. Ścisnął mnie za serce, wycisnął łzy z oczu. Okrągły kryształ zamazał mi się przed oczyma. Bałam się, a jednocześnie byłam zdezorientowana, nie pamiętałam, co mnie przestraszyło. Spojrzałam przez zamgloną powierzchnię kuli i zadrżałam.

A Szeherezada siedziała spokojnie i śpiewała po cichu:

Aux marches du palais...
Aux marches du palais...
'Y a une si belle fille, lonla...
'Y a une si belle fille...

Wolałabym nie spadać z ciała do kryształu, ale przyciągał mnie mocno. Nie czułam już nóg ani rąk, nie widziałam nic poza matową powierzchnią kuli. Wreszcie tu i ówdzie chmury na jej powierzchni się rozdzieliły. Szeherezada nadal śpiewała, ciągle te same wersy złożone w kilka nut, raz wznoszących się, raz opadających. Podążyłam za uspokajającym rytmem, zatonęłam w nim jak w kołysance. I w ten sposób bez wysiłku opuściłam ciało, zmysły się wyswobodziły. Pozwoliłam sobie dryfować przez ciemność, wypłynęłam z namiotu i poszybowałam w powietrze niczym balonik.

Z wysoka słyszałam uspokajający głos Szeherezady:

– Ciii, maleńka, ciii... Wszystko będzie dobrze. Zobacz, balony. Patrz na balony.

Zastanowiłam się mglisto, skąd ona może wiedzieć, o czym myślę, i od razu uświadomiłam sobie z dziecięcym zachwytem: przecież to Szeherezada! Księżniczka tajemniczego Wschodu! Zaśmiałam się lekko.

– Śpij, maleńka, śpij – szepnęła. – Masz urodziny i dostaniesz balony, obiecuję. Widzisz je?

Rzeczywiście kołysały się przy mnie balony we wszystkich kolorach, błyszczące w słońcu. Pokiwałam głową. Gdzieś z daleka usłyszałam własny głos w sennym potwierdzeniu.

Patrząc na namiot z góry, widziałam Mose'a siedzącego na pieńku, słyszałam handlarzy zachwalających towary.

– Kolorowe cukierki!

– Gorące pierniki!

– Wstążki i kokardy!

Docierały do mnie zmieszane zapachy ciasta, waty cukrowej i zwierząt. Przez jakiś czas błądziłam bez celu tam i z powrotem, niczym jakiś powietrzny statek z bajki, aż coś mnie pociągnęło w dół, do czerwonego namiotu z dużym napisem: MARTO! NAJLEPSZE ŻYCZENIA URODZINOWE. Wokół planszy przymocowano pęki balonów, a z namiotu dobiegała muzyka, zdawało mi się, że słyszę katarynkę albo może pozytywkę? Skierowałam się w dół.

Gdy dotknęłam ziemi, uświadomiłam sobie, że nie ma słońca. Panował chłód, jaskrawy napis gdzieś zniknął, a na jego miejscu został tylko niewielki, zniszczony afisz.

PANOPTIKUM
Najwspanialsza wystawa
morderców, potworów i Wybryków natury
odlanych Z wosku

Sama nie wiedząc jak i kiedy, ruszyłam ku wejściu do namiotu. Podniecenie gdzieś się ulotniło. Było mi coraz zimniej, tępy chłód przejmował mnie do kości i ściągał z cudownego snu w mroczne czeluście ziemi. Wejście do namiotu otwarło się przede mną samo, a ja, chociaż wcale nie chciałam, chociaż ze sobą walczyłam, nie potrafiłam uciec przed złośliwym zaproszeniem. Czułam woń stęchłej słomy, zbutwiały smrodek wilgotnych ubrań, a także ostry zapach wosku. Gdy weszłam do namiotu, gdy mój wzrok przywykł do mroku, zobaczyłam, że jestem tam sama. Pod ścianami, które wydały mi się dziwnie odległe, znajdowały się drewniane zagrody, a w nich – naturalnej wielkości eksponaty. Nie wiedziałam, czego to się tak boję, w końcu przecież figury były z wosku, poskładane za pomocą fiszbin i końskiego włosia, ubranie do nich przyklejono, krew to tylko czerwona farba, nawet szubienica w sławnej scenie wieszania nigdy nie została użyta do prawdziwej egzekucji. Nagle jednak opanowało mnie przeświadczenie, że wszystko, na co patrzę, jest prawdziwe. W kącie czekali: Burke i Hare, wielokrotni mordercy; szacowali mnie głodnym wzrokiem spod cienkich woskowych masek.

Cofnęłam się, zła na siebie za dziecinny, bezrozumny strach – i krzyknęłam głośno, bo weszłam prosto na wystawę, którą miałam za plecami. Nawet poza ciałem nagle się spięłam, gdy dotknęłam drewnianego ogrodzenia, do którego przybito tabliczkę z napisem:

PUSTELNIK
Nie dotykać eksponatów

Przysunęłam się bliżej, wypatrując figury w niepewnym świetle. Zaaranżowane wnętrze przedstawiało dziecięcą sypialnię, w niej wąskie łóżko przykryte patchworkową narzutą, taboret, stolik nocny i dwa kolorowe obrazki. Miałam podobne, kiedy byłam dzieckiem. Na stoliku stały kwiaty, nagietki w szklanym dzbanie, a przy łóżku zobaczyłam stertkę zapakowanych prezentów. W otwartym oknie wiatr poruszał pękiem balonów.

Dlaczego mi się zdawało, że jest ciemno? Przez okno wpadało światło odchodzącego dnia, powlekając wnętrze różowym blaskiem. Na brzegu łóżka siedział mężczyzna, bez wątpienia ojciec, który przyszedł ucałować córkę na dobranoc. Stojąca obok dziewczynka miała na sobie koszulę nocną, w ręku pluszową zabawkę. Wyglądała na jakieś dziesięć lat, jej poważną szczupłą buźkę obejmowały długie czarne włosy. Twarzy mężczyzny nie widziałam, siedział do mnie plecami, ale ciężka budowa i mocno zarysowana szczęka, niejakie usztywnienie postawy wydały mi się znajome. Wychyliłam się do przodu zaintrygowana, zaciekawiona, dlaczego ta spokojna domowa scena została wystawiona w gabinecie osobliwości.

Gdy się poruszyłam, dziewczynka nagle odwróciła do mnie głowę. Odskoczyłam ze zduszonym okrzykiem. Mała na nowo zastygła w bezruchu, tyle że teraz patrzyła mi prosto w oczy, tak intensywnie, że trudno mi było uwierzyć, iż nie jest żywa. Z ociąganiem podeszłam bliżej, zła na siebie, że dałam się wystraszyć jakiejś maszynie. W londyńskiej galerii figur woskowych były podobne urządzenia, wyzwalane naciskiem na konkretne miejsce w podłodze. Eksponat się porusza, gdy zwiedzający przechodzi obok. Odruchowo przyjrzałam się posadzce.

No właśnie. Miałam rację. Gdy przechodziłam, lalka znów obróciła głowę, gładkim ruchem tworu pozbawionego kości, tym razem w stronę mężczyzny. Włosy opadły jej na twarz. Odgarnęła je gestem trochę nerwowym, z pewnością nie mechanicznym. W drugiej rączce ściskała grubą bawełnę nocnej koszuli. Nagle zrozumiałam, że „eksponaty" to prawdziwi ludzie, aktorzy odgrywający dla mnie jakąś upiorną zgadywankę. Poczułam złość, że się przestraszyłam, a jednocześnie opanowało mnie dziwne wrażenie obcowania z fatum. Wiedziałam, co zobaczę, jakbym zaglądała we wspomnienia z własnej przeszłości. Musiałam coś zrobić. Wychyliłam się ponad ogrodzeniem, które oddzielało mnie od sceny, i zawołałam:

– Dziewczynko!

Nie zareagowała, wolno szła w stronę łóżka.

– Dziewczynko! – krzyknęłam głośniej. – Chodź do mnie! – Doskonale słyszałam własny głos, ale dziecko mogłoby równie dobrze być nakręcaną lalką. Chciałam wołać dalej, lecz nagle znalazłam się po drugiej stronie ogrodzenia. Poczułam zawrót głowy, zaczęłam się osuwać, wyciągnęłam ręce do dziecka, jakbym tę małą prosiła o pomoc...

I znów miałam dziesięć lat. Szłam do mamy, jak w każdą niedzielę. Bardzo kochałam mamusię i chciałabym z nią być cały czas, ale nie mogłam. Była zajęta, ja bym jej przeszkadzała. Nie wiedziałam, co robi. Podobał mi się jej dom, ogromny, pełen ślicznych rzeczy... Były tam figury słoni przywiezione z Indii i kotary z Egiptu, dywany z Persji. Jak dorosnę, może będzie mi wolno zostać z mamą, a nie z ciocią Emmą, chociaż ciocia Emma wcale nie jest moją ciocią, tylko guwernantką i w dodatku nie bardzo lubi mamę. Nigdy tego nie powiedziała, ale widzę to wypisane na jej twarzy, kiedy mówi „twoja biedna matka" i ma wtedy taką minę, jakby właśnie łykała tran. Mama nigdy mi nie daje tranu. Za to pozwala mi jeść przy tym samym stole co ona, a nie w pokoju dziecinnym z maluchami, i dostaję ciasto i konfitury, czasami nawet trochę rozrzedzonego czerwonego wina.

Zdarza się, że urocze panie, które mieszkają w domu mojej mamy, przychodzą ze mną porozmawiać. Lubię je, bo są bardzo miłe, częstują mnie piernikami i cukierkami, zawsze są ślicznie ubrane i mają piękne klejnoty. Ciocia Emma nie może o tym wiedzieć. Dawno temu, jak jeszcze byłam mała, coś mi się wymsknęło, a wtedy ciocia była bardzo zła i powiedziała: „Wstydu nie ma! Jak ona może sprowadzać dziecko w takie miejsce, do tych biednych, zagubionych kobiet!”. Starałam się jej wytłumaczyć, że one wcale nie są biedne i że tam zawsze jest mnóstwo wesołych ludzi, ale nie chciała mnie słuchać. Dlatego teraz już nic nie mówię. Tak jest lepiej.

Dzisiaj mama powiedziała, że muszę iść do łóżka wcześniej, bo spodziewa się towarzystwa. Nic nie szkodzi. Czasami udaję, że zasnęłam, a potem, kiedy mama myśli, że leżę w łóżku, przekradam się na dół i przez szczelinę między słupkami w balustradzie patrzę na śliczne panie i na gości. Zachowuję się cichutko, nikt mnie nie widzi. To znaczy: nikt mnie nie widział. Do dzisiaj.

Ten pan jest bardzo miły. Powiedział, że mnie nie zdradzi przed mamą. Nawet nie wiedział, że moja mama ma córkę, był zdziwiony. Powiedział, że jestem śliczna i bardzo ładnie wyglądam w koszuli nocnej, i że położy mnie do łóżka i opowie mi bajkę.

Ale teraz to już nie wiem. Dziwnie wygląda, kiedy tak na mnie patrzy i właściwie to żałuję, że go tu przyprowadziłam. Trochę się go boję. Zapytałam: „A co z bajką?”, ale on mnie chyba wcale nie usłyszał. Tylko patrzy na mnie tak jakoś dziwnie. Szkoda, że mamusi tu nie ma. Ale gdybym ją zawołała, dowiedziałaby się, że wyszłam z pokoju... On do mnie podchodzi, wyciąga ręce… Pewnie chce mi dać buzi na dobranoc i wreszcie sobie pójdzie.

– Niedaleko pada jabłko od jabłoni – szepcze i przyciska mnie do siebie, a ja nie wiem, co to ma znaczyć. Dziwnie pachnie, trochę słono, jak rzeka po deszczu, i ma bardzo zimne usta. Staram się go odepchnąć, nie wiem dlaczego, ale mnie przeraża. I… całuje mnie tak, jak dorośli panowie całują panie.

Mówię: „Nie”, ale on się tylko śmieje i powtarza: „Chodź do mnie” i inne słowa, których nie rozumiem. Jest bardzo silny, nie mogę wyswobodzić rąk, nie mogę go odepchnąć. Najchętniej bym go ugryzła, ale to gość mamy, a ja bardzo chcę, żeby mama mnie kochała i żeby mi pozwoliła u siebie zamieszkać już na zawsze. Nie chcę być dzieckiem. Tylko że ledwo oddycham. Próbuję powiedzieć: „Pan mnie za mocno ściska", ale słowa nie przechodzą mi przez gardło. Nagle on mnie popycha na łóżko. Jest taki ciężki, że chyba mnie zgniecie, podciąga mi nocną koszulę. Wtedy udaje mi się krzyknąć, więc on zatyka mi buzię ręką. Wyrywam się, wszystko jedno, już mogę być dzieckiem, nawet niech mama się dowie, nie obchodzi mnie, czy ciocia Emma... Udaje mi się wbić zęby w jego dłoń, zaciskam je z całej siły. Smakuje okropnie – potem i jakimiś perfumami. Rzuca przekleństwo, cofa dłoń. Nabieram powietrza, krzyczę głośno.

– Jak matka! – Znów przeklina, uderza mnie w twarz.

Krzyczę ile sił, a on chwyta mnie za szyję. Cały czas mówi wstrętne słowa.

– Milcz, dziwko, stul pysk, wywłoko, zamknij się, zamknij...

Na twarzy mam poduszkę, nie mogę oddychać. Głowa robi mi się lekka jak balon, zaraz pęknie, nie mogę krzyczeć, nie mogę oddychać, nie mogę się ruszać, bo on jest taki ciężki, nie mogę oddychać, nie mogę!

Chyba się odsunął. Nie czuję poduszki na twarzy. Ani krochmalu, ani lawendy, którą pachnie pościel. Gdzieś daleko słyszę głos mamusi:

– Marta?

Potem nic.

15

Zaczynałem się niecierpliwić. Siedziała w namiocie już tak długo, że można by jej powróżyć z dziesięć razy. A kto będzie za to płacił tej cygańskiej naciągaczce? Zrobiło mi się zimno, więc w końcu wstałem i wszedłem do namiotu.

Przez chwilę stałem jak wrośnięty w ziemię. Wnętrze zdawało się ogromne, oświetlone nielicznymi pochodniami, jak grobowiec faraona. Potem, gdy wzrok mi przywykł do mroku, okazało się, że jednak jestem w niedużym namiocie zagraconym różnymi przedmiotami, jakie się zwykle spotyka u szarlatanów z lunaparku. Słońce zaglądające przez wejście wyławiało z szarości pozłotę, soczyste barwy i szkło, odzierając je z wszelkiej tajemniczości. Puściłem płachtę zasłaniającą wejście. Po „Cygance" nie został żaden ślad, natomiast Effie nawet nie drgnęła. Siedziała tyłem do mnie, z głową bezwładnie pochyloną do przodu.

Znalazłem się przy niej jednym susem. Przez myśl przebiegały mi strasznie podejrzenia. Chwyciłem ją za ramiona i potrząsnąłem, ale była całkiem bezwładna, a oczy miała otwarte, lecz nieprzytomne. Zakląłem szpetnie, wziąłem ją na ręce i wyniosłem przed namiot, w słońce, gdzie już zgromadził się tłumek zwabiony moimi krzykami. Nie zwracając uwagi na ciekawskich, położyłem Effie na trawie. Nie miała żadnych widocznych obrażeń. Zajrzałem do torebki w poszukiwaniu soli trzeźwiących. Któraś z kobiet wrzasnęła przeraźliwie, wzywając pomocy, pewnie uznała, że zamierzam okraść nieprzytomną. Rzuciłem pod jej adresem wulgarną uwagę; osiągnąłem tyle, że jakaś inna zaczęła szperać w swojej torebce w poszukiwaniu własnego leku. Typ o aparycji wojskowego, przyozdobiony wąsem, zażądał wyjaśnień, gdy tymczasem jakiś młodzik bez wyrazu zaproponował brandy, lecz na propozycji poprzestał. Kobieta o farbowanych włosach usiłowała ściągnąć na siebie uwagę zebranych, udając omdlenie... jednym słowem, scena jak z wodewilu. Ktoś wezwał konstabla, więc w końcu zacząłem się zastanawiać, czy aby nie czas, by Mose usunął się ze sceny. Akurat wtedy Effie spojrzała na mnie przytomnie. W oczach miała przerażenie. Krzyknęła przenikliwie, wysokim, piskliwym tonem pełnym pierwotnego lęku.

W tej samej chwili zjawił się policjant.

Powitał go chór głosów i nawał sprzecznych informacji: oto kobieta została obrabowana, ten mężczyzna zaatakował damę w biały dzień, pani dostała palpitacji, jedna z dzikich bestii uciekła w czasie pokazu, przestraszyła młodą osobę... to powinno być zabronione...

Konstabl sięgnął po notes.

Effie niezdarnie usiadła z moją pomocą, przetarła oczy.

– Sytuacja opanowana! – zapewniłem, przekrzykując wrzawę. – Jestem... mężem tej pani. Zemdlała z gorąca.

Czułem jednak, że ludzie są przeciwko mnie. Przewidując konieczność długich i nieprzyjemnych wyjaśnień w komisariacie, zastanowiłem się ponownie, czy nie powinienem raczej zniknąć, i to teraz, póki jeszcze mogłem to zrobić w zamieszaniu. O Effie już się nie martwiłem, wiedziałem, że nic jej nie będzie, a w końcu to ona ponosiła odpowiedzialność za całą tę niemiłą sytuację. Gdyby nie wrzeszczała wniebogłosy, zdołałbym to wszystko zakończyć szybko i dyskretnie. A tak wyszedłem nieomal na gwałciciela. I jeszcze trzeba pomyśleć o Henrym... Już prawie wprowadziłem zamiar w czyn, gdy uświadomiłem sobie, że ktoś podszedł, i usłyszałem dźwięczny, znajomy głos, górujący nad zgiełkiem.

– Marto, kochanie, jak się czujesz? Mówiłam ci, żebyś się nie przemęczała! No masz, zaraz ci się poprawi.

Na wysokości mojej twarzy zjawiła się para błyszczących oczu.

– Ani słowa, idioto! Dosyć już narobiłeś.

Jak w transie odsunąłem się na bok, a ona zajęła moje miejsce przy Effie i podsunęła jej pod nos flaszeczkę z solami trzeźwiącymi, cały czas przemawiając pocieszająco.

– Fanny! – rzuciłem bez entuzjazmu.

– Cisza! – Jak smagnięcie biczem. – Marto, kochanie, dasz radę wstać? Pomogę ci, córeńko. Oprzyj się na mnie... dobrze. Wszystko będzie dobrze. – Podtrzymując zdumioną Effie w talii, Fanny zwróciła się do konstabla, który już całkiem nie wiedział, co myśleć. – Panie policjancie, bardzo proszę, żeby pan wywiązał się ze swoich obowiązków i rozgonił ten... ten motłoch, który z pewnością źle wpływa na nerwy mojej córki.

Stróż prawa nie był do końca przekonany. Opierał się coraz mniej stanowczo, lecz ciągle był podejrzliwy, chociaż zdominowany przez silniejszą osobowość.

– Jak długo mam czekać? – zniecierpliwiła się Fanny. – Czy naprawdę musimy znosić to wulgarne zbiegowisko? Czy moja córka to jakiś eksponat? – Z furią potoczyła wzrokiem po ciekawskich. – Idźcie stąd! – rozkazała. – Dosyć tego! Koniec atrakcji!

Ludzie stojący na brzegach grupy zaczęli się rozchodzić, natomiast wojskowy nie zamierzał ustąpić. Żądał informacji. Fanny wzięła się pod boki, zrobiła krok w jego stronę.

– Droga pani... – zaczął.

Jeszcze jeden krok. Prawie stykali się twarzami. Szepnęła coś, tak cicho, że tylko wojskowy usłyszał.

Podskoczył, jakby go coś ugryzło, i odszedł. Gdy obejrzał się przez ramię, na twarzy miał zabobonny lęk. Ona tymczasem z beztroskim uśmiechem wróciła do nas.

– Tak się to robi – powiedziała do policjanta. A gdy ten czekał, nadal niezdecydowany, podjęła: – Moja córka jest bardzo wrażliwa i byle drobiazg wyprowadza ją z równowagi. Mówiłam zięciowi, że nie powinien jej zabierać do lunaparku, ale mnie nie posłuchał. A ponieważ nie ma żadnego pojęcia o radzeniu sobie z młodą damą w tym stanie...

– Ach tak! – Konstabl już wszystko zrozumiał.

– Właśnie tak – przytaknęła Fanny. – Moja córka oczekuje dziecka – stwierdziła głosem ociekającym słodyczą.

Policjant spiekł raka, nagryzmolił coś w notesie i starając się zachować resztki godności, zwrócił do Effie.

– Bardzo panią przepraszam, ale muszę wykonywać swoje obowiązki, więc zadam pani kilka pytań. Czy rzeczywiście jest pani córką tej damy?

Effie pokiwała głową.

– I małżonką tego dżentelmena?

– Jak najbardziej.

– Chciałbym wiedzieć, jak się pani nazywa – podjął konstabl.

Effie ledwie dostrzegalnie drgnęła. Ja to zauważyłem, policjant z pewnością nie. Opanowała się natychmiast.

– Marta – oznajmiła mocnym głosem.

Z uśmiechem obróciła się do Fanny, objęła ją i wybuchnęła śmiechem.

* * *

Fanny Miller stanowiła istotny element mojego życia przez lata i szanowałem ją jak żadną inną kobietę. Była ode mnie dziesięć lat starsza, przystojna, choć w przyciężkim stylu, nieprawdopodobnie inteligentna i przejawiała wręcz męską ambicję. Podobnie jak ja imała się różnych zajęć. Jej matka, wiejska dziewucha, została ulicznicą z Haymarket i przekazała córce najstarszy zawód świata, gdy Fanny miała trzynaście lat. Cztery lata później zmarła. Fanny została sama. Walczyła o swoje zębami i pazurami. Nauczyła się czytać, pisać, kraść i włamywać, walczyć na pięści i z brzytwą w ręku, robić lekarstwa i trucizny, mówić jak dama, choć nigdy nie pozbyła się kornijskiego akcentu, i pić jak szewc. A nade wszystko nauczyła się gardzić mężczyznami, wykorzystywać ich słabości i wysługiwać się nimi, więc wkrótce skończyła ze sprzedawaniem siebie, a zaczęła sprzedawać innych.

Zarabiała na tysiąc sposobów, uczciwie i nieuczciwie. Śpiewała w wodewilach, przepowiadała przyszłość w lunaparkach, sprzedawała fałszywe maści na reumatyzm, nie stroniła od szantażu, kradzieży, oszustwa. Kiedy ją poznałem, już prowadziła własne przedsiębiorstwo z jakimś tuzinem dziewcząt. Wszystkie były śliczne, lecz żadna nie mogła się z nią równać. Była wysoka, miała silne toczone ramiona, szerokie barki i krągłości w odpowiednich miejscach, chociaż nigdy nie nosiła gorsetu. Oczy miała bursztynowe, kocie i masę miedzianych włosów, które upinała w skomplikowany węzeł. Choć piękna, nie była na sprzedaż, za żadne pieniądze. Nalegałem jak ostatni głupiec. Upierałem się, że każdy człowiek ma swoją cenę, a gdy posunąłem się za daleko, skoczyła na mnie jak wściekła lwica. Brzytwą oprawioną w kość słoniową z płynną gracją zatoczyła połyskliwy łuk, chybiła o włos. Rozmyślnie. Była szybka. Nawet nie zauważyłem, skąd mordercze ostrze pojawiło się w jej ręku. Do końca życia nie zapomnę, jak na mnie wtedy patrzyła. Zamknęła brzytwę i schowała do kieszeni spódnicy.

– Lubię cię, Mose – powiedziała. – Lubię cię, naprawdę. Ale jeśli zapomnisz się jeszcze raz, pozbawię cię twarzy. Rozumiesz? – Bez drżenia w głosie, na zimno, bez emocji.

Czasem myślę, że jeśli Fanny Miller kiedyś miała serce, to się go pozbyła razem z resztą niepotrzebnego balastu przeszkadzającego iść przez życie. Tak czy inaczej, kiedy się spotkaliśmy, była już ze stali. Nigdy nie widziałem, żeby się zachwiała. Nigdy. I oto proszę, znów ona, moja bogini, niezmieniona, poza może jakimś pasemkiem siwizny w bujnych włosach, zjawiła się, by zażegnać katastrofę.

Nie byłem całkowicie uszczęśliwiony, choć nie przeczę, zapewne dzięki niej uniknąłem wielu nieprzyjemności. Chyba po prostu nie lubię mieć długu u kobiety. A poza wszystkim innym, skoro prowadziłem grę z Effie, przeszkadzało mi, że Fanny jest zorientowana w sprawie, bo każdą sytuację potrafiła obrócić na swoją korzyść. Na dodatek nie podobało mi się, że Effie przylgnęła do niej natychmiast, całkiem jakby rzeczywiście była jej córką. Na wszelki wypadek nie odzywałem się, póki nie wróciliśmy na Islington Road, gdzie zająłem się wzywaniem powozu, zyskując czas na przygotowanie nudnych wyjaśnień. Wreszcie zagaiłem ostrożnie.

– Dawno cię nie widziałem, Fanny. Jak ci się wiedzie?

– Jako tako – odpowiedziała z odrobiną kpiny.

– Ruch w interesie?

– Nie narzekam. – Odwróciła się do Effie, obdarzyła ją serdecznym uśmiechem. Siedziały blisko, ramię przy ramieniu. – Przepraszam, że panią wystraszyłam – rzekła pogodnie. – Widziałam, że pani nie chce wzbudzać sensacji i pewnie sobie nie życzy zostać rozpoznana.

Tu znacząco zerknęła w moją stronę. Poruszyłem się niespokojnie. Co wiedziała? Jaką partię rozgrywała?

– Jesteś naszym aniołem stróżem – powiedziałem, starając się usunąć z głosu najmniejszy ślad drwiny. – Effie, poznaj Epiphany Miller. Fanny, to jest Effie Chester.

– Wiem. Znam pani męża.

Mało nie podskoczyłem.

Effie siedziała nieporuszona.

– Ach, zapewne mu pani pozowała...

Przyglądała się Fanny zastanawiająco intensywnie. Wtedy po raz pierwszy straciłem do niej cierpliwość. Niewiele brakowało, a byłbym się wyrwał z jakimś ostrym komentarzem. Nie zdążyłem.

– Dlaczego mnie pani tak nazwała? – spytała Effie.

– Jak, kochanie?

– Marta.

– Ach, Marta. Ot, po prostu to imię mi przyszło do głowy.

Przestałem rozumieć cokolwiek. Nie widziałem powodu, żeby Fanny miała się zaprzyjaźniać z Effie, różniły się jak ogień i woda. Albo dlaczego miałaby zapraszać nas do siebie? Właśnie to zrobiła, a Effie, mimo moich znaczących spojrzeń, od razu się zgodziła. Nie wiedziałem, co robić. Fanny miała dom w dzielnicy Maida Vale, niedaleko kanału, w jednym domu znajdowało się jej mieszkanie oraz pokoje dla jakiegoś tuzina dziewcząt, którymi się opiekowała. Nie chciałbym w takim miejscu być widziany z Effie, chyba że planowałbym zerwanie z trudem nawiązanych stosunków z Henrym.

– Effie, stanowczo pora wracać do domu – oznajmiłem znaczącym tonem.

– Bzdury – sprzeciwiła się Fanny. – Dopiero trzecia, na pewno macie jeszcze mnóstwo czasu. Zdążymy wypić filiżankę herbaty i coś przegryźć.

– Naprawdę nie wydaje mi się...

– Chętnie panią odwiedzę – przerwała mi Effie, obrzucając mnie wyzywającym spojrzeniem. – Jeżeli Mose nie ma już czasu, niech jedzie. Ja wrócę do domu później.

Co za zuchwalstwo!

– Nie zostawię cię samej w środku Londynu!

– Nie będę sama, tylko z panną Miller.

Z panną Miller!

Fanny na pewno w duchu zrywała boki ze śmiechu, więc w końcu ugryzłem się w język i pojechałem z nimi. Z Effie rozprawię się później. Jeszcze mi za to zapłaci.

16

Mose'owi nie w smak było spotkanie z Fanny. Powłóczył nogami, minę miał nachmurzoną, gesty niecierpliwe i nie ukrywał, że chce, byśmy się jak najszybciej rozstali. Rozumiałam jego zachowanie. Fanny, urządziwszy błyskotliwe przedstawienie w lunaparku, wkrótce zrezygnowała z górnolotnego tonu i choć ubiór miała doskonałej jakości, to przepych aksamitnej sukni w kolorze dojrzałej śliwki, kształt kapelusza w tym samym kolorze i sznur barokowych pereł wokół długiej szyi sugerował coś więcej niźli tylko zamiłowanie do przygód. Doskonale wiedziałam, co Henry myśli o kobietach, które w ten sposób się ubierają, które chodzą i mówią jak ona, lecz jeśli w ogóle brałam ten fakt pod uwagę, jedynie bardziej mnie jeszcze do niej przyciągał.

A Fanny rzeczywiście mnie do siebie przyciągała. Gdy tylko ją zobaczyłam, wyczułam w niej jakąś tajemnicę, przekaz wypisany w jej ciele specjalnie dla mnie. Kiedy potem szłyśmy razem, nabrałam pewności, że i ona we mnie rozpoznała podobną cechę.

Dom Fanny stał na Crook Street, niedaleko kanału, na skrzyżowaniu czterech alej, rozchodzących się od niego niczym promienie gwiazdy. W tej części miasta często napotykało się budynki z czasów gregoriańskich, niegdyś bardzo modne, teraz już podniszczone, cienie dawnej świetności. Niektóre popadały w ruinę, strasząc ulicę strzępami zasłon powiewających w wybitych oknach. Inne, świeżo odmalowane i bez skazy, olśniewały fałszem, jak dekoracje w teatrze.

Jej dom był większy od sąsiednich, zbudowany z ciemnoszarego londyńskiego kamienia, który wygląda jak powalany sadzą. Czysty, zadbany, z ciężkimi kotarami w oknach i bodziszkiem w doniczkach na wszystkich parapetach. W tej okolicy nieco odstawał od reszty, był odrobinę zbyt wiejski. Drzwi miał pomalowane na zielono, na nich znajdowała się jasna, mosiężna kołatka, a przed progiem siedział wielki kot w rude pręgi. Na nasz widok miauknął.

– Wejdź, Alekto – powiedziała Fanny, otwierając mu drzwi. Kot miękko otarł się o framugę i zniknął we wnętrzu. – Proszę. – Fanny gestem poparła zaproszenie.

Weszliśmy. Natychmiast zwróciłam uwagę na zapach. Dominowało chyba drzewo sandałowe i cynamon, do tego... jakby dym z drewna? Woń zdawała się wydobywać z mebli i ze ścian, zewsząd. No i kwiaty. W wielkich wazonach rozstawione w każdym kącie. Wszystkie ściany zdobiły gobeliny w nasyconych kolorach, na podłogach leżały bogate kobierce.

Zdawało mi się, jakbym za sprawą czarów została przeniesiona do pałacu Aladyna. Fanny, gdy odpięła kapelusz, ściągnęła rękawiczki i rozpuściła włosy, stała się pięknością Wschodu, istotą, w której nie pozostał nawet ślad ulicy Haymarket. Korytarzem, obok szerokich schodów poprowadziła nas do przytulnego saloniku, gdzie na kominku płonął ogień. Przy płomieniach wygrzewały się dwa koty, oba w pozycji Sfinksa.

Zapadłam się w jeden z wielkich foteli i momentalnie wyszłam z ciała. Zobaczyłam siebie, obcą w tym ciepłym, zmysłowym otoczeniu, bladą jak powstała z grobu. O mało nie krzyknęłam, tak się wystraszyłam własnej twarzy. Gdy świat znowu odzyskał ostrość, ujrzałam twarz Mose'a, zniekształconą, jakbym ją oglądała przez kuliste akwarium. Cofnęłam się przed nią, nie wiedzieć czemu przejęta nienawiścią. Pokój zawirował wokół mnie jak tęczowe odblaski kryształu, oczy kochanka wydały mi się bezlitosne.

– Źle wyglądasz – odezwała się do mnie Fanny. – Wypij.

Z rozpaczliwą wdzięcznością wzięłam z jej rąk mosiężny puchar. Napój był ciepły i słodki, trochę przypominał poncz, gdzieś na dnie zalegał w nim aromat ziela angielskiego i wanilii.

– Dziękuję – powiedziałam, próbując się uśmiechnąć. – Jakoś...

– Co to za napój? – spytał Mose ostrym tonem.

– Według mojego własnego przepisu – odparła Fanny rozwlekle. – Wzmacniający. Nie ufasz mi?

– Czuję się... dużo lepiej – powiedziałam, a równocześnie z zaskoczeniem zdałam sobie sprawę, że to prawda. – Przepraszam, jakoś tak...

– Dajże spokój! – ucięła Fanny. – W tym domu nie musisz za nic przepraszać. Henry kocha uległość, ale ja nie umiem sobie wyobrazić nic bardziej nudnego.

Nie wiedziałam, czy mam się śmiać, czy obrazić. W dodatku Fanny mówiła o moim mężu po imieniu! Ale emanowało z niej ciepło – i poufałość, którą wbrew sobie łatwo zaakceptowałam. W końcu zaśmiałam się niepewnie i duszkiem wypiłam resztę napoju. Oba koty, biały i brązowy, porzuciły swoje miejsce przy kominku i zbliżyły się do mnie, ostrożnie obwąchując skraj mojej spódnicy. Powoli wyciągnęłam do nich rękę.

– Megajra i Tyzyfone – przedstawiła je Fanny. – Wyraźnie cię polubiły. Zostałaś zaszczycona. Zwykle nie zbliżają się do obcych.

– Megajra, Tyzyfone, Alekto... Dziwne. Czemu je pani tak nazwała?

– Po prostu lubię mitologię starożytną – odparła Fanny wymijająco.

– Czy mogłabym... mówić pani po imieniu?

– Będzie mi miło. – Pokiwała głową. – Niepotrzebne nam ceremonie. Mogłabym być twoją matką, choć oczywiście nie jestem równie jak ona godna szacunku. Napij się jeszcze. – Ponownie napełniła mi puchar. – A ty? – zwróciła się do Mose'a, który siedział na jedynym krześle w pomieszczeniu i wyglądał jak zawiedzione dziecko. – Przydałaby ci się kropelka trunku.

– Nie.

– Moim zdaniem powinieneś coś wypić – powtórzyła Fanny. – Choćby dla uspokojenia.

Mose zmusił się do nieszczerego uśmiechu i w końcu przystał na kieliszek.

– Dziękuję.

– Czyżbyś się nie cieszył z naszego spotkania? – spytała Fanny. – Oczywiście rozumiem, że teraz musisz dbać o reputację. Swoją drogą, w życiu bym nie zgadła, że się skumasz z Henrym Chesterem... Zyskujesz szacunek na stare lata!

Mose poruszył się niespokojnie, a Fanny puściła do mnie oko.

– Ach, oczywiście! – Zaśmiała się. – Zapomniałam, że jesteś sponsorem pana Chestera! Zabawne, jak się zaprzyjaźniliście. Pewnie rok nie minie, jak staniesz się człowiekiem poważnym i poważanym.

Obróciła się do mnie.

– Jesteś prześliczna – stwierdziła bez ogródek. – Ale jaką musisz mieć rozdartą duszę... Z jednej strony Henry Chester, z drugiej Mose... Scylla i Charybda. Bądź ostrożna. Mose jest nikczemny na wskroś, a Henry... cóż, chyba obie dobrze go znamy. Zostań moją przyjaciółką. Oczywiście obaj będą wściekli... mężczyźni są zaborczy i mają dziwne pojęcie o prawach własności! Wyobraź sobie reakcję Henry'ego, gdyby się dowiedział! Ale on nie widzi dalej niż czubek własnego nosa. Nie dostrzega nic, nawet w twoich oczach, takich przepastnych, takich przejrzystych.

Mówiła lekkim tonem, jej słowa jak ławica połyskliwych rybek otaczały mnie wzorem bez znaczenia. Brązowa kotka wskoczyła mi na kolana. Byłam jej za to wdzięczna, mogłam zająć ręce głaskaniem. Próbowałam się skupić na tym, co mówiła Fanny, ale kręciło mi się w głowie. Upiłam kolejny łyk, żeby rozjaśnić umysł. Przez woal nierealności, który opadł na świat, widziałam, że Mose obserwuje mnie z nieprzyjemnym wyrazem twarzy. Chciałam coś powiedzieć, ale trudno mi było się skupić na salonowej rozmowie i zamiast uprzejmego komentarza spomiędzy moich warg wydostała się pierwsza myśl, jaka mi przyszła do głowy.

– Czy to jest dom uciech? – Skamieniałam, przerażona własną bezczelnością. Okryłam się rumieńcem, wyjąkałam coś niezrozumiałego, poruszyłam ręką zbyt gwałtownie, rozlałam trunek na suknię. Łzy napłynęły mi do oczu. – Przepraszam, ja...

A Fanny się śmiała. Dźwięcznie, serdecznie, szczerze. Pochyliła się nade mną, a wtedy straciłam wyczucie proporcji. Wydała mi się ogromna, przerażająca, straszna w tej fioletowej sukni, otulona wonią piżma i przypraw korzennych. Zatonęłam w jej ramionach. Nadal się śmiała, gdy świat przestał wirować, histeria minęła.

– Masz rację, kochanie – powiedziała wreszcie. – Jakaś ty świeża i niewinna! „Czy to jest dom uciech?". Mose, to dziecko jest prawdziwym skarbem.

Uniosłam głowę z jej ramienia, chciałam zaprotestować.

– Dałaś jej za dużo ponczu. Nie przywykła do trunków – odezwał się Mose, ciągle nachmurzony, ale też uśmiechnięty. Więc i ja, jeszcze przez łzy, odrobinę nerwowo, także się zaśmiałam.

Nagle przyszła mi do głowy pewna myśl. Ośmielona alkoholem i wesołością gospodyni wypowiedziałam ją głośno:

– Powiedziałaś, że znasz mojego męża... Pozowałaś mu?

Fanny wzruszyła ramionami.

– Nie jestem w jego typie, kochanie. Ale od czasu do czasu potrafię mu znaleźć kogoś odpowiedniego. Nie zawsze do pozowania.

Potrwało jakiś czas, nim dotarł do mnie cały sens jej słów.

Henry mnie zdradzał? Mnie pouczał i prawił mi kazania, a sam w tajemnicy odwiedzał dom Fanny? Nie wiedziałam, czy się śmiać, czy płakać. Chyba w końcu wybuchnęłam śmiechem. Pomyśleć tylko, że przez te wszystkie lata był moim księciem z bajki, Lancelotem bez skazy! A on wymykał się do domu na Crook Street, potajemnie jak złodziej, nocami! Śmiałam się, ale czułam gorycz.

Mose także był zaskoczony.

– Henry tu przychodził? – upewnił się z niedowierzaniem.

– Nawet dość często. Nadal przychodzi. W każdy czwartek. Regularnie, jak w zegarku.

– A niech mnie! W życiu bym się nie domyślił, że aż taki z niego hipokryta. Co niedzielę jest w kościele, usta ma pełne frazesów, myślałby kto, święty człowiek! Powiedz mi, Fanny, co lubi?

Uśmiechnęła się pogardliwie, ale nie dałam jej dojść do słowa.

– Dzieci – powiedziałam głosem bez wyrazu. – Lubi

dzieci. Sadza mnie sobie na kolanach i każe się zwracać do siebie „panie Chester". – Przerwałam, bo zrobiło mi się niedobrze. – On... – Nie zdołałam powiedzieć nic więcej, bo rozszlochałam się gwałtownie.

Po raz pierwszy uświadomiłam sobie swoją nienawiść, wstyd i obrzydzenie. Przylgnęłam do Fanny Miller i płakałam rzewnymi łzami, mocząc jej śliwkową suknię. Ogarnęło mnie niewytłumaczalne poczucie ulgi.

Potem jeszcze rozmawiałyśmy jakiś czas, dowiedziałam się nieco więcej. Poznała Henry'ego, czy też raczej pana Lewisa, bo tak się przedstawiał innym gościom, przed laty. Od tamtej pory zjawiał się w jej domu regularnie. Czasami siadywał w salonie i raczył się ponczem wraz z innymi, ale częściej unikał towarzystwa i znikał z jedną z dziewcząt, zawsze najmłodszą i najmniej doświadczoną. Przychodził w czwartki, gdy teoretycznie bywał w klubie.

Słuchałam tego sprawozdania ze zdrady Henry'ego niemal obojętnie. Miałam wrażenie, że świat mi się zawalił, ale zdołałam je ukryć. Beztrosko wyciągnęłam rękę z pucharem do napełnienia.

– Nie pij więcej – rzucił Mose poirytowany. – Robi się późno. Powinnaś wracać do domu.

Pokręciłam głową.

– Zostanę jeszcze – oznajmiłam z pozornym spokojem. – Henry nieprędko wróci z pracowni, a nawet gdybym się spóźniła, przecież nie dojdzie, gdzie byłam. – Zaśmiałam się głośno, swobodnie. – Może powinnam mu powiedzieć!

– Mam nadzieję, że to był żart – zganił mnie Mose. W jego tonie kryła się groźba.

– Wiem. – We własnym głosie usłyszałam kruchość. Usiłowałam się dostosować do lekkiego tonu Fanny. – Zależy ci na życzliwości Henry'ego. W końcu przecież uwodzisz jego żonę. – Widziałam, był wściekły i patrzył na mnie z pogardą, ale już nie umiałam zamilknąć. – Mężczyźni są zaborczy i mają dziwne pojęcie o prawach własności! – dodałam. – Śmiem twierdzić, że twoim zdaniem mężczyźnie ujdzie na sucho każda zdrada, każda zbrodnia, dopóki są zachowane pozory. Moje cierpienie zapewne nie ma dla ciebie najmniejszego znaczenia.

– Za dużo wypiłaś – rzucił zimno.

– Ależ skąd! Zakładam, że o udawaniu wiesz wszystko. Jesteś w tym ekspertem.

– Nie wiem, o czym mówisz.

Nagle straciłam pewność siebie. Jeszcze przed chwilą niosła mnie tak wielka fala gniewu, że się w niej pogrążyłam, teraz uraza gdzieś zniknęła, złość się wypaliła... Te gwałtowne uczucia nie powodowały mną, lecz kimś innym, znacznie silniejszym, odważniejszym niż ja. Kimś obcym.

A czego ja chciałam? Trudno mi było to skonkretyzować, moje pragnienia rozproszyły się jak niewyraźny sen, zapomniany po przebudzeniu.

– Wybacz mi, Mose. Nie chciałam cię dotknąć. Proszę, zostańmy jeszcze. – W moim głosie brzmiała szczera prośba, ale on pozostał niewzruszony.

Jego oczy koloru nieba, teraz nienawistnie zmrużone, przywodziły na myśl ostrza noży. Odwrócił się gwałtownie.

– Doskonale wiesz, że w ogóle nie chciałem tu przyjeżdżać. Znaleźliśmy się w tym domu wyłącznie z twojego powodu. A teraz wychodzimy albo, Bóg mi świadkiem, zostaniesz sama.

– Mose...

– Mose, mój drogi – włączyła się Fanny. – Zdobądź się na odrobinę wyrozumiałości. – Nie kryła ironii. – Effie ma za sobą dość niemiłe chwile, prawda? Ach, a może miałeś zamiar ją utrzymywać w błogiej niewiedzy?

Mose aż się wykrzywił ze złości.

– Nie będą mi rozkazywały dwie hetery! – warknął. – Effie, bez słowa sprzeciwu znoszę twoje łzy i humory. Przez ciebie omal nie zostałem dziś aresztowany. Kocham cię, jak nigdy nie kochałem żadnej kobiety, ale to już przekracza wszelkie granice. Nie pozwolę się obrażać, zwłaszcza pod tym dachem. Wracasz do domu?

Dwie hetery.

Słowa jak kamienie. Wpadły w ciemność moich myśli. Kokoty, ladacznice.

Chciał mnie wziąć pod ramię, odtrąciłam jego rękę. Kotka prychnęła na niego i śmignęła za komodę.

– Nie dotykaj mnie! – krzyknęłam.

– Effie...

– Nie!

– Posłuchaj mnie uważnie przez chwilę...

Patrzyłam na niego całkiem spokojnie. Po raz pierwszy dostrzegłam zmarszczki wokół ust spowodowane napięciem, zimną czerń w głębi oczu.

– Wyjdź stąd – powiedziałam. – Brzydzę się tobą. Wrócę do domu sama. Nie chcę cię więcej widzieć.

Na chwilę twarz mu zwiotczała, ale zaraz wargi wykrzywiła wściekłość.

– Ty zdziro...

– Precz!

– Zapłacisz mi za to – wycedził cicho, złowieszczo.

– Wyjdź nareszcie.

Jakiś czas stał osłupiały, z ramionami założonymi w obronnym geście na piersi. Czułam, że się boi, jakby miał do czynienia z salonowym pieskiem, który nagle nauczył się gryźć. Jego strach przepełnił mnie entuzjazmem, mdłości gdzieś zniknęły, poczułam dumę, a jakiś głos krzyczał we mnie: rań, kąsaj, szarp!

Mose wyszedł, trzasnąwszy drzwiami. A ja opadłam na fotel i zalałam się łzami.

Fanny pozwoliła mi płakać jakiś czas, a potem delikatnie objęła za ramiona.

– Kochasz go, maleńka?

– Ja...

– Kochasz go?

– Chyba tak.

Pokiwała głową.

– To lepiej idź za nim. I weź Tyzię. – Podała mi brązową kotkę, która usiadła przy mnie, jak tylko Mose opuścił salonik. – Polubiła cię. Zaopiekuj się nią, a zyskasz wierną przyjaciółkę. Wystarczy spojrzeć w twoje oczy, żeby wiedzieć, jak samotna jest żona Henry'ego Chestera.

Pokiwałam głową, przytuliłam kotkę.

– Mogę tu jeszcze kiedyś przyjść?

– Oczywiście, kiedy tylko zechcesz. Do widzenia, Marto.

– Słucham?

– Powiedziałam: „Do widzenia, słonko".

– Zdawało mi się...

– Ciii… – Nie dała mi dokończyć. – Idź już. I pamiętaj, co ci mówiłam. Bądź ostrożna.

Zajrzałam w jej niesamowite oczy i nie zobaczyłam w nich nic poza odbiciem światła. Ale Fanny nadal się uśmiechała, gdy wzięła mnie pod ramię i wyprowadziła na ulicę.

17

To dziwka! Dziwka! Obie warte jedna drugiej!

Kipiałem z wściekłości. Co za traktowanie! Mało brakowało, a byłbym rzucił wszystko w diabły, zostawił ją w rękach purytańskiego męża i dał sobie spokój. A może by tak wysłać anonimowy liścik naszpikowany intymnymi szczegółami? Dostałaby nauczkę. Tyle że pod gniewem czaił się niepokój. Nie chodziło tylko o zemstę. Nie. Raniła mnie świadomość, że aż tak się pomyliłem. Że as buław sam siebie przedstawił jako Głupca pierwszej jakości, że nie doceniałem małej Eff, że popełniłem ogromny, niewybaczalny błąd, przyjmując, iż owinąłem ją sobie wokół palca. A ona przeciwstawiła mi się przy Fanny. Akurat przy Fanny!

No dobrze, skoro sama tego chce… Wystarczy krótka wzmianka w obecności Henry'ego, a rozwiedzie się ze swoją śliczną modelką w mgnieniu oka! Co? Nie wierzysz? Kilka wybranych detali i nie będzie mógł na nią patrzeć! Mała zostanie bez grosza, nie będzie miała się do kogo zwrócić, bo przecież matka nie przyjmie jej z powrotem pod swój dach, jeśli dziewczyna zmarnuje takie piękne małżeństwo! Ordynarne plany? Niech ci będzie, ordynarne. Samotna i bez grosza, będzie mogła się zwrócić wyłącznie do swojej najmilszej przyjaciółki,

Fanny. W ciągu miesiąca dołączy do jej stadka. Wystarczy, że ja... Może jeszcze nie teraz. Później, jak mi się znudzi ta mała. Na razie jeszcze ciągle siedziała mi w głowie. W końcu naprawdę była niebrzydka, a przy tym, skoro miała też trochę werwy, tym lepiej.

Tylko dlaczego akurat Fanny musiała się w to wmieszać? Właśnie to mnie bolało.

Effie wróciła do mnie dość szybko. Tak, tak, wiedziałem, że gniewanie się nie leży w jej charakterze, więc nie byłem zdziwiony, gdy wybiegła z domu Fanny dosłownie kilka minut po moim wyjściu. Nie martwił mnie też jej histeryczny wybuch, bardziej się przejąłem, że zaatakowały mnie obie razem, prawie instynktownie, niczym członkinie jakiegoś tajnego stowarzyszenia.

Na Cromwell Square dojechaliśmy w milczeniu. Choć Effie spoglądała na mnie badawczo spod czepka, ja wbiłem wzrok w przestrzeń i pogrążyłem się w myślach pełnych goryczy. Zanim dotarliśmy do Highgate, ona pociągała nosem, a ja czułem się znacznie lepiej.

Nieważne, wszystko nieważne. Fanny nie będzie przy niej stała zawsze. A skoro Effie była znowu tylko moja, najpierw ją nastraszę, niech trochę popłacze, a potem zapomnimy o całym epizodzie. Przynajmniej na jakiś czas.

* * *

Przez dwa dni udawałem obojętność. Nie przyszedłem spotkać się z Effie na cmentarzu, chociaż celowo przejechałem pod jej domem, wracając z pracowni Henry'ego. Pod koniec tygodnia Henry zaprosił mnie na kolację. Przyjąłem zaproszenie, przyszedłem, zachowywałem się wyniośle, mówiłem z gospodarzem o sztuce i polityce, nieomal całkowicie ignorując biedną małą Eff. Zauważyłem, że jest dość blada, momentami spoglądała na mnie z niepokojem, ale ja nie zwracałem na nią uwagi i przez cały wieczór demonstrowałem doskonały nastrój. Piłem dużo, śmiałem się głośno, a jednocześnie pozwoliłem się jej domyślać, że mam złamane serce. Nawet Edmund Kean nie odegrałby tej roli z większą maestrią.

Nie wiem dlaczego, lecz Henry również wydawał się nie mieć cierpliwości do Effie. W rzadkich momentach, gdy próbowała włączyć się do rozmowy, okazywał irytację i komentował te wypowiedzi sarkastycznie, tolerując ją najwyraźniej tylko ze względu na moją obecność. Gdyby mnie tam nie było, z pewnością wywołałby awanturę. Udawałem ślepego i głuchego, unikając jej wzroku.

W czasie posiłku Henry po raz kolejny wrócił do kwestii modelki, która miałaby stanowić pierwowzór kobiety grającej w karty.

– Chciałbym, żeby miała ciemną karnację. Jasnowłosa modelka byłaby mało konkretna na takim obrazie. – Umilkł niepewnie. – Oczywiście Effie mogłaby pozować do wstępnego szkicu, w sensie pozy i zarysu twarzy, ale malowałbym kogoś innego. – Jakiś czas udawał, że rozważa tę możliwość. – Może to rzeczywiście jest wyjście. Co pan o tym sądzi?

Przyjrzałem się Effie z uwagą, wyraźnie ją tym niepokojąc, i w końcu skinąłem głową.

– Przy Islington Road rozbił namioty lunapark – powiedziałem niewinnym tonem. – Na pewno znajdzie pan tam jakąś Cygankę.

Kątem oka dostrzegłem, jak Effie krzywi się na wspomnienie lunaparku. Zarechotałem w duchu.

– Chcę przystąpić do malowania postaci kobiecej możliwie najszybciej – podjął Henry. – Na razie pogoda sprzyja. Z nadejściem lata, gdy zrobi się ciepło, Effie nie wytrzyma w pracowni kilka godzin dziennie.

Poruszyła się niespokojnie, wzięła widelec i zaraz go odłożyła, nie tknąwszy jedzenia.
– Myślałam... – szepnęła.
– O co znowu chodzi? – Henry był wyraźnie poirytowany i zniecierpliwiony. – Mówże, dziewczyno!
– Powiedziałeś, że nie będę już musiała przychodzić do pracowni. Bóle głowy...
– Powiedziałem, że nie musisz tam przychodzić, kiedy jesteś chora. A nie jesteś chora, wobec czego nie widzę powodu, dla którego miałbym się wykosztować na modelkę, mając ciebie pod ręką.
Effie uczyniła trudny do zdefiniowania gest, jakby odrzucała propozycję.
– A jeśli chodzi o twoje bóle głowy – ciągnął Henry – wystarczy na nie odrobina laudanum. – Obrócił się do mnie, ponownie w doskonałym nastroju. – Mam w piwniczce przednie czerwone wino. Spróbuje pan i powie mi, co o nim myśli. – Żwawym krokiem wymaszerował z jadalni, zostawiając nas we dwoje.
Gdy tylko zamknęły się za nim drzwi, Effie już była na nogach, oczy miała pełne łez, dłonie przycisnęła do ust. Wtedy zyskałem pewność, że znów jest moja.
– Spotkajmy się dzisiaj – szepnąłem. – Przy Circle of Lebanon, o północy.
Oczy jej zogromniały.
– O północy?!
– Jeśli ci na mnie zależy, przyjdź – syknąłem. – Jeżeli cię nie będzie, zrozumiem to i uwierz, jakoś przeżyję.
Nadal śmiałem się w duchu, ale jakoś zdołałem przywołać na usta szyderczy grymas i odwrócić wzrok, gdy wszedł Henry. W samą porę. Effie ukryła pobladłą twarz, a mnie przebiegło przez głowę, czy aby nie jest naprawdę chora. Zaraz jednak dostrzegłem, że mi się przygląda, i wtedy sobie uświadomi-

łem – ona po prostu rozgrywała kolejną gierkę! Tak, tak, możesz mi wierzyć! Effie nie była zwykłym niewiniątkiem, za jakie wszyscy ją uważali. Nikt nie dostrzegł w niej dobrze ukrywanej przewrotności. W końcu wyprowadziła w pole nas wszystkich. Nawet mnie.

18

Zanim poznałam Mose'a, nawet nie podejrzewałam, jak bezbarwne jest moje życie. A teraz, kiedy mogę go stracić, chyba oszaleję. Nie pamiętam, co właściwie spowodowało naszą sprzeczkę u Fanny, odnoszę wrażenie, jakby się to przydarzyło komuś innemu, komuś pewnemu siebie i silnemu. Czekałam na Mose'a w zwykłym miejscu spotkań, ale nie przychodził. Długie godziny spędziłam przy oknie, wypatrując go na ulicy – na próżno. Nawet w poezji nie znajdowałam wtedy pocieszenia. Byłam drażliwa, nie potrafiłam się skupić na żadnym zajęciu, aż Henry narzekał, że doprowadzam go do pasji i nie ma przy mnie chwili spokoju.

Przyjmowałam laudanum, ale chyba mnie otępiało, zamiast koić nerwy. Chciałam się ruszać, lecz nie mogłam, chciałam patrzeć, wąchać, smakować – niestety, żyłam jedynie w marzeniach i wyobraźni.

Tabby robiła mi czekoladę i piekła ciasta, których nawet nie tknęłam. W którymś momencie burknęłam zirytowana, żeby zostawiła mnie w spokoju, i natychmiast tego pożałowałam. Nie miałam zamiaru sprawić jej przykrości. Objęłam ją, obiecałam wypić czekoladę, zapewniłam, że jestem po prostu zmęczona. Pachniała kamforą i kuchnią. Nieśmiało pogładziła mnie po włosach. Prawie jak dawniej, na Cranbourn

Alley, gdzie mama, Tabby i ciocia May wspólnie piekły ciasta. Przywarłam do jej ramienia, rozedrgana, tak boleśnie samotna.

Henry uważał, że udaję chorobę, by uniknąć pozowania, a bóle głowy są efektem bezczynności. Rzeczywiście, zaniedbałam haftowanie, nie zajrzałam do kościoła przez cały tydzień, byłam uparta i ciągle w złym humorze, na pytania odpowiadałam wymijająco albo zwyczajnie głupio, przy gościach zachowywałam się dziwacznie. Oczywiście nie zaaprobował Tyzi. Stwierdził, że nie powinnam sprowadzać do domu bezpańskich kotów bez jego pozwolenia, że zachowuję się jak dziecko, pozwalam zwierzęciu spać we własnym łóżku, całymi dniami trzymam je na kolanach.

Chyba po to, by mi dowieść, że nie akceptuje mojej wyimaginowanej choroby, dwukrotnie w ciągu tygodnia zaprosił do nas gości. Było to intrygujące odstępstwo od reguły. Za pierwszym razem zjawił się doktor Russell, przyjaciel z klubu, szczupły, niewysoki mężczyzna o inteligentnej twarzy, który zza binokli uważnie mi się przyglądał. Długo mówił o maniach i fobiach. Za drugim razem przyszedł Mose, oczy miał jasne, lecz spojrzenie twarde, a uśmiech niczym ostrze brzytwy.

Zanim przedstawił mi straszne ultimatum, nerwy miałam napięte jak postronki. Samotność do tego stopnia dała mi się we znaki, że byłam skłonna zrobić wszystko, byle go odzyskać, obojętne, czy mnie kochał, czy nie.

Myślisz pewnie, że jestem istotą słabą i godną pogardy. Sama tak o sobie myślę. Wiedziałam, że ponoszę karę za krótkotrwały bunt przeciwko niemu w domu Fanny, bo gdyby rzeczywiście chciał mnie widzieć, mogliśmy spotkać się za dnia, nawet u niego w domu. Tymczasem miałam się stawić o północy na cmentarzu, gdzie królowały cienie i zjawy. Idealne miejsce na scenę okrutnego pojednania.

Wiedziałam to wszystko i rozumiałam, dlatego ciągle w głębi serca czułam do niego nienawiść, jednak równocześnie kochałam go i pragnęłam tak mocno, że na jego rozkaz gotowa byłam wejść w ogień.

Z domu wydostałam się bez kłopotu. Tabby i Em spały w służbówkach na poddaszu, Edwin mieszkał we własnym domku przy High Street, dokąd odchodził o zmroku, a Henry zawsze kładł się wcześnie i spał jak zabity. O wpół do dwunastej wymknęłam się z sypialni, osłaniając dłonią płomień świecy. Włożyłam ciemną flanelową suknię bez halek, więc poruszałam się bezszelestnie. Zeszłam do kuchni. Klucz wisiał na zwykłym miejscu przy framudze. Wstrzymując oddech, przekręciłam go w zamku i wyszłam w noc.

Tyzia siedziała na progu. Otarła mi się o kostki, mrucząc donośnie. Zawahałam się, jakoś straciłam ochotę na tę wyprawę, dobrze mi było w towarzystwie kota. Może by ją wsadzić pod płaszcz i zabrać ze sobą? Nie, nie. Przywołałam siebie do porządku, naciągnęłam kaptur na głowę i pobiegłam, cała rozdygotana.

Po drodze minęłam zaledwie kilka osób. Jakieś dziecko wybiegło z domu publicznego, dzierżąc w objęciach półkwaterek piwa, żebraczka wędrowała niestrudzenie od drzwi do drzwi, na rogu ulicy minęła mnie grupa mężczyzn. Trąciło od nich alkoholem, rozmawiali głośno i wzajemnie się podtrzymywali. Jeden z nich krzyknął coś za mną, ale mnie nie gonili. Gdy dotarłam do miejsca, gdzie latarnie stały rzadziej, starałam się nie wychodzić z cienia i po jakichś dziesięciu minutach stanęłam przed czarną czeluścią cmentarza, rozłożonego na łonie Londynu niczym uśpiony smok. W kompletnej ciszy słyszałam bicie własnego serca. Ruszyłam do bram. Strażnika ani śladu, więc nie miałam powodu zwlekać, a jednak zamarłam w bezruchu, bezradnie patrząc na bramę, z taką samą chorobliwą fascynacją jak wtedy, gdy w lunaparku otworzyło się przede mną wejście do czerwonego namiotu.

Ta myśl obudziła przelotne wspomnienie. Wyobraziłam sobie tysiące zmarłych wstających z grobów, głowy obracające się na kamiennych płytach jak mechaniczne zabawki... Koszmar potęgowała gęsta ciemność. O mało nie zawróciłam. Tylko dzięki myśli, że Mose tam czeka na mnie, zdobyłam się na odwagę. Mose nie bał się zmarłych. On nie czuł strachu nawet przed żywymi. Bawiły go opowieści mrożące krew w żyłach. Mówił mi kiedyś o kobiecie pochowanej żywcem, o tym, jak potem ją odkopano, uduszoną, z dłońmi jak szpony drapiącymi powietrze. Do powierzchni zabrakło jej ledwie kilkunastu centymetrów. Palce miała zdarte do kości. A w czasie epidemii cholery zmarłych było tak wielu, że chowano ich w zbiorowych mogiłach, przysypując wapnem. Ciał było tyle, że temperatura rozkładu wypychała niektóre na powierzchnię. Para kochanków natknęła się w czasie schadzki na cztery głowy wystające z ziemi niczym wielkie grzyby cuchnące śmiercią. Mose doskonale wiedział, że nienawidzę takich historii. Podejrzewam, iż właśnie dlatego mi je opowiadał. Bawiła go moja słabość. Dopiero teraz uświadamiam sobie, ile okrucieństwa było w jego śmiechu.

Na cmentarzu nie paliła się żadna lampa, a mizerny księżyc rzucał na kamienie drżący blask. Owładnął mną zapach ziemi, ciemność zamknęła się wokół mnie. Mijając drzewa, rozpoznawałam je po zapachu: cedry, złotokapy, cisy, rododendrony. Od czasu do czasu potykałam się o jakiś kamień czy pniak, a odgłos własnych kroków przerażał mnie jeszcze bardziej niż gęsta, groźna cisza. Raz wydało mi się, że ktoś za mną idzie, więc skuliłam się za jakimś nagrobkiem. Dygotałam ze strachu, serce waliło mi jak młotem. Kroki były ciężkie, a ja, tkwiąc bez ruchu w smolistym cieniu, byłam pewna, że słyszę czyjś oddech: ciężki, astmatyczny, niczym pracujące miechy.

Od Circle of Lebanon dzieliła mnie już tylko aleja obsadzona drzewami. Wiedziałam, że tam będę bezpieczna, ale ze strachu nie mogłam się ruszyć. Na jakiś czas mój rozsądek rozproszył się w nocy na podobieństwo deszczu konfetti. Zostałam uwięziona w koszmarze wyzutym z czasu. Potem wróciły do mnie myśli, świat znowu nabrał kształtów. Podniosłam się na kolana i palcami, które nagle zyskały niesłychaną czułość, wyszukiwałam sobie drogę wzdłuż ściany grobowca. W pewnym momencie, gdy kroki się do mnie zbliżyły, przywarłam do ziemi i zamarłam w bezruchu, na próżno wytężając wzrok, by rozpoznać intruza. Woda i błoto wsiąkały mi w suknię, ale nawet nie drgnęłam, tylko skrycie naciągnęłam kaptur na głowę, żeby mnie nie zdradziły jasne włosy. Kroki zbliżały się nieubłaganie. Były już prawie przy mnie. Wstrzymałam oddech na całą wieczność. Idący stanął. Nie zdołałam się powstrzymać i niczym Orfeusz zerknęłam przez ramię. Na tle ciemnego nieba zobaczyłam bardziej czarną męską sylwetkę, groźną i potężną. I oczy – dwa punkty światła w źrenicy nocy.

Od śmierci Fletcherów dzieliły mnie już tylko [illegible] dni [illegible]. Wiedziałam [illegible] Dan [illegible] [illegible] [illegible] się [illegible]. Na [illegible] moj [illegible] rozpoczął się w nocy na [illegible] końcu. Zostałem [illegible] w [illegible] czasu [illegible] [illegible] [illegible] [illegible] nad [illegible], [illegible] [illegible] [illegible] w [illegible] [illegible] [illegible] [illegible] [illegible] [illegible] [illegible] [illegible]. W [illegible] [illegible] [illegible] [illegible] [illegible] [illegible] [illegible] w [illegible] [illegible] [illegible], by [illegible] [illegible]. [illegible] [illegible] [illegible] [illegible] [illegible] [illegible] [illegible] [illegible] [illegible] [illegible] [illegible] [illegible] [illegible] [illegible] [illegible] [illegible] [illegible] [illegible]

KSIĘŻYC

19

Wiem, wiem, postąpiłem okrutnie. I sprawiło mi to ogromną przyjemność. Tropiłem ją między grobami, aż uległa panice. Patrzyłem, jak się stara ukryć, jak ślizga się i w końcu upada. Wreszcie podniosłem ją z błotnistej ścieżki, a wtedy przywarła do mnie niczym dziecko, łzy zlepiły jej potargane włosy. Wtedy mogłem sobie pozwolić na hojność współczucia – była znowu moja.

Pocieszając ją, w pewnym stopniu zrozumiałem Henry'ego Chestera. Łzy Effie były najsilniejszym afrodyzjakiem. Po raz pierwszy w moim rozwiązłym życiu byłem jedynym panem kobiety, władcą jej ciała i umysłu. Chciała zrobić dla mnie wszystko, obsypała moją twarz pocałunkami, wyrażając słodką skruchę. Przysięgała, że już nigdy więcej się ode mnie nie odwróci. Zaklinała, że jeśli ja od niej odejdę, umrze z pewnością. Zakochałem się w niej ponownie. W tamtej chwili, gdy powziąłem podejrzenie, że mi się znudziła, przyszła do mnie całkiem odmieniona.

Gorące słowa wsiąkały w ciemność, sączone w moje włosy: „Och, Mose, nie mogę bez ciebie żyć, serce mi pęknie, nie pozwolę ci odejść, nigdy cię nie zostawię, prędzej cię zabiję...". Zaczerpnęła drżący oddech, podniosła ku mnie bladą twarz. Refleks światła z odległych lamp ulicznych wyostrzył jej rysy w dramatycznych cieniach, wielkie oczy lśniły głęboką czernią, wargi posiniały mrokiem, śliczną twarz wykrzywiał taki grymas perwersyjnej namiętności, że przez moment się zaniepokoiłem. Wyglądała jak czarny anioł zemsty, niosący w wyciągniętych ramionach śmierć i szaleństwo. Już zrzuciła ubranie, naga była niewyobrażalnie piękna w trupim świetle księżyca. Przysunęła się do mnie, z moim imieniem na ustach jak przekleństwem, zatonęła w moich ramionach, pachnąca lawendą i ziemią, ze skórą wilgotną od potu. Kochaliśmy się tam, gdzie się odnaleźliśmy; przez cały czas powtarzała wszystkie te szalone niedorzeczności. Potem miałem wrażenie, że gdzieś na czarnym szczycie pożądania złożyłem obietnicę, której trzeba będzie dotrzymać.

Effie usiadła na grobie, skulona jak dziecko. Drżała. Przyłożyłem rękę do jej czoła – miała gorączkę. Namawiałem ją, żeby się szybko ubrała, lepiej się wystrzegać przeziębienia, ale ona nie reagowała, tylko patrzyła na mnie tymi wielkimi oczyma o pustym, tragicznym spojrzeniu.

Znów się zirytowałem.

– Pomóż mi choć trochę, na litość boską! – burknąłem, walcząc z zapięciem sukni.

Nie odpowiedziała. Tylko ciągle na mnie patrzyła przez ciemność jak topielica spod powierzchni jeziora.

– Effie, nie możemy tu zostać do rana – odezwałem się łagodniej. – Musisz wrócić do domu, zanim Henry spostrzeże twoją nieobecność.

Nic z tego. Wyglądała na chorą. Skórę miała przezroczystą i palącą żywym ogniem. Nie mogłem jej odesłać na Cromwell Square w takim stanie. Nie mogłem jej też zostawić na cmentarzu. Zrobiło się zimno, nawet ja się trząsłem. Na dodatek powinna się przebrać, suknię i płaszcz kompletnie ubłociła, oddarła rąbek spódnicy. Pozostało mi tylko jedno wyjście.

– Chodź, kochanie – rzekłem, energicznie stawiając Effie

na nogi. – Zabieram cię do Fanny. Tam się umyjesz, dostaniesz czyste ubranie, a potem wrócisz do domu. Zdążysz, zanim służba wstanie.

Nie potrafiłem ocenić, czy mnie usłyszała, lecz pozwoliła się poprowadzić ścieżką w stronę ulicy. Raz drgnęła, usłyszawszy coś za nami, wbiła mi paznokcie w rękę, ale poza tą jedną chwilą była całkiem bierna. Przy bramie zostawiłem ją na chwilę, znalazłem dorożkę. Woźnica znacząco uniósł brwi, gdy sadzałem Effie, lecz gwineą wetkniętą w chciwą dłoń powstrzymałem jego ciekawość. Żaden z nielicznych przechodniów nie zwrócił na nas uwagi. Tym lepiej.

Dom na Crook Street był, rzecz jasna, rzęsiście oświetlony. Drzwi otworzyła dość ładna rudowłosa dziewczyna. Effie poszła za mną bez protestu, więc zostawiłem ją pod opieką rudej, a sam poszedłem znaleźć Fanny.

Muszę przyznać, że Fanny zawsze prowadziła dom na poziomie. Był tam salon do gry w karty, palarnia, osobny pokój, gdzie wśród przepychu panowie mogli się zrelaksować i porozmawiać z paniami. W tych pomieszczeniach nie wolno było dawać upustu chuciom. Do tego służyły prywatne pokoje na pierwszym piętrze. Jeśli ktoś łamał tę zasadę, był dyskretnie wypraszany raz na zawsze. Nawet arystokratyczne rodziny miały mniejsze wymagania niż Fanny Miller.

Znalazłem ją w palarni – odkąd pamiętam, zawsze lubiła cienkie czarne cygara. Ubrana była ekscentrycznie: na głowie miała fioletowy kapelusz z frędzlami, do niego aksamitny żakiet w identycznym kolorze. Płomienne loki, ledwo okiełznane dwiema ametystowymi spinkami, lśniły na matowym aksamicie. Na kolanach trzymała kota, który mierzył mnie zimnym spojrzeniem.

– Mose! – wykrzyknęła na mój widok. – Co cię tu sprowadza?

– Drobny kłopot – rzuciłem lekko. – I wspólna przyjaciółka. Czy mógłbym na chwilę pozbawić pana towarzystwa? – Ostatnie zdanie skierowałem do mężczyzny, który palił razem z Fanny, starszego jegomościa o drżących dłoniach i szelmowskim wyrazie twarzy.

Fanny zmierzyła mnie uważnym spojrzeniem, od ubłoconych butów po zaczerwienioną twarz i z powrotem.

– Proszę mi wybaczyć – zwróciła się do gościa.

Zostawiła cygaro w chińskiej popielniczce i poszła za mną na korytarz.

– O co chodzi? – spytała tonem znacznie mniej przyjaznym.

– Effie tu jest.

– Co takiego?! – Nagle jej oczy zmieniły się w rozżarzone węgle. – Gdzie?!

Nie pojmowałem nagłego wybuchu wściekłości, starałem się krótko wytłumaczyć, co zaszło. Przerwała mi gniewnym gestem.

– Milcz, na litość boską! – syknęła. – Gdzie ona jest?!

Wspomniałem o dziewczynie, z którą zostawiłem Effie, i w tej samej chwili Fanny znalazła się na schodach. Piękne usta zacisnęła w wąską linię.

– Skąd ten pośpiech? – zapytałem.

Obróciła się z ręką uniesioną do ciosu. Opanowała się z największym trudem. Gdy się odezwała, w jej głosie brzmiał jadowity spokój.

– Gościmy dziś również Henry'ego.

20

Wydawało mi się, że rozpoznaję pokój. Mój duch przebywał, na wpół w ciele, na wpół poza ciałem. Chyba widziałam łóżeczko z patchworkową narzutą, stolik nocny, taboret, dwa obrazki. A może to było wspomnienie. Mose, Henry... dziwaczny obłęd, który mną zawładnął na cmentarzu, zmalał do rozmiarów nieważnego snu, ja sama stałam się snem. Mglisto przypominałam sobie przyjazd do domu na Crook Street, ktoś mnie zaprowadził na górę, przyjazne dłonie, twarze, imiona. Izzy, dziewczyna mniej więcej w moim wieku, z jasnorudymi włosami i szmaragdami w uszach. Violet, pulchna, dobroduszna pani, gorset wycięty bardzo nisko, w nim obfite białe piersi. Chinka z włosami jak dżety i z jaspisowym pierścieniem na każdym palcu – Gabriel Chau.

Pamiętam imiona, głosy, łagodną mieszankę zapachów na upudrowanej skórze. Rozebrały mnie, umyły mi twarz ciepłą perfumowaną wodą... Potem na jakiś czas wspomnienia się urywają, a teraz leżę w czystej białej pościeli, wygodnie mi na tym wąskim łóżku. Mam na sobie dziecięcą nocną koszulę z marszczonego płótna, włosy zaplecione w warkocz. Obudziłam się, wołam matkę. Znów mam dziesięć lat, boję się ciemności. Fanny przyniosła mi jakiś napój, słodki i ciepły. Mylę ją z matką, zaczynam cicho popłakiwać.

– Nie pozwól mu tutaj wrócić – błagałam. – Nie wpuszczaj go, to zły człowiek.

Nie wiedzieć czemu bałam się Henry'ego. Przecież Henry był daleko stąd, w swoim domu, we własnym łóżku. W gorączkowym zmieszaniu przylgnęłam do Fanny, mówiłam do niej „mamusiu" i płakałam. Pewnie w napoju było laudanum, bo po chwili znowu zasnęłam. Kiedy się obudziłam, w głowie mi dzwoniło, a w ustach miałam całkiem sucho. I ciągle się bałam. Skrzypnęła deska w podłodze na korytarzu. Spojrzałam na smukły szew światła pod drzwiami, dostrzegłam tam cień stojącego człowieka. Usłyszałam jego chrapliwy oddech. Przeraziłam się, skuliłam w nogach łóżka, schowałam głowę pod kołdrę. Nic z tego, nawet tam go słyszałam. Chyba usłyszałam też zgrzyt metalu, gdy drapieżca zaczął obracać gałkę w drzwiach. Wbrew sobie musiałam patrzeć na wstążeczkę światła, która stawała się coraz szersza, odsłaniając męską postać na progu.

Henry!

Nie wiedziałam, czy to złudzenie po zażyciu laudanum? Rozsądne myśli zagłuszyło przerażenie, już nie wiedziałam, kim jestem. Nie Effie, kimś młodszym, dzieckiem, zjawą...?

– Jest tam kto? – Ton głosu ostry, ale nie zagniewany. Może trochę niepewny?

Nie odpowiedziałam.

– Pytałem: jest tam kto? – powtórzył głośniej, z naciskiem. – Kim jesteś?

Poruszyłam się, Henry zrobił krok naprzód.

– Słyszę cię, ty wywłoko. Coś ty za jedna?

Nieswoim głosem podałam pierwsze imię, które mi przyszło do głowy.

– Marta. Marta Miller. Proszę, niech pan wyjdzie, niech pan sobie idzie.

Ale Henry, usłyszawszy imię, postąpił jeszcze o krok. Chociaż on mnie nie widział, ja widziałam jego twarz w przyćmionym świetle z korytarza. Wykrzywiał ją strach.

– Pokaż mi się – rozkazał. – Wyjdź do światła, żebym cię zobaczył!

Chwycił mnie, ale się wyrwałam, spadłam za poręcze łóżka, w jeszcze głębszy cień. Spadając, uderzyłam się w nogę.

– Niech pan stąd idzie! – krzyknęłam. – Niech pan mnie zostawi w spokoju!

Henry zaklął cicho i podszedł bliżej.

– Nie skrzywdzę cię, obiecuję. – Głos mu się rwał. – Chcę tylko zobaczyć twoją twarz. – Wpadł na słupek łóżka, zaklął. – Chodź tutaj, do diabła!

Raptem na podeście zastukały szybkie kroki. Zerknęłam znad poręczy. To Fanny, przyniosła na tacy mleko i biszkopty. Uniosła brew w chłodnym wyrazie zdumienia. Henry natychmiast wyszedł z pokoju, a ja, patrząc na nich oboje, zdziwiłam się, jak potężna jest Fanny – przy niej Henry wydawał się karłem, górowała nad nim jak egipska bogini. Zwłaszcza gdy on się przygarbił, pojednawczo rozłożył ręce.

– Kto tam jest? – zapytał tonem nieomal przepraszającym.

– Moja kuzynka, Marta. Ma gorączkę, biedactwo. Dlaczego pan pyta? – Było w tych słowach wyzwanie.

Henry uciekł wzrokiem, nie podjął rękawicy.

– Usłyszałem coś – tłumaczył niejasno. – Jakieś dziwne odgłosy. A ona nie chciała się pokazać, złośliwe stworzenie... – Zaśmiał się nieszczerze. – Nie wiedziałem, że masz kuzynkę.

– Pozna ją pan któregoś dnia. – Fanny postawiła tacę na stoliku przy łóżku i wyszła, dokładnie zamykając za sobą drzwi. – Henry, dajże spokój – powiedziała, bo wyraźnie się ociągał.

Wtedy usłyszałam, jak jego kroki oddalają się korytarzem.

21

Wróciłem na Cromwell Square tuż przed świtem. Byłem wyczerpany, w głowie mi się kręciło od trunku i niesłychanego zapachu tamtego domu, parnej kombinacji kadzidła, dymu i lubieżnych woni kotek oraz kobiet. Jako pokutę zabroniłem sobie wynajęcia dorożki, ale nicodparte wrażenie sprośnej satysfakcji i tak zostało, obojętne ile bym przeszedł. Dziewczyna wcale nie była taka młoda, jak obiecała Fanny, miała co najmniej piętnaście lat, ale rzeczywiście ładna, o ciemnych włosach i zdrowych rumieńcach na policzkach. Nie była dziewicą, lecz umiała grać niewinne dziewczę, udawać, że się opiera, nawet uroniła kilka łez.

Nie patrz tak na mnie! To prostytutka, dostaje pieniądze za wykonywanie poleceń. Gdyby nie gustowała w tym, co robi, poszukałaby sobie przyzwoitszego zajęcia. Złota gwinea szybko osuszyła łzy ladacznicy i nie minęło dziesięć minut, jak zobaczyłem ją, całkiem pogodną, w towarzystwie innego klienta. Zapewniam cię, nie warto współczuć tym dziewczynom. Od najmłodszych lat są zepsute ponad wszelkie wyobrażenie. A ja mogę dzięki nim zaspokoić grzeszne żądze, nie kalając Effie. Chadzam tam dla jej dobra. Uwierz mi, w sercu pozostaję jej wierny. Ona jest moim wzorem czystości, moją uśpioną królewną. Wiedziałem, że ma w sobie ziarno grzechu, ale moim obowiązkiem było dopilnować, by nigdy nie zakiełkowało. Kochałem ją, więc strzegłem jej niewinności i gotów byłem na wszelkie poświęcenia.

Oczywiście i mnie także zdarzały się potknięcia. Niekiedy jej ukryta zmysłowość emanowała tak silnie, że nie udawało mi się opanować chwilowej słabości, jednak wybaczałem jej grzeszną naturę, choć Effie traciła w moich oczach. Tak samo jak wybaczyłem matce, że stała się przyczyną mojego pierwszego niewybaczalnego upadku.

Cicho minąłem pokój Effie, wszedłem do swojej sypialni. W migotliwym blasku świecy ledwo rozróżniłem kształt stojaka na miednicę, łóżka i szafy. Zamknąłem za sobą drzwi, postawiłem świecznik na gzymsie kominka. Rozebrałem się i podszedłem do łóżka. Nagle wstrzymałem oddech. Między półcieniami pościeli dostrzegłem dziecięcą twarz na poduszce, diabelskie żółte ślepia błyszczące złowieszczo, pełne mściwości i nienawiści.

Nonsens. Oczywista bzdura. Nie ma tu żadnego dziecka. Skąd by się wzięło w moim łóżku w środku nocy? Nie ma żadnego dziecka. Przyjrzałem się uważniej. Wściekłe spojrzenie starło się z moim, tym razem dostrzegłem także obnażone zęby, ostre jak szpilki. Cofnąłem się, chwyciłem świecę. Ciągnąc za sobą długi płomień spowity dymem, wycelowałem światłem w zjawę. Gorący wosk polał się na pościel, sparzył mi skórę. Diabelskie stworzenie skoczyło na mnie, sycząc i prychając. Z ulgą rozpoznałem chudego kota Effie. Śmignął koło mnie w ciemność, zniknął między zasłonami, wyskoczył przez otwarte okno.

Odbicie mojej twarzy w lustrze na szafie poznaczone było sinawymi plamami, usta miałem zaciśnięte.

Byłem zły na siebie. To już zwykły kot może mnie wyprowadzić z równowagi? A jeszcze bardziej wściekły byłem na Effie, która poddała się dziwacznemu kaprysowi i sprowadziła do domu tę przybłędę. Jakże ona nazwała to zwierzę? Tyzyfone? Kolejny cudzoziemski wymysł, niewątpliwie zaczerpnięty z którejś z bezwartościowych książek. Na pewno nie znalazłem wszystkich... Obiecałem sobie, że z samego rana dokładnie przeszukam jej pokój i wyrzucę wszystko, co przede mną schowała. A jeśli chodzi o kota... potrząsnąłem głową, by się pozbyć obrazu twarzy na mojej poduszce, żółtych oczu błyszczących nienawiścią... Ech, to tylko kot. Mimo wszystko przyjąłem dziesięć granulek chloralu, nowego leku zarekomendowanego przez mojego nowego przyjaciela, doktora Russella. Dopiero wtedy znośna stała się myśl, by złożyć głowę na tej poduszce.

22

Pamiętam jej mocną, chłodną dłoń na moich włosach. Jej twarz, w świetle lampy białą jak księżyc. Szelest sukni, woń perfum, ciepłą i złotą od bursztynu i chypre'u. I głos, niski, spokojny, nucący pieśń bez słów. I głaskanie po włosach, z góry na dół, z góry na dół, jak w wierszu o syrenach. Henry zmienił się w zły sen, odpłynął z milionami punkcików światła. Zegarowi na kominku serce biło mocniej niż mnie, bo moje było jak z dmuchawca, liczyło chwile ciepłego lata niczym jedwabiste nasiona. Oczy miałam zamknięte, przyjemne myśli sennie przędły mi się w półmroku snu. Głos Fanny, miły, cichy, słodki, mówił coś bez znaczenia, a każdy wyraz był pieszczotą.

– Ciii... śpij, kochanie, śpij.

Uśmiechnęłam się i coś mruknęłam. Kosmyk jej włosów spadł mi na twarz.

– Masz rację, maleńka. A teraz śpij, śpij, moje kochanie, śpij, Marto, moje najdroższe maleństwo.

Kołysała mnie w ramionach, a ja powoli odpływałam w nieświadomość. Pozwalałam się gładzić po włosach i przyglądałam się wspomnieniom, które odpływały niczym balony. Mose... cmentarz... gabinet osobliwości... Henry... Każde wspomnienie mogłam wysłać w podróż powietrzną, aż w końcu ujrzałam barwną chmurę balonów ze splątanymi sznurkami, połyskującą w blasku zachodzącego słońca. Taki piękny był to widok, że chyba powiedziałam głosem zgubioncj dziewczynki:

– Mamusiu, balony! Odlatują. Dokąd lecą?

– Bardzo daleko, kochanie. – Ledwo ją słyszałam, bo usta wtuliła w moje włosy. – Lecą do nieba, między chmury. Czerwone, żółte, niebieskie... Widzisz je?

Pokiwałam głową.

– Leć z nimi, kochanie. Potrafisz?

Znów pokiwałam głową.

– Leć do góry, fruń z balonami. O tak, dobrze. Ciii...

Wystarczyło, że pomyślałam o lataniu, a wzniosłam się w górę. Ot, wypłynęłam z ciała, zostawiłam je za sobą i podążyłam za balonami.

– Latałaś już wcześniej – powiedziała Fanny cicho. – Pamiętasz?

– Pamiętam. – Odpowiedziałam szeptem, ale ona i tak słyszała.

– W lunaparku.

– Tak.

– Możesz tam wrócić?

– Nie... Nie chcę. Chcę frunąć z balonami.

– Ciii, kochanie, nic się nie bój. Nikt cię nie skrzywdzi. Potrzebuję twojej pomocy. Wróć tam i powiedz mi, co widzisz. Powiedz mi, jak on ma na imię.

Szybowałam po błękitnym niebie, tak jasnym, że raziło w oczy. Nad horyzontem widziałam balony. Pode mną, daleko w dole, namioty i markizy lunaparku.

– Namioty – szepnęłam.

– Pofruń tam. Zajrzyj do środka.

– Nie, nie... Ja...

– Nie bój się, kochanie, nikt cię nie skrzywdzi. Leć, słoneczko. Co widzisz?

– Obrazy. Rzeźby. Nie, to figury woskowe.
– Bliżej.
– Nie...
– Bliżej!

Raptem znów się tam znalazłam. Miałam dziesięć lat, leżałam skulona pod ścianą we własnej sypialni, a zły mężczyzna się do mnie zbliżał. W oczach miał żądzę i mord.

– Nie! – krzyknęłam. – Mamusiu! Ratunku! Niech on tu nie wchodzi! Mamusiu, to zły człowiek!

Przez czerwoną mgłę krwi szumiącej w uszach słyszałam jej spokojny głos.

– Marto, kto to jest?
– Nie, nie, nie!
– Powiedz mi, kto to taki?

Spojrzałam mu w twarz. Przerażenie zastygło w zmrożonej wieczności. Rozpoznałam go. Strach zniknął, obudziłam się. Fanny trzymała mnie w objęciach. Moje łzy przemoczyły jej suknię.

– Powiedz mi, kto to taki – powtórzyła cicho, łagodnie, miękko.

Nie od razu, ale powiedziałam.

Przytuliła mnie mocno.

23

Sto lat temu pewnie uznano by mnie za wiedźmę. Cóż, mówiono o mnie wiele złego, jedne plotki prawdziwe, inne nie, ale ja tam i tak się nigdy nie przejmowałam tym, co ludzie gadają. Potrafię robić napary na obniżenie gorączki albo na sny o lataniu, czasem w lustrze widzę rzeczy, które nie są odbiciem. Doskonale wiem, co by na to powiedział Henry Chester, ale i ja mogłabym to i owo rzec o jego upodobaniach i wierz mi, żadne z tych określeń nie znajduje się w słowniku przyzwoitego człowieka.

Gdyby nie Henry Chester, w lipcu Marta kończyłaby dwadzieścia lat. Jestem bogata, zostawiłabym jej całkiem pokaźny spadek. Z pewnością nie musiałaby zarabiać na ulicy. Znalazłabym jej dom i może męża, jeśliby tego chciała, dałabym jej wszystko, czego by tylko zapragnęła. Ale dziesięć lat temu Henry Chester mi ją odebrał. Długo czekałam na szansę zemsty, teraz wreszcie mogłam mu odebrać Effie. Taka sprawiedliwość mi wystarczy. Wymierzona na zimno, lecz przez to nie mniej surowa.

Kiedy urodziłam Martę, byłam młoda, jeśli uznać, że w ogóle kiedyś byłam młoda. Nie wiedziałam, kto był jej ojcem, i wcale mnie to nie obchodziło. Należała do mnie. Zawsze starałam się ją chronić przed życiem, jakie sama wiodłam.

Wysłałam ją do dobrej szkoły, zapewniłam wykształcenie, o jakim ja mogłam tylko marzyć. Kupowałam jej ładne ubrania i zabawki, zapewniłam szanowany dom i guwernantkę – daleką krewną mojej matki. Marta przychodziła mnie odwiedzać tak często, jak tylko ośmieliłam się ją zapraszać, bo nie chciałam, żeby się stykała z ludźmi, którzy przychodzili do mojego domu. Nigdy nie pozwalałam żadnemu z klientów wchodzić na poddasze, gdzie urządziłam dla niej sypialnię. Zaprosiłam ją do siebie w jej dziesiąte urodziny, chociaż tego wieczoru byli umówieni goście. Obiecałam, że jej wynagrodzę brak uroczystości w ten wieczór, ucałowałam na dobranoc – i już nigdy więcej nie zobaczyłam jej żywej.

O dziesiątej usłyszałam wołanie, pobiegłam na poddasze... Nie żyła. Leżała w poprzek łóżka, koszulę miała zarzuconą na twarz.

Mordercą musiał być któryś z klientów, ale policjanci śmiali się szyderczo, gdy żądałam śledztwa. Byłam prostytutką, a moja córka – córką prostytutki. Natomiast moi klienci – bogatymi, szanowanymi mężczyznami. Powinnam się uznać za szczęściarę, że nie zostałam aresztowana. I tak pochowałam córkę pod białym marmurem na cmentarzu Highgate, a morderca zapomniał o zbrodni na dziesięć długich lat.

Ależ tak, próbowałam go odnaleźć. Wiedziałam, że jest między moimi gośćmi. Spod maski osoby godnej szacunku docierało do mnie jego poczucie winy. Wiesz, co to jest nienawiść? Ja wiem. Żyłam nią od rana do wieczora i od wieczora do rana. Nie opuszczała mnic we dnie ani w nocy. Śniłam, że odnajduję mordercę córki i maluję jego krwią londyńskie ulice.

Pokój Marty został taki, jaki był. Dbałam, żeby na stoliku zawsze stały świeże kwiaty, zabawki leżały w koszu w kącie. Każdej nocy szłam na górę i wołałam Martę. Wiedziałam, że tam jest. Błagałam ją, by mi podała jego imię. Tylko imię.

Gdybym je wtedy poznała, zabiłabym go z zimną krwią. Poszłabym na szubienicę w glorii i chwale.

Po dziesięciu latach moja nienawiść przypominała wygłodzonego wilka. Zmądrzałam, nauczyłam się podchodów, na każdego patrzyłam podejrzliwie... a na jednego mężczyznę w szczególności.

Pamiętaj, że go znałam. Sama dbałam o zaspokojenie jego haniebnego, sromotnego apetytu, wiedziałam o nienawiści skierowanej przeciw samemu sobie, o jego poczuciu winy. Pragnął dziewcząt niedoświadczonych, dziewic. Nie zawsze miałam dla niego taką, jakiej pożądał, trudno byłoby sprostać takiemu zadaniu, ale widziałam, jak patrzy choćby na żebrzącą dziewczynkę, a potem obejrzałam jego malowidła. Stary hipokryta! Przewrotne obrazy, od których uczciwemu człowiekowi robi się niedobrze... Ale też nie był jedynym, którego podejrzewałam, nie miałam pewności. Starałam się porozumieć z Martą, najpierw za pośrednictwem świec i lustra, potem patrzyłam w karty. Zawsze wychodziły te same: Pustelnik, Gwiazda, Najwyższa Kapłanka, giermek denarów, Koło Fortuny i Śmierć. Zawsze te same karty, choć w zmiennym porządku. Zawsze Pustelnik obok dziewiątki mieczy i Śmierci. Pozostawało pytanie: czy Pustelnikiem jest Henry Chester?

Przyznaję, postąpił mądrze. Gdyby uciekł, zyskałabym pewność. Tymczasem on przychodził stale. Nie bardzo często, może raz w miesiącu, zawsze grzeczny, zawsze hojny. Spróbowałam z innej strony: przyjrzałam się mężczyznom, którzy nagle przestali odwiedzać mój dom, wkrótce po śmierci Marty. Co prawda lekarz, jeden z moich stałych gości, stwierdził, że Marta zmarła na skutek ataku epilepsji, ale ja w to nie wierzyłam ani przez moment. Przyznaję, czas i ból nadwątliły moje przekonanie. Zaczęłam wątpić w czystość mojej nienawiści. Może naprawdę Marta miała atak?

A może padła ofiarą jakiegoś intruza, obcego człowieka, zwabionego do mojego domu perspektywą łatwego łupu? Niewyobrażalne, by któryś ze stałych gości popełnił czyn tak straszny i tyle czasu się nie zdradził.

Moje pragnienie zemsty przycichło. A potem dotarły do mnie wieści o małżeństwie Henry'ego. Ożenił się z dziewuszką, nieledwie uczennicą. Z siedemnastolatką. Wtedy podejrzenia rozkwitły we mnie na nowo. Nigdy nie byłam go pewna, więc tym bardziej nienawiść rozbudziła się we mnie niczym rój pszczół na wiosnę. Do obojga. Jakie mieli prawo do szczęścia, skoro Marta gniła na Highgate? Nikt nie miał prawa być szczęśliwy!

Któregoś dnia poszłam za nimi do kościoła, mając nadzieję, że zerknę na młodą żonę. Niestety, właściwie nie było jej widać spod czarnego stroju, wyglądała jak w żałobie. Dostrzegłam tylko szczupłą twarzyczkę pod czepcem. Sprawiała wrażenie chorej, od razu wzbudziła we mnie litość. Bardzo mi przypominała Martę.

Nie lubię chodzić do kościoła. Przyszłam zobaczyć Chestera z żoną, a nie na mszę, dlatego cały czas obserwowałam tę dziewczynę. Ledwie usiadła w ławce, głowa jej opadła do przodu, jak u rozmodlonego dziecka. Od dawna widuję rzeczy, których ludzie zwykle nie mogą lub nie chcą zobaczyć, więc gdy pani Chester straciła przytomność, od razu wiedziałam, że to nie jest zwykłe omdlenie. Wyskoczyła z ciała, nagusieńka jak noworodek, a sądząc po wyrazie zdumienia na twarzy, przytrafiło się jej to po raz pierwszy.

Musiałam przyznać, że śliczna z niej istota, całkiem nie taka, jak na eterycznych malowidłach Chestera, tylko naturalnie piękna, jak drzewo albo chmura. Nikt poza mną jej nie widział. I nic dziwnego. Właśnie tacy są ci wierni. Domyśliłam się też, że nikt jej tej sztuczki nie nauczył, najwyraźniej zrobiła to sama, przypadkiem. Mogłam się u niej domyślać także innych talentów, o których nie miała pojęcia. Wtedy przyszło mi do głowy, czy ona aby przypadkiem nie wie o czymś, co dla mnie okazałoby się pomocne. Zawołałam ją w myślach, a ona poderwała głowę i na mnie spojrzała. Już wiedziałam, że ona zna odpowiedzi na wszystkie moje pytania. Teraz wystarczyło ją do mnie sprowadzić.

Na imię miała Effie. Często ją obserwowałam bez jej wiedzy, wołałam ją do siebie z pokoiku Marty na poddaszu. Wiedziałam, że jest nieszczęśliwa, najpierw przez Henry'ego, potem z powodu Mose'a. Samotne biedactwo. Wiedziałam, że będę się nią opiekowała jak córką, to tylko kwestia czasu. Znałam jej myśli, pragnienia, a kiedy ją ujrzałam w lunaparku, zyskałam szansę na rozmowę w cztery oczy.

Wróżka za gwineę bez ociągania odstąpiła mi swoje miejsce, usiadłam w cieniu, z woalem na twarzy, więc Effie niczego nie podejrzewała. Okazała się tak wrażliwa na moje myśli, że nawet nie musiałam jej hipnotyzować, sama usnęła. Mimo to, dopiero kiedy zaczęła mówić głosem mojej córki, zdałam sobie sprawę, jaka jest wyjątkowa. Skoro głos naśladowała tak dokładnie, do czego jeszcze była zdolna? W głowie mi się zakręciło od możliwości. Czy dane mi będzie zobaczyć córeczkę? Przytulić? Uwierz mi, nie zamierzałam skrzywdzić Effie, to, co się z nią stało po wyjściu z transu, zdumiało nawet mnie. Nie mogłam jej stracić, była dla mnie zbyt cenna, nie mogłam jej wypuścić z rąk.

Oczywiście nie musiałam się bardzo starać, by podała mi nazwisko, które tak bardzo chciałam poznać. Henry Chester był Pustelnikiem i mordercą mojej córki.

Wyrosłam już z chęci obwieszczania światu o mojej krzywdzie z szafotu. Ktoś miał stracić życie, ale nie ja.

24

To był wypadek, naprawdę. Nie miałem zamiaru jej zabijać. Chciałem ci o tym opowiedzieć, ale to było tak dawno...

Przy jej matce zawsze czułem się nieswojo, była, jak dla mnie, zbyt masywna. Karłowaciałem przy niej, rozmiary tej kobiety równocześnie fascynowały mnie i odpychały. Wydawała się nieludzka, przypuszczałem, że gdyby zajrzeć pod różową skórę, odkryłbym tam nie krew i mięśnie, jak u normalnego człowieka, ale dziwaczną mieszaninę czarnej ziemi i granitu, niczym u egipskiego bohatera o bursztynowych oczach. Pachniała sprzedajną słodyczą, jak bukiet róż upstrzonych przez muchy, zastygłymi tajemniczymi pieszczotami wszystkich sekretnych zakątków kobiecego ciała, obietnicą spełnienia haniebnych pragnień mojego serca. I ta kobieta miała córkę!

Zobaczyłem małą, kiedy patrzyła na mnie zza poręczy schodów. Oczy zielone jak szkło ściągnęły moje spojrzenie na mroczny podest. Gdy na nią spojrzałem, zerwała się na nogi, gotowa zniknąć gdzieś w górze, gdybym się tylko poruszył. Była bosa, światło z tyłu obrysowało jej postać przez tkaninę koszuli nocnej. Próżno by w niej szukać podobieństwa do matki. Mała uwodzicielka była ledwo naszkicowana, proste czarne włosy okalały szczupłą twarzyczkę... a jednak znalazłem pewne wspólne cechy. Coś w oczach i w płynnej gracji ruchów. Tak mogła się złota Ceres przesączyć przez bladą Persefonę.

Zapytałem, jak ma na imię.

Przekrzywiła głowę, w jej oczach błyszczały iskierki.

– Nie wolno mi powiedzieć.

Mówiła z leciutkim akcentem kornijskim, jak matka, tylko zmiękczała niektóre głoski.

– Dlaczego?

– Obiecałam, że będę w pokoju.

Gdyby nie uśmiech, gdyby nie stała pod światło, może bym uwierzył w jej niewinność. A tak, patrząc na tę parodię Julii na balkonie, wiedziałem, że jest nieodrodną córką swojej matki, poczętą w grzechu i wychowaną, by wodzić na manowce grzeszników takich jak ja. Prawie czułem jej zapach, oszukańczą kombinację: bursztyn i wodę z bagien.

– Obiecałam – powtórzyła, odsuwając się od poręczy. – Muszę iść.

– Czekaj! – Śpiesznie pokonałem schody, na skroniach wystąpiły mi kropelki potu. – Nie idź. Nikomu nie powiem. Zobacz... – Gorączkowo szperałem w kieszeniach. – Mam czekoladki.

Zawahała się, lecz w końcu wyciągnęła rękę, wzięła słodycz, natychmiast rozpakowała i wsadziła do ust. Korzystając z chwilowej przewagi, położyłem jej rękę na ramieniu.

– Chodź – powiedziałem życzliwie. – Odprowadzę cię do pokoju i opowiem bajkę.

Energicznie pokiwała główką i cicho pobiegła schodami w górę. Jej bose stopy frunęły przede mną w półmroku jak białe ćmy. Nie pozostało mi nic innego, jak za nią podążyć.

Pokój znajdował się pod samym dachem. Mała wskoczyła do łóżka, nogi podwinęła pod siebie, okryła się kołdrą. Już zjadła czekoladkę, teraz oblizywała palce tak sugestywnie, że kolana się pode mną ugięły.

– A co z bajką? – spytała zuchwale.

– Później.

– Dlaczego nie teraz?

– Później!

Jej zapach mnie oszałamiał. Strząsała go z włosów jak kwiaty. Wykryłem też woń, która mogła być aromatem mojej żądzy.

Nie mogłem tego znieść dłużej. Podszedłem bliżej, chwyciłem ją i zanurzyłem w niej twarz, zatonąłem w niej cały. Nogi się pode mną ugięły, upadłem z nią na łóżko, trzymając się jej z desperacją tonącego. Wydała mi się potężna, oczy wielkie w ciemności, otwarte usta miotały nieme przekleństwa. Wyrywała się, kopała, jej włosy jak stado czarnych nietoperzy spadły mi na twarz, dusząc swoim ciężarem. A ona, gibka, zwinna jak wąż, wiła się pode mną, w ustach miałem jej włosy, w nozdrzach ckliwy zapach czekolady. Wiedziałem, że mnie zabije.

Szumiało mi w uszach, ogarnęła mnie panika. Krzyczałem ze strachu, z obrzydzenia, byłem ofiarą, a ona granitową boginią żądną mojej krwi. W ostatnim świadomym odruchu chwyciłem ją za gardło i zacisnąłem palce. Wiedźma walczyła jak demon, wrzeszczała i gryzła, ale mnie w tej ostatecznej chwili wróciły siły.

Najwyraźniej Bóg był ze mną. Gdybym znalazł w sobie dość odwagi, by na zawsze wyjść z tego domu, może On by się ode mnie nie odwrócił. Niestety, nawet drżąc po tej straszliwej walce, czułem rodzaj bezbożnego podniecenia, miałem poczucie triumfu, jakbym, zamiast zdusić narastające we mnie pożądanie, otworzył drzwi przed nową żądzą, zupełnie innym pragnieniem, którego nie sposób ugasić do końca.

25

Niewiele pamiętam z drogi powrotnej na Cromwell Square. Już prawie nastał dzień, służba miała niedługo wstawać, a Henry'ego jeszcze nie było w domu. Weszłam, rozebrałam się i położyłam do łóżka. Nie spałam tej nocy prawie wcale, a jednak musiałam przyjąć laudanum, by odsunąć od siebie koszmar, który mnie prześladował we śnie. Czy tylko wyśniłam tamte straszne zdarzenia na Crook Street? Czy naprawdę rozmawiałam z Henrym? Czy Fanny przyszła do mnie, kiedy spałam? Około szóstej rano zapadłam w głęboki sen i obudziłam się dwie godziny później, gdy przyszła Tabby z czekoladą. Strasznie bolała mnie głowa i miałam temperaturę, więc choć starałam się nadrabiać miną, Tabby natychmiast odgadła, że coś jest nie tak.

– Pani Chester, nie wygląda pani dobrze – zauważyła. Odciągnęła zasłony, podeszła do łóżka. – Blada pani jak ściana.

– Ależ skąd, Tabby! – zaprotestowałam. – Jestem tylko zmęczona. Odpocznę i będzie po wszystkim.

– Powiem panu Chesterowi, że pani się źle czuje.

– Nie! – Zaraz złagodziłam ton. Nie chciałam, by wyczuła mój. – To nie będzie konieczne.

Wyraźnie miała wątpliwości.

– Może kropelkę laudanum?

– Bardzo cię proszę, dajmy spokój. Nie warto robić rabanu o zwykły ból głowy. Jak tylko wypiję tę doskonałą czekoladę, na pewno zaraz poczuję się lepiej.

Zmusiłam się do przełknięcia napoju, choć był bardzo gorący, i obdarzyłam Tabby uśmiechem.

– Dziękuję, możesz już odejść.

Ociągała się trochę, ale w końcu wyszła, jeszcze zerkając przez ramię. Zrozumiałam, że nie mogę mieć nadziei, iż moja niedyspozycja pozostanie dla Henry'ego tajemnicą. I rzeczywiście. Dziesięć minut później znalazł się w mojej sypialni ze szklanką i buteleczką laudanum.

– Podobno nie chcesz wziąć lekarstwa – powiedział. Spod oka rzucił spojrzenie na Tyzię, która siedziała na łóżku. Usta wykrzywił mu grymas. – Mówiłem ci, żebyś nie spała z kotem. Nie zdziwiłbym się, gdyby to on był przyczyną twoich dolegliwości.

– Coś mi się wydaje, że oboje z Tabby stanowczo za bardzo przejmujecie się stanem mojego zdrowia!

Ostre słowa zdziwiły mnie w równym stopniu, co Henry'ego. Spłonęłam rumieńcem, wymamrotałam przeprosiny, skruszona i zmieszana. Nie wiedziałam, dlaczego nagle poczułam wobec Henry'ego taką wrogość... i nagle przypomniałam sobie sen. Czy to aby na pewno był sen? Byłam świadkiem... Nie mogłam sobie przypomnieć. Miałam fakty tuż poza zasięgiem myśli, irytująco blisko, ale nie potrafiłam przywołać wspomnienia. Zostało mi uczucie wstrętu i nienawiści, pragnienie zemsty, które chyba przejęłam od kogoś innego. Gwałtowność tych emocji wstrząsnęła mną tym bardziej, że nie umiałam skojarzyć, skąd się wzięły.

– Nic mi nie będzie – obiecałam drżącym głosem. – Nie chcę już brać laudanum.

Spojrzał na mnie z pogardą i zaczął odmierzać krople do szklanki.

– Zrobisz, co ci każę. Nie mam dziś cierpliwości do twoich humorów. Zażyjesz lekarstwo teraz, a następną porcję przy obiedzie, bo inaczej będę się na ciebie gniewał.

– Nie potrzebuję lekarstwa! Wypuść mnie na spacer, na świeże powietrze...

– Effie! – Lodowatym tonem przywołał mnie do porządku. – Nie życzę sobie żadnych dyskusji. Wiem, masz nerwy w fatalnym stanie, ale wystawiasz moją cierpliwość na zbyt ciężką próbę. Gdybyś była dobrą żoną... – Nie dokończył zdania. – Jeżeli nadal będziesz taka uparta, oddam cię pod kuratelę doktora Russella. On ma doświadczenie z histerykami.

– Nie jestem histeryczką! – zaprotestowałam. – Ja tylko... – Widząc jego spojrzenie, poddałam się. Wypiłam lekarstwo. Nienawidziłam go całym sercem, ale nie umiałam się sprzeciwić.

– Tak lepiej. – W zmrużonych oczach Henry'ego błyszczał triumf. – I pamiętaj, że mniej opanowany mąż szybko by sobie poradził z twoimi waporami. Przyrzekam ci, jeśli będziesz nadal sprawiała tyle kłopotu przez te łzy i upór, poproszę, żeby doktor Russell się tobą zajął. Jeśli nie będziesz chciała pić lekarstwa, zmuszę cię do tego, a jeżeli nie będziesz się zachowywała, jak przystało dobrej żonie, zwrócę się do doktora Russella z pytaniem, dlaczego tak się dzieje. Zrozumiano?

Pokiwałam głową, a on się uśmiechnął. Był to uśmiech skryty, podstępny i złośliwy.

– Stworzyłem cię, Effie – powiedział miękko. – Zanim cię odkryłem, byłaś nikim. Jesteś taka, jak sobie życzę. Jeżeli zechcę mieć w domu histeryczkę, taka właśnie będziesz. Jak sądzisz, komu lekarz uwierzy? Tobie czy mnie? Skoro mu powiem, że jesteś szalona, zgodzi się ze mną. Więc bądź mi posłuszna.

Chciałam odpowiedzieć, ale jego rozradowana twarz zasnuła się mgłą przed moimi zmęczonymi oczyma i została mi tylko świadomość, że strasznie mam ochotę płakać. Może to dostrzegł, bo linia zaciśniętych warg złagodniała, pochylił się, delikatnie pocałował mnie w usta.

– Kocham cię, Effie – szepnął. Czułość była u niego jeszcze bardziej przerażająca niż gniew. – Wszystko to robię tylko z miłości do ciebie. Chcę, żebyś była moja, bezpieczna, szczęśliwa. Nie masz pojęcia, do jakich łajdactw są zdolni ludzie, jakie niebezpieczeństwa grożą ślicznej młodej kobiecie. Musisz mi zaufać. Zaufać mi i być mi posłuszną. – Delikatnym, lecz stanowczym gestem odwrócił mnie ku sobie. Na twarzy miał wyraz troski, ale w oczach ciągle dostrzegałam okrutne błyski. – Zrobię wszystko, żeby cię obronić – powiedział z naciskiem.

– Zamkniesz mnie na cztery spusty? – szepnęłam.

Spojrzał mi prosto w oczy.

– Tak, Effie. Prędzej cię zabiję, niż pozwolę, żebyś się zmarnowała.

I wyszedł. Myśli otumanione lekiem mieszały mi się nie do rozróżnienia. Próbowałam sobie przypomnieć, co wiem o Henrym Chesterze, ale pamiętałam tylko spokojną twarz Fanny, uścisk jej ramion i dłoń na moich włosach. Oraz balony.

* * *

Obudziłam się około południa. Byłam mniej zmęczona, ale otępiała i zagubiona. Umyłam się, ubrałam, zeszłam do salonu. Henry już wyszedł z domu. Postanowiłam wybrać się na spacer, do Highgate, żeby mi się rozjaśniło w głowie, żeby uciec przed przytłaczającą atmosferą w domu. Właśnie miałam wkładać płaszcz, gdy weszła Tabby z tacą. Zobaczywszy mnie gotową do spaceru, nie ukrywała zaskoczenia.

– Proszę pani! Przecież pani nie wyjdzie po tym, co się działo rano!

– Czuję się zupełnie dobrze – odpowiedziałam. – Świeże powietrze dobrze mi zrobi.

– Nic pani nie zjadła. A ja mam piernik w piecu, zaraz będzie gotowy. Zawsze pani lubiła ciepły piernik.

– Tabby, bardzo ci dziękuję, ale nie jestem głodna. Może zjem coś po powrocie. Nie martw się o mnie.

Pokręciła głową.

– Pan Chester nie byłby zadowolony, gdybym panią dzisiaj wypuściła. Powiedział, że ma pani nie wychodzić pod żadnym pozorem, ze względu na stan zdrowia. – Policzki jej się zaróżowiły. – Wiem, że chciałaby pani wyjść, ale proszę się nad tym zastanowić. Nie ma potrzeby denerwować pana jeszcze bardziej... – Ściągnęła brwi.

Lubiła mnie, ale Henry był panem domu.

– Rozumiem. – Kipiała we mnie chęć buntu.

Czy polecenia Henry'ego rzeczywiście były najważniejsze? I wtedy przypomniałam sobie, co powiedział na temat doktora Russella. A także słowa niezdarnie powtórzone przez Tabby: „ze względu na stan zdrowia". Przeszedł mnie zimny dreszcz.

– Po namyśle... zostanę – oznajmiłam z udawaną nonszalancją.

Zdjęłam płaszcz, usiadłam.

– Tak będzie lepiej, proszę pani – uznała Tabby tonem, jakim zwróciłaby się do córki. – Może herbatki? Albo czekolady? Piernik zaraz przyniosę, jak tylko się upiecze.

Pokiwałam głową, wymuszony uśmiech wykrzywił mi twarz.

– Dziękuję.

Udało mi się utrzymać spokój, gdy Tabby ogarniała salon. Przez wieczność całą rozpalała ogień na kominku, poprawiała poduszki, upewniała się, czy mam wszystko, czego mi trzeba. Oczywiście mogłam powiedzieć, że chcę zostać sama, ale wzruszała mnie swym oddaniem. Poza tym nie chciałam, by doniosła Henry'emu, że byłam zdenerwowana. Przedstawił groźbę dość jasno. Sama myśl o niej budziła we mnie histerię. Jeżeli zostanę uznana za niezrównoważoną, jeśli nie będzie mi wolno samej wychodzić z domu, kiedy zobaczę Mose'a? Kiedy spotkam Fanny?

Zerwałam się na równe nogi, podbiegłam do okna. Wyjrzałam na ogród, właśnie rozpadał się deszcz. Otworzyłam okno, wyciągnęłam ręce, wilgoć pokryła mi twarz i dłonie. Krople były ciepłe, zapach ogrodu wywoływał nostalgię, jak cmentarz nocą. Strach we mnie przycichł. Zostawiwszy okno otwarte na oścież, wróciłam na fotel i starałam się rozsądnie, na trzeźwo przemyśleć sytuację. Niestety, im bardziej starałam się zapanować nad myślami, tym bardziej odpływałam w na wpół nierzeczywisty świat minionej nocy, gdzie każde wspomnienie zdawało się dotknięte narkotycznym fałszem. Może Henry miał rację, może odchodzę od zmysłów. Gdybym tylko mogła spotkać się z Mose'em...

Nie! Jeszcze nie. Najpierw przekonam Henry'ego, że jestem zdrowa na tyle, by móc samodzielnie wyjść z domu. To on był moim wrogiem. Powiedziałam to sobie stanowczo. To on był winny, nie ja. Miałam prawo go nienawidzić. Miałam prawo być nieszczęśliwa.

Wtedy po raz pierwszy powiedziałam to sobie wyraźnie. Tego dnia spokojnie wypowiedziałam Henry'emu wojnę – zajadłą, podjazdową. Niech sądzi, że ma w ręku wszystkie atuty, ale ja nie jestem głupia. On niczego się nie spodziewa, a zaskoczenie działa na moją korzyść.

26

Nie widziałem Effie następnego dnia i, szczerze mówiąc, wcale mi jej nie brakowało. Musiałem się zająć poważnymi sprawami. Wierzyciele *en masse* uznali za stosowne sobie o mnie przypomnieć. Gdybym miał kryształową kulę, z pewnością znalazłbym się całkiem gdzie indziej, gdy do mnie zawitali, a tak, niestety, po kilku przykrych scenach zostałem zobligowany do szybkiego zapłacenia sumy prawie stu funtów i w efekcie moja kasa świeciła pustkami. Przez całe popołudnie siedziałem nad rachunkami, aż w końcu musiałem przyznać, że jestem zadłużony na ponad czterysta funtów, czyli na kwotę nawet dla mnie dość trudną do zdobycia. Błagalny list od Effie nie poprawił mi humoru. Pokojówka Em przyniosła go o szóstej. Dzięki butelce wina już wchodziłem w błogi stan utraty kontaktu z rzeczywistością i nie miałem najmniejszej ochoty na powtórkę schadzki z poprzedniej nocy. Otworzyłem solidnie zapieczętowany list i przy świecy odszyfrowałem pracowite gryzmoły.

Najdroższy Mose!

Muszę się z tobą zobaczyć jak najprędzej. Jestem w ROZPACZLIWEJ SYTUACJI. Henry nie pozwala mi WYCHODZIĆ Z DOMU i straszy LEKARZEM, jeśli nie będę mu posłuszna.

Muszę uciec, ale nie mam dokąd. Proszę, przyjdź, kiedy Henry będzie w pracowni. Musisz mi pomóc. Kocham Cię.

E.

Przeczytałem wiadomość bez wielkiej przyjemności. Sądząc po stylu pisma, Effie była w stanie gwałtownego wzburzenia. Niewiele mnie to obeszło. Wiedziałem, jak łatwo ją wytrącić z równowagi, a ze mnie żaden sir Galahad. Zapomniałem o sprawie niemal natychmiast.

Wcale się nie usprawiedliwiam. Nigdy nie byłem na skinienie palcem żadnej kobiety, a zwłaszcza rozhisteryzowanej. Bajeczki zostawiam panom w typie Henry'ego Chestera. Słodkie opowieści o przystojnym księciu, który ucieka ze swoją wybranką, zawsze kończą się małżeństwem, więc nic dziwnego, że w liście Effie wyczułem realne zagrożenie. Dlatego też go zignorowałem. Uznałem, że najwyższy czas kończyć tę znajomość, a wszystkim zainteresowanym wyjdzie to na dobre. Niech sobie słodka Effie śni na jawie, wkrótce znajdzie innego, w którym będzie pokładała wszystkie swoje nadzieje. Lubiłem ją na tyle, by się cieszyć, że przeze mnie nie stała się bohaterką żadnego skandalu.

Skandal... Skandal! Doskonała myśl.

Tak byłem zajęty decyzją o zerwaniu z Effie, że na kilka chwil zapomniałem o problemach finansowych. W odruchu filantropijnym byłbym przegapił okazję, która rozpromieniła mój los niczym słońce. Można było rozwiązać za jednym zamachem wszystkie nasze problemy. W oparach wina mój mózg przystąpił do pośpiesznych kalkulacji.

Nie mówmy o szantażu, to takie nieeleganckie słowo. Nazwijmy rzecz całą kreatywną inwestycją, możemy się tak zgodzić? Nie czułem sympatii do Henry'ego Chestera. Skoro był na tyle głupi, by przedkładać dziewczęta w burdelu nad zachwycającą żonę, niech płaci za ten przywilej. Miał mnóstwo pieniędzy. Ja natomiast – ani grosza. On miał masę skrupułów, ja żadnych. No i miał po swojej stronie Boga, to chyba wystarczy?

Wyjąłem list kochanki z kosza na śmieci, powoli wygładziłem papier. Nie chciałem jej zwodzić, ale postanowiłem czas jakiś iść jej na rękę.

Sięgnąłem po pióro, zaostrzyłem je i spisałem krótką wiadomość dla Effie. Potem włożyłem płaszcz, znalazłem dorożkę i pojechałem na Crook Street. Miałem przeczucie, że u Fanny zyskam pomoc.

27

Wiedziałam, że przyjdzie. Że przyprowadzi go chciwość i egoizm. Nie rozczarował mnie. Gdyby się nie zjawił, pewnie musiałabym podsunąć mu tę myśl, ale skoro przyszedł sam, tym lepiej. Czarował mnie tego wieczoru ze wszystkich sił, nie podejrzewając wspólnoty celu. Jego zdaniem potrzebował mnie do zaaranżowania skandalicznej scenki, która by pogrążyła Henry'ego, gdyby wyszła na jaw. Diabli wzięliby wystawy w Royal Academy, małżeństwo, pozycję w społeczności wiernych... wszystko to ległoby w gruzach, gdyby chociaż słówko na temat sekretnych wyczynów pobożnego pana Chestera dotarło do ucha odpowiedniej osoby. No i jeszcze Effie, oczywiście. Henry najwyraźniej trzymał ją w szachu dzięki doktorowi leczącemu nerwy – grożąc kuracją, zapewniał sobie posłuszeństwo żony. Gdyby mu zdradziła, co wie, nie mógłby jej straszyć.

Mose podkreślił wyraźnie, że nie zamierza być jedynym beneficjentem intrygi. Owszem, nie jest chciwy, ale inni też odniosą korzyści. Effie zostanie uwolniona z rąk tyrana, skapnie mu trochę grosza – nie potrzebuje dużo, a ja... cóż, tutaj się zgubił. Nie mógł pojąć, dlaczego nie chcę pieniędzy. Czy kierowało mną uczucie do Effie? A może jakaś uraza do Henry'ego? Bardzo chciał wiedzieć, lecz śmiałam mu się w nos i nic nie powiedziałam. Człowiekowi tak sprytnemu i pozbawionemu skrupułów nie mogłam powierzyć nawet prawdy, której by nie dał wiary.

– Nie, Mose, nic z tego – ucięłam z uśmiechem. – Nie powiem ani słowa. Możesz się domyślać, czego chcesz: żalu, niechęci albo zwykłej kobiecej złośliwości. Zresztą Effie to naprawdę kochana dziewczyna i drażni mnie, że stary hipokryta ją unieszczęśliwia. Ale, ale, do rzeczy. Jaki masz plan?

Uśmiechnął się szeroko.

– Powiesz mi, kiedy Henry ma gościć w twoim domu. Zaaranżujesz sprawy tak, żebym go zobaczył z jedną z twoich dziewcząt. Po wszystkim wystarczy, gdy napiszę uprzejmy list z cytatami i odniesieniami oraz obietnicą przedstawienia szczegółów wszystkim zainteresowanym stronom, a Henry zapłaci, ile zechcę, kiedy zechcę i jak często zechcę. Czysta sprawa, bez ryzyka.

Ściągnęłam brwi.

– Co będzie z tego miała Effie? Twoje korzyści widzę jak na dłoni, ale zanim przystanę na ten plan, chcę być pewna, że ona także coś zyska. – Udałam głębokie zamyślenie. – Zakładam, że napiszesz do niej także... – podsunęłam bez większej pewności.

– Nie! – zapalił się Mose. – Mam znacznie lepszy pomysł! Ułożę sprawy tak, żeby tu ze mną była. I tak, jeśli Henry uzna mój list za blef i nie będzie chciał płacić, przedstawię mu wiarygodnego świadka. Czy może być lepszy niż żona? Jeżeli ona stwierdzi, że widziała go w domu publicznym, czy któryś z jego bogobojnych przyjaciół jeszcze się do niego odezwie?

Patrzyłam na niego z uwielbieniem. Zdolny uczeń! Tak zapatrzony w siebie arogant, że nawet nie wiedział, jak łatwo nim manipulować.

– Effie tutaj... Nie przyszło mi do głowy... Ale to przednia myśl – uznałam. – Powinno się udać. Powiedz Effie, że Henry będzie u mnie w najbliższy czwartek o północy. Niech ona przyjdzie o jedenastej. Ukryję ją. A ty zjaw się dwadzieścia minut po północy, nasz gość będzie miał czas się przygotować. Resztę zostaw na mojej głowie.

28

Cały dzień spędziłem w pracowni, przy „Karciarzach". Byłem z tego obrazu zadowolony. Miał w sobie moc. Harper siedział zgarbiony pod ścianą, łokcie wsparł na blacie, a jego twarz częściowo ginęła w półmroku. Patrzył na karty z nonszalancją, w typowy dla niego sposób. Nad jego głową zielonkawa lampa oliwna strzelała iskrami, oświetlając brudne ściany i stół z surowych desek, wyłaniając z ciemności grube kieliszki z mlecznym absyntem.

Postać kobiecą naszkicowałem węglem, wziąłem do tego jakąś modelkę z miasta. Potrzebny mi był tylko półprofil, jedna ręka na stole, druga trzymająca damę pik figlarnie, tuż przy ustach. Niedługo będę potrzebował bardziej wykwintnego wzorca, jakiejś ciemnowłosej nieznajomej. Nie Effie, nie. Stanowczo nie Effie. Po pierwsze, nie chciałem widzieć jej tak blisko Mose'a, nawet w czasie malowania, a po drugie... miałem nieokreślone, mgliste poczucie, jakieś wrażenie niepokoju, gdy myślałem o jej pobycie w pracowni. Dlaczego miałbym się niepokoić? Przecież pozowała mi tysiące razy. Co miałoby się wydarzyć akurat teraz? Nie potrafiłem znaleźć odpowiedzi. Natomiast pamięć podsuwała mi krótką scenę, zimną jak dotyk zjawy. Szczupła twarz w ciemnościach, głos niczym szelest koronki i skrzypienie śniegu pod butami, zapach czekolady...

Skąd to łajdackie wspomnienie? I ta twarz, nieokreślona, a przecież znajoma, biała plama małej Persefony w mrokach podziemnego świata... Zacisnąłem pięści. Gdzieś już ją widziałem, tę moją szulerkę. Tylko gdzie?

I kim ona była?

Wróciwszy do domu, zastałem Effie nad haftem, poważną i spokojną, jak posłuszne dziecko. Szarość jej flanelowej sukni oraz surowy jedwab, którym obito fotel i podnóżek, tworzyły achrometryczne tło dla barwnego gobelinu i motków nici. Effie przywiodła mi na myśl zakonnicę. Włosy spływały jej za ramiona niczym kornet, wyglądała na czystą, uduchowioną jak Święta Dziewica z obrazu. Wystarczyło jednak, że uniosła głowę, a zmieniła się w mściwą staruchę o twarzy wykrzywionej wściekłością, w siwowłosą Nornę, starszą niż sam czas, z nicią mojego życia między kościstym paluchami. Niewiele brakowało, a byłbym uciekł z krzykiem.

Nagle światło się zmieniło i znów miałem przed sobą Effie, istotę łagodną i potulną, niewinną jak Śpiąca Królewna z gobelinu. Cóż to za złośliwe myśli przychodziły jej do głowy? Widząc jej uśmiech, postanowiłem mieć się na baczności. Było w nim coś chytrego, w nieśmiałych słowach powitania wysłyszałem fałszywe tony. Czyżby wychodziła? A może czytała zabronione książki? Przeszukała mój pokój?

– Czujesz się lepiej?

– Tak, dziękuję, znacznie lepiej. Głowa wcale mnie nie boli, całe popołudnie pracowałam nad haftem.

Jakby dla podkreślenia tych słów odłożyła gobelin i zaczęła splatać jedwabie w równe warkocze.

– Doskonale – oceniłem. – Choć biorąc pod uwagę twoją kondycję dziś rano, uważam, że nie powinnaś wychodzić z domu jeszcze kilka dni.

Spodziewałem się jakiegoś protestu, bo od Tabby wiedziałem, że bardzo lubi spacerować, ale Effie nawet nie próbowała się sprzeciwiać.

– Dobrze – powiedziała. – Rzeczywiście, lepiej zostanę w domu, dopóki nie jestem całkiem zdrowa. Nie chciałabym się przeziębić.

– I nie czytaj – dodałem, sądząc, iż jeśli coś ma ją wytrącić z równowagi, to właśnie taki zakaz. – Moim zdaniem u osoby z twoim kapryśnym temperamentem powieści i poezja mogą spowodować niepowetowane straty. Mam kilka wartościowych książek, te możesz czytać, jeśli ci przyjdzie ochota, ale twoje książki zabrałem z biblioteki i proszę, żebyś więcej podobnych nie kupowała.

Tym razem pewien byłem wybuchu, tymczasem ona zaledwie skinęła głową. Czy mi się zdawało, czy rzeczywiście miała na ustach cień uśmiechu? Zajęła się układaniem gobelinu w koszyku na robótki.

– Chciałabym skończyć haft w tym roku – powiedziała. – Myślę, że będzie się nadawał na parawan przed kominkiem albo na narzutę... Prawda?

– Może i prawda – rzuciłem chłodno. – Nie jestem znawcą w tych tematach.

Byłem zdumiony i zaniepokojony. Jeszcze rano miałem do czynienia z istotą kompletnie bezradną i rozhisteryzowaną, zawodzącą i płaczącą jak rozpuszczone dziecko, a teraz widziałem kobietę opanowaną, na granicy pogardy. Jakąż to miała przede mną tajemnicę?

W czasie kolacji przyglądałem się jej uważnie. Jak zwykle jadła niewiele, ale gdy wspomniałem o utracie apetytu, wzięła kromkę chleba z masłem. Zachowywała się ulegle, była grzeczna i ujmująca. Co mnie tak niepokoiło? Czułem się coraz gorzej, aż w końcu wyszedłem do palarni, zostawiając Effie samą.

Mówiłem sobie, że to tylko znużenie. W końcu poprzedniej nocy prawie nie spałem, pracowałem cały dzień i miałem prawo być zmęczony. Ot co. Tymczasem podskórnie wyczuwałem, że to jednak nie wszystko. Że kiedy nie było mnie w domu, coś tutaj zaszło, coś się stało z Effie, coś zagadkowego, może nawet groźnego. Miałem niewytłumaczalne wrażenie, że Effie już nie jest ta sama. I przestała do mnie należeć. Długo w nocy nie mogłem zasnąć. Paliłem, piłem i zachodziłem w głowę, co też takiego w końcu obudziło moją Śpiącą Królewnę.

KOŁO FORTUNY

29

Pięć dni.

Czekałam przez pięć dni. Prawie nie jadłam, bałam się zasnąć, żeby nie wykrzyczeć w noc swoich myśli, a jedynym odpoczynkiem, jaki śmiałam zaproponować swojemu skołatanemu umysłowi, było laudanum. Widziałam, że Henry jest podejrzliwy. Czasami przyłapywałam go, jak mi się przygląda spod oka, niekiedy wpatrywał się we mnie otwarcie, jakby coś kalkulował. Jeszcze miesiąc temu nie zniosłabym presji jego wzroku, ale znalazłam w sobie nieznaną siłę, czułam obrót koła fortuny, w moim sercu zapanowały całkiem inne ciemności, które napawały mnie rozkosznym przerażeniem. Chroniły mnie, byłam jak bezkształtny motyl w ciemnym kokonie, jak larwa osy snująca niespokojne, mściwe sny o lataniu.

Co będzie? Czy będę fruwała? Czy będę żądliła?

W snach latałam. Szybowałam po bezkresie niebios, włosy ciągnęły się za mną jak ogon komety. W snach widziałam Henry'ego Chestera w dziecinnym pokoju pełnym balonów. Niejasne wspomnienia, które dopadły mnie, gdy spałam u Fanny, wracały z przerażającą jasnością. Mówiły do mnie głosy w ciemności, widziałam twarze, rozpoznawałam imiona. Yolande z krótko przyciętymi włosami i o chłopięcej figurze ciągle paliła czarne cygara. Lily nosiła męską koszulę z podwiniętymi rękawami, odsłaniającymi grube, czerwone przedramiona. Izzy, Violet, Gabriel Chau... i Marta, unosząca się w powietrzu, w przyćmionym świetle, z balonami w ręku. Podpływała bliżej i bliżej, w miarę jak Fanny gładziła mnie po włosach i śpiewała. Tak. Byłam tam tej nocy, gdy Henry przyszedł do mnie z poczuciem winy i mroczną żądzą w oczach... Tak, byłam tam i z radością powitałam subtelną zmianę, jaka we mnie zaszła.

Niekiedy obawiałam się, że tracę zmysły, ale jakoś się trzymałam. Jeżeli laudanum nie wystarczało, by odegnać napad histerii, gdy zabijał mnie ból samotności i tęsknota za Mose'em, za Fanny, gdy ręce mi się trzęsły i miałam ochotę podrzeć haftowany gobelin na strzępy, wtedy skradałam się do swojej sypialni, gdzie na dnie jednej z szuflad ukryłam list od Mose'a oraz notkę od Fanny. Czytałam jedno i drugie ciągle na nowo, aż wreszcie odzyskiwałam pewność, że jestem zdrowa na umyśle. Że wkrótce uwolnię się od wpływu Henry'ego i od jego gróźb. I zostanę z przyjaciółmi, którzy mnie kochają.

* * *

W czwartek udałam ból głowy, żeby wcześniej iść do łóżka, i o wpół do jedenastej wymknęłam się z domu. W rozsądnej odległości wsiadłam do dorożki. Na Crook Street dotarłam około jedenastej, tak jak było umówione. Ledwo stanęłam w progu, na nowo zawładnęło mną dziwaczne wrażenie, że wiruję i unoszę się w powietrze. Strach żywcem wyjęty ze snów naznaczonych laudanum, bezcielesny lot. Dziewczyna, która otworzyła drzwi, twarz miała dziwnie wykrzywioną w zielonkawym świetle lampy gazowej. Za nią pojawiła się druga, a dalej kolejna, cały rząd głów, rozłożonych jak na wachlarzu, długą linią w głąb korytarza. Potknęłam się o coś, musiałam złapać za framugę. Dwanaście rąk sięgnęło, by mnie podeprzeć, i wciągnęło do środka. Wtedy kątem oka zobaczyłam własne odbicie w lustrach zawieszonych na ścianach po obu stronach wejścia: biała twarz, białe włosy, starucha między młodymi ślicznotkami o pomalowanych ustach i z barwnymi wstążkami. Po mojej lewej stronie gwałtownie otwarto jakieś drzwi, stanęła przy mnie Fanny.

– Witaj, kochanie. – Ujęła mnie pod ramię, zaprowadziła do saloniku. – Jak się miewasz?

Chwyciłam rękaw z zielonej satyny, pewniej stanęłam na nogach.

– Och, Fanny – szepnęłam. – Podtrzymaj mnie przez chwilę, proszę. Okropnie się boję. Właściwie nie bardzo wiem, co ja tu w ogóle robię.

– Ciii... – Przygarnęła mnie do siebie jedną ręką. Pachniała tytoniem, bursztynem i przejrzystym mydłem firmy Pears. Ta dziwnie uspokajająca kombinacja nie wiedzieć czemu przywodziła na myśl Mose'a. – Zaufaj mi, kochanie – rzekła Fanny miękko. – Rób, co mówię, a włos ci z głowy nie spadnie. Nie ufaj nikomu innemu. Jeszcze nie wiesz, co tu robisz, ale ja wiem doskonale, możesz mi wierzyć. Ważne, że Henry Chester dosyć już ma na sumieniu. Nie dopuszczę, żeby cię jeszcze kiedykolwiek skrzywdził. Pozwolę ci się zemścić.

Nie słuchałam zbyt uważnie. Wystarczyło mi, że czuję jej silną rękę na ramionach, że gładzi mnie po włosach. Zamknęłam oczy i po raz pierwszy od wielu dni poczułam, że zdołam zasnąć bez strachu przed snami.

– Gdzie jest Mose? – zapytałam nieprzytomnie. – Powiedział, że przyjdzie.

– Później. Będzie na pewno. Chodź, kochanie, usiądź.

Otworzyłam oczy, gdy pchnęła mnie delikatnie, lecz zdecydowanie w stronę niewielkiej kanapy ustawionej przed kominkiem. Z wdzięcznością osunęłam się na poduszki.

– Dziękuję ci, Fanny. Taka jestem zmęczona...

– Wypij.

Podsunęła mi niewielki puchar wypełniony ciepłym, słodkim płynem pachnącym wanilią i jeżynami. Wypiłam. Od razu się odprężyłam, przestałam dygotać.

– No widzisz? – Fanny się uśmiechnęła. – Odpocznij.

Odpowiedziałam jej uśmiechem, a potem spokojnie siedziałam i leniwie błądziłam wzrokiem po saloniku. Wnętrze było niewielkie, urządzone w różnych odcieniach czerwieni, z tym samym wschodnim przepychem, co cały dom Fanny. Na podłodze leżał przepiękny perski dywan, ściany obwieszono wachlarzami i maskami, a przed kominkiem stał chiński parawan wytłumiający blask ognia. Meble – z cedru i drzewa różanego – miały adamaszkową purpurową tapicerkę. Przed parawanem na macie siedziały Megajra i Alekto, a na stoliku stał wazon z barwionego szkła, pełen szkarłatnych róż. Zorientowałam się, że cudownym sposobem ja także uległam przemianie. Moja skóra nabrała płomienistego odcienia, włosy lśniły karminem zachodzącego słońca. Byłam przepełniona ciepłem, czułam się wspaniale. Znowu upiłam łyk z pucharu. Odrodzona moc spłynęła mi do gardła cienkim strumieniem ognia. Rozjaśniło mi się w głowie.

– Czuję się dużo lepiej – powiedziałam silnym głosem. – Wyjaśnij mi, proszę, co będziemy robić.

Fanny usiadła obok mnie, szeleszcząc spódnicami. Obie kotki natychmiast znalazły się przy niej, mruczały, dopominały się o pieszczoty. Zagadała do nich czule.

– Co u Tyzi? – spytała po jakimś czasie. – Dobrze cię traktuje?

– Tak – przyznałam z uśmiechem. – Dotrzymuje mi towarzystwa w dzień i w nocy. Henry jej nienawidzi, ale mam to w nosie.

– Świetnie.

Odniosłam wrażenie, że pełne wargi Fanny na moment zacisnęły się w wąską, okrutną linię. Wpatrywała się w koty siedzące na jej kolanach jakoś twardo, srogo. Najwyraźniej w ogóle zapomniała o moim istnieniu.

– Fanny!

– Tak, kochanie?

Uśmiech na ustach, twarz pogodna jak zawsze. Zwątpiłam, czy rzeczywiście widziałam coś innego.

– Co mam zrobić, kiedy zjawi się Henry? Schować się, jak radził Mose?

– Nie, kochanie, nie będziesz się chowała. Zaufasz mi, bo wiesz, że się o ciebie troszczę i nie pozwolę cię skrzywdzić. Ale musisz być dzielna i dokładnie wypełniać moje polecenia. Obiecujesz?

Pokiwałam głową.

– To dobrze. Teraz już o nic nie pytaj. Obiecujesz?

– Obiecuję.

Kątem oka dostrzegłam coś w głębi pokoju... wiązka balonów? Drgnęłam, spojrzałam w tamtą stronę. Fanny odrobinę mocniej ścisnęła mnie za ramię.

– Co tam jest? – zapytałam.

Żadnych balonów. Ot, po prostu jakaś okrągła barwna plama w górnym rogu pokoju, niedaleko drzwi.

– Ciii... kochanie. Spokojnie. Jesteś tu zupełnie bezpieczna.

– Chyba widziałam... – Słowa padały z moich ust ciężko jak kamienie. Każda bezkształtna sylaba przedzierała się przez gnijącą warstwę mojego wyczerpania. – Chyba... balony. Co balony tutaj...?

– Ciii... Zamknij oczy. Już dobrze. Ciii... Śpij, kochanie, śpij. Masz urodziny, więc dostaniesz mnóstwo balonów. Obiecuję.

30

Zegar na kominku wskazywał kwadrans po jedenastej. Effie spała na sofie. Odniosłam wrażenie, że jej twarz się zmienia, staje się mniej wyraźna, zamazana, że na moich oczach dochodzi do przekształcenia rysów – w miękką, dziecinną buzię.

– Marta!

Poruszyła się lekko, podniosła palce do ust dziecinnym gestem, który zapamiętałam do końca życia.

– Marto, obudź się.

Otworzyła oczy. Z początku zdumiona, zaraz skupiła na mnie spojrzenie przepełnione słodką, rozdzierającą serce ufnością.

– Spałam? – zapytała, przecierając oczy.

– Tak. I to długo. – Serce waliło mi jak młotem. Słyszałam głos córki, zaspany, z lekkim kornijskim akcentem. Podobnie mówiła moja matka.

– Czy on już jest?

– Nie, jeszcze nie, ale niedługo przyjdzie. Trzeba cię przygotować. Chodź.

Posłusznie ruszyła ze mną, trzymając mnie za rękę. Nie miałam pewności, czy dobrze postępuję. Pozostała mi jedynie modlitwa.

– Najpierw się postaramy, żeby cię nie rozpoznał. Pożyczę ci moją sukienkę, zmienimy wygląd twojej twarzy i włosów.

– Dobrze. – Z jej ust nie schodził ciepły uśmiech. – Nie będę się bała?

– Nie. Będziesz dzielna i silna.

– Tak.

– Nie rozpozna cię na pewno. A co powiesz, kiedy zapyta, jak masz na imię?

– Marta.

– Dobrze.

* * *

– To jest henna – powiedziałam, spłukując jej ciemne włosy. – Henry cię nie rozpozna. Kiedy już sobie pójdzie, zmyję ją specjalnym szamponem i znowu będziesz blondynką.

Zawiązałam jej na głowie turban z ręcznika.

– Teraz pomogę ci włożyć suknię. Nosiłam ją dawno temu, kiedy byłam młodsza i szczuplejsza. Śliczna, prawda?

– Tak.

– Na koniec trochę pudru i różu, żebyś wyglądała inaczej.

– Nie rozpozna mnie.

– Teraz jesteś starsza.

Wyobraź sobie obraz z płytki fotograficznej ciemniejący na papierze od bieli po blade złoto, od bursztynu do sepii. Wyobraź sobie księżyc pęczniejący od nowiu do pełni, przyciągający morskie pływy. Wyobraź sobie motyla wychodzącego z kokonu, rozkładającego skrzydła na słońcu. Czy tęskni za etapem gąsienicy? Czy w ogóle go pamięta?

31

To kłamstwo. Nie mam snów. Są ludzie, którzy nie śnią. Noce spędzane tutaj, w Highgate, są warstwami zapomnienia, nawet Bóg nie zdoła ich poruszyć. A skoro On nie może mnie dosięgnąć, dlaczegóż ona miałaby nawiedzać moje sny, pachnąc bzem i fałszem, łagodna i jednocześnie mordercza, jak szata Dejaniry? Nie widzę jej. Nie czuję włosów muskających moją twarz tuż przed brzaskiem. Nie słyszę szelestu jedwabiu dotykającego jej skóry. Nie zerkam na nią kątem oka, gdy stoi w nogach łóżka.

Nie leżę rozbudzony pożądaniem.

Sądziłem, że poszukiwanie Szeherezady mam już za sobą. Wypróbowałem wiele młodych dziewcząt: blondynek, rudych i brunetek, ładnych i brzydkich, chętnych i opornych. Odkrywałem tajemnice ich ciała, uczyłem je i sam się od nich uczyłem, jednak wielka tajemnica wciąż mi umykała. Za każdym razem, gdy wstawałem z plugawego łoża, przesycony i zgwałcony ich jałowym pragnieniem, pojmowałem na nowo: nie ma wielkiej tajemnicy. A im głębiej kopałem, tym mniej odkrywałem. Patrzyły na mnie ogłupiałymi oczyma bez wyrazu, z pożądaniem, znacząco... Wielka tajemnica zniknęła jak zaczarowany pałac z bajki, który wyrasta ciągle w innym miejscu. Zaczynałem rozumieć szacha Szahrijara, który wieczorem zawierał ślub, a rano przeprowadzał egzekucję żony. Być może, podobnie jak ja sądził, że znajdzie część wielkiej tajemnicy w żałosnych pozostałościach po nocnej orgii, a tymczasem witał bezlitosne światło dnia blady niczym trup, z krwią i nasieniem na rękach. Obu nas, połączonych rozczarowaniem, bratało to, że nie traciliśmy nadziei.

Może gdybym za sprawą magii zdołał się skurczyć do rozmiarów płodu, wpłynąć na nowo w czerwoną ciemność mojej matki... może zdołałbym pojąć wielką tajemnicę. Cóż, magią nie dysponowałem. Moim ostatnim niespełnionym marzeniem była Szeherezada, odnawiająca się każdego ranka jak feniks z popiołów mojej żądzy, niosąca świeżą akceptację i nadzieję, każdej nocy inna, z nową twarzą. Tysiąc i jedna buteleczka z eliksirem grozy, biblijnej mocy... tajemnicy wiecznego życia.

Czy marzę o tej kobiecie?

Możliwe.

Przed wyjściem z domu przyjąłem dziewięć granulek chloralu. Byłem dziwnie bojaźliwy, dłonie co chwila podrywały mi się do ust jak u dziecka przyłapanego na występku. Dziwne myśli przebiegały mi przez głowę, zwiastuny fatalnych zdarzeń, a gdy mijałem cmentarz, wydało mi się, że dostrzegam postać w bieli, bosą dziewczynkę stojącą w bramie. Przyglądała mi się z uwagą. Krzyknąłem na woźnicę, żeby się zatrzymał, obejrzałem się, a tam nic, żadnego dziecka. Tylko księżyc wyłowił z ciemności biały nagrobek. Jakiś kot wskoczył na jasny kamień, przeszył mnie spojrzeniem błyszczących ślepi. Uczłowieczony przez mrok nocy poruszał szczękami, przekazując mi ostrzeżenie. Niewiele brakowało, a byłbym zawrócił, tyle że wiodło mnie pragnienie znacznie potężniejsze od zwykłej cielesnej żądzy. Przyzywał mnie tamten dom.

* * *

Fanny wprowadziła mnie do środka, jak zwykle wprawiając w zakłopotanie samą swoją obecnością. Zielona suknia, długie pióra, zapach...! W tym domu wonie zawsze odurzały i tym razem także zatonąłem w aromatach. Poprowadziła mnie korytarzem do saloniku, którego jeszcze nie widziałem, choć byłem stałym gościem od dziesięciu lat.

– Chciałabym panu dzisiaj przedstawić kogoś, kto się panu spodoba – rzekła ze znaczącym uśmieszkiem.

Zacisnąłem zęby. Było w tej kobiecie coś, co mi przeszkadzało, jakaś spokojna pewność siebie. Wyswobodziłem ramię z jej zadziwiająco mocnego uścisku, straciłem przy tym równowagę i uderzyłem ramieniem o framugę. Fanny uśmiechnęła się znowu, światło lampy namalowało na jej twarzy wyraz mściwej satysfakcji.

– Czy aby dobrze się pan czuje? – Głos miała troskliwy, dziwaczna mina, o ile w ogóle rzeczywiście była, zniknęła bez śladu. – Wydaje się pan mizerny. Mam nadzieję, że nic panu nie dolega?

Mizerny. Przy jej akcencie słowo przypominało syk węża. Przytrzymałem się jej ramienia, stanąłem pewniej.

Mizzzerny.

– Nie, nie, wszystko w porządku. Czuję się bardzo dobrze. A nawet doskonale. – Świat wrócił na swoje miejsce, zmusiłem się do jowialnego uśmiechu. – Kogóż to mam poznać? Jakąś nową *protégée*? – spytałem tonem lekko kpiącym.

– W pewnym sensie. Ale najpierw zapraszam na szklaneczkę mojego specjalnego ponczu, który podnosi na duchu. Proszę, niech pan wejdzie.

Otworzyła drzwi, wpuściła mnie do środka.

Wnętrze rozjaśniał czerwonawy poblask. Oczy przywykały do niego z trudem, prawie jak do ciemności. W powietrzu unosił się erotyczny zapach kadzidła. Gdy Fanny podprowadziła mnie do sofy i zaczęła nalewać poncz, a wydawała się przy tym jakaś niespokojna, powiodłem dokoła wzrokiem. Zwróciłem uwagę na ściany wyłożone brokatem z fałszywymi klejnotami, mosiężne ornamenty na meblach i ozdobne figury, zwłaszcza jedną: pośrodku dużego miedzianego koła znajdował się czteroręki bóg, zatrzymany w dynamicznym geście. W migotliwym czerwonawym świetle można było odnieść wrażenie, że tańczy.

Fanny podała mi szklaneczkę ciepłego ponczu. Wziąłem ją, nie odrywając oczu od rzeźby.

– Co to takiego? – spytałem.

– Śiwa, bóg księżyca. I śmierci.

Wypiłem łyk, skrywając gwałtowny nawrót niepokoju. Napój był ostry, drętwiał od niego język. Zostawiał posmak goryczy.

– Bałwochwalstwo i nonsens – oceniłem głośniej, niż zamierzałem. – Wygląda... groźnie.

– Bo i świat jest groźny – stwierdziła Fanny bez nacisku. – To mój ulubiony bóg. Ale jeśli panu przeszkadza... – prowokująco zawiesiła głos.

– Oczywiście, że nie – odparłem sztywno. – To tylko posążek.

– Wobec tego zostawiam pana.

Odchrząknęła znacząco, więc wysupłałem z kieszeni kilka gwinei. Nie tracąc pozorów wielkiej damy, przejęła monety zręcznie jak magik, prawie ich nie zauważając. Podeszła do drzwi.

– Najlepiej będzie, jeśli Marta przedstawi się sama – stwierdziła i opuściła salonik.

Jakiś czas wpatrywałem się w drzwi, nieco zdezorientowany, oczekując, że dziewczyna pojawi się lada moment. Po chwili zaalarmował mnie jakiś szelest za plecami. Obróciłem się gwałtownie, rozlewając poncz połyskliwym łukiem.

Byłem pewien, że to posążek Śiwy wrócił do życia i wyciąga ku mnie cztery ramiona, a oczy mu błyszczą złośliwie. Ledwo zdusiłem krzyk.

Wtedy ją zobaczyłem. Siedziała w cieniu, słabo widoczna na tle bogatych indyjskich gobelinów. Wziąłem się w garść, powstrzymałem gniew, że zostałem zaskoczony. Dokończyłem poncz i odstawiłem kielich na gzyms kominka. Kiedy się znów odwróciłem do dziewczyny, byłem już prawie całkiem spokojny. Usiłowałem jej się przyjrzeć, co w niepewnym świetle stanowiło niełatwe zadanie.

Była młoda, miała może piętnaście lat, szczupła i smukła. Długie proste włosy wyglądały na czarne, ale koloru oczu nie potrafiłem określić, bo odbijały blask lampy niczym rubiny. Brwi i powieki miała umalowane kohlem i brokatem, a jej skóra lśniła złotym ciepłem, które mnie zawsze kojarzyło się z Cygankami. Ubrana była w powłóczyste kimono z jakiejś matowej czerwonej tkaniny, podkreślające jej dziecięcą figurę. Na szyi, na przedramionach i w płatkach uszu miała duże szkarłatne kamienie tlące się karminowym blaskiem, rzucające purpurowe iskry.

Jej uroda zaparła mi dech w piersiach.

– Masz na imię... – zająknąłem się – Marta?

– Nazywam się Marta – szepnęła ciut ochryple, z miękkim wiejskim akcentem, przygłuszonym przez wyniosłą kpinę, prawie jak u Fanny.

– Ależ ja ciebie znam! – Uświadomiłem sobie z zaskoczeniem. – Przypadkiem wszedłem do twojego pokoju.

Cisza.

– Mam nadzieję, że czujesz się lepiej. – Zawoalowany przytyk okazał się żałośnie płytki. – Czy jesteś... – Po raz kolejny zabrakło mi słów. – Jesteś tu nowa?

W milczeniu kpiła sobie ze mnie, wprawiała mnie w zakłopotanie.

– Przyszłam tu do pana – powiedziała cicho, a ja odniosłem wrażenie, że zjawiła się po moją duszę, jak anioł śmierci. – Specjalnie do pana.

– Aha.

Czułem się jak uczniak ze znacznie starszą od niego kokotą. Absurd! Jakby ta dziewczyna nie była piętnastoletnią flądrą, ale dziewiczą strażniczką jakiejś tajemnicy. Poprawiłem się w fotelu. Pragnąłem jej, ale nie umiałem nic powiedzieć. Rządziła ona.

– Proszę usiąść bliżej – szepnęła. – Opowiem panu bajkę.

* * *

– Dawno, dawno temu pewien młody człowiek wyprawił się na poszukiwanie wiedźmy. Ona z daleka widziała go w lustrze i tylko się uśmiechała. Długo czekała na jego przyjście, a od trzech dni czuła jego obecność wszędzie: w sinym zimowym niebie, na mglistym bagnisku, w oku Wisielca. Znaki były ledwo dostrzegalne: zerknięcie albo porozumiewawcze zmrużenie, ale wiedźmie tyle wystarczyło. Czekała, wrzucając kolejne cegiełki torfu do ognia, rozkładając karty. Inni wiedzieli, że młody człowiek nadchodzi, i kręcili głowami. Nie znali jego historii, choć nadawałaby się na opowieść na zimowe wieczory, i nie chcieli jej znać, bo tylko niewinni albo szaleńcy wyprawiają się na poszukiwanie wiedźm, a podarunki, jakie ze sobą niosą, nie tak łatwo podźwignąć. Ale młody człowiek był zuchwały i odważny, więc przemierzał bagna z gorliwością tego, kto nigdy nie zszedł z właściwej ścieżki. W sercu miał gniew i chęć zemsty, a za jego przystojną twarzą krył się potwór. Potwór, który każdej nocy wychodził z ciemności, by się żywić ludzkim ciałem. Czary wiedźmy stworzyły potwora, a młody człowiek wiedział, że tylko wówczas, gdy zabije wiedźmę, uwolni się od klątwy.

Przerwała, dotknęła mojej twarzy chłodną rączką. Objęła mnie za szyję i szeptała we włosy na karku, aż stawały dęba. Scena iskrząca erotyzmem, a jednocześnie żenująca.

– Młody człowiek długo wędrował po bagnach, aż znalazł dom wiedźmy. A kiedy zobaczył jej czerwoną chatę w górskiej dolinie, poczuł dreszcz radości i przerażenia. Wiedźma na niego czekała. Zobaczyła go w drzwiach, a kiedy uniósł miecz, nie mogła powstrzymać śmiechu.

„Przygotuj się na spotkanie śmierci!" – krzyknął młodzieniec.

Wiedźma wyszła z cienia, a wtedy młody człowiek zobaczył, że jest piękna. Zsunął z niej odzienie, o tak...

Swobodnym gestem zrzuciła kimono na podłogę. Chwilę stała przede mną niczym pogańska bogini, skórę miała miedzianą, rozpuszczone włosy spływały jej do pasa. Za nią Śiwa wyciągnął ramiona we wdzięcznym, dzikim pożądaniu. Jednym płynnym ruchem rozpięła koszulę. A ja, jak ofiara spętana magią, nie mogłem się poruszyć, osaczony ze wszystkich stron przez rozedrganą zmysłowość, która do niej przywarła, nieomal widoczna, jak ognie świętego Bartłomieja. Gdy zwróciła się w stronę światła, zobaczyłem jej twarz przez czerwony welon włosów. Ten obraz sięgnął mi samych trzewi, wycisnął z moich ust jęk pożądania... A przecież nie było w jej oczach miłości, jedynie głód i uniesienie, które mogło być pożądaniem, zemstą albo nawet nienawiścią.

Wszystko jedno.

Dosiadła mnie jak purpurowy centaur, głowę odrzuciła do tyłu, każdy mięsień miała napięty. Pożerała mnie, budząc rozkosz tak ogromną, unicestwiającą, morderczą...

– Gdy skończyli, młody człowiek sztyletem poderżnął wiedźmie gardło, żeby nikt się nie dowiedział, jak nakarmiła mieszkającego w nim potwora, jak gorliwie ten potwór się pożywił.

Znalazła się za moimi plecami, fala jej włosów spłynęła mi przez lewe ramię, od słodkiej woni skóry kręciło mi się w głowie. Ledwo słyszałem, co mówi, byłem szczęśliwy po prostu dlatego, że mogłem z nią być.

– Potem młody człowiek spał długo. Kiedy się obudził, stwierdził, że już nastał dzień, a chata jest pusta. Postanowił wracać, lecz nagle dostrzegł talię kart leżącą na stole. Nie wiedzieć czemu wziął je do ręki. Były piękne, gładkie jak kość słoniowa, misternie malowane.

W każdej chwili spodziewałem się napływu niechęci do samego siebie; zawsze tak było, gdy żądza się we mnie wypalała. Nigdy nie zadawałem się z ladacznicami dłużej, niż to było konieczne. Nawet nie chciałem ich widzieć. Tym razem jednak było inaczej. Po raz pierwszy w życiu ogarnęła mnie czułość – wobec tej kobiety, tej dziewczyny. Nie było tak nawet z Effie. Och, raczej zwłaszcza z Effie. Chciałem Martę smakować, poznać ją lepiej, jakby sam czyn, którego właśnie dokonaliśmy, był nieistotny... Nic nie zostało zmarnowane, nic nie zniszczył. Uświadomiłem sobie nagle, z cudowną jasnością, że to właśnie jest wielka tajemnica. Znalazłem ją w tej dziewczynie, w jej kruchości.

– Młody człowiek, sam nie wiedząc kiedy, rozłożył karty we wzór, który znał jako Drzewo Życia. Pustelnik, Gwiazda, Kochankowie, giermek denarów, miłość, namiętność, Najwyższa Kapłanka, Koło Fortuny... Nie chciał zobaczyć ostatniej karty, tej, która przepowiada przyszłość. W końcu jednak sięgnął ku niej drżącą ręką i ostrożnie odwrócił.

Le Pendu. Wisielec.

Zdrętwiał ze strachu.

To nic nie znaczy! Karty nie mają mocy zmieniania życia człowieka!

A jednak mimowolnie zerknął na ostatnią raz jeszcze, niepewnie, bojaźliwie...

– Marto... – Dotknąłem jej szyi, ramienia, jędrnego łuku uda.

– Twarz na karcie wydała mu się znajoma. Ciemne włosy, pięknie zarysowane brwi, nawet kształt szczęki... Cofnął się o krok. Nie, nie, to tylko wyobraźnia płata mu figle... a przecież, patrząc na kartę z większej odległości, mógłby przysiąc, że rozpoznaje twarz Wisielca. Był tego prawie całkowicie pewien...

– Marto!

– Słucham?

– Kocham cię.

W ciemności jej pocałunek smakował rozkoszną słodyczą.

32

Z początku byłem wściekły.

Na siebie, za to, że spodziewałem się od Fanny rzeczywistej pomocy, na Effie, bo pozwoliła się wciągnąć w niebezpieczną, idiotyczną maskaradę, ale najbardziej na Fanny. Przeklinałem ją do dziesiątego pokolenia, kiedy mi powiedziała, że Effie jest w pokoju z Henrym. Pytałem ją, jaką grę prowadzi.

Do szału mnie doprowadza tą swoją wyniosłością.

– Ależ twoją grę, Mose – odpowiada słodkim tonem. – Przygotowujemy skandal, żebyś mógł zdyskredytować Henry'ego i położyć rękę na jego pieniądzach. O to ci przecież chodzi.

Rzeczywiście, ale nie chciałem, żeby się cokolwiek wydało, zanim uzyskam jakieś korzyści.

– Nic się nie wyda – odparła z uśmiechem. – Henry jej nie rozpozna.

Dobre sobie. Przecież byli małżeństwem, na litość boską!

– Szczerze mówiąc – podjęła Fanny – wątpię, żebyś ty ją rozpoznał. Jest... bardzo dobrą aktorką.

Głośno wyraziłem zdziwienie.

– Sam zobacz – rzekła z kpiną w głosie. – Twoje pieniądze są całkiem bezpieczne.

Za jedną z kotar znajdowała się w ścianie dziura, przez którą widziałem, sam nie będąc widziany, salonik cały w czerwieniach. Przyciskając oko do otworu, zadałem sobie pytanie, trochę zaniepokojony, ileż to innych takich judaszy znajdowało się w całym domu i jak często były wykorzystywane.

Spodziewałem się zobaczyć groteskową konfrontację między Effie a Henrym. Dziewczyna z pewnością się załamie, wpadnie w histerię, jak tylko zostanie rozpoznana. Będę szczęściarzem, jeśli uniknę aresztowania, a Henry, o ile tylko zechce, zyska fantastyczny pretekst, by umieścić żonę w azylu do końca jej dni. Co więcej, jeżeli była na tyle głupia czy szalona, by sądzić, że mąż jej nie rozpozna, to faktycznie właśnie tam było jej miejsce.

Tak mną zawładnęły myśli pełne goryczy, że przez jakiś czas nie zwracałem uwagi na szczegóły przedstawienia, które Fanny dla mnie zaaranżowała. Dopiero po dłuższej chwili zacząłem pilniej obserwować scenę rozgrywającą się przed moimi oczyma, bez emocji, natomiast z wielką ciekawością. Nawet wrócił mi dobry humor. Bo i rzeczywiście, gdyby obiektywnie spojrzeć na sprawę, sytuacja była komiczna. Nic to, że za tydzień mogłem się znaleźć w więzieniu z powodu bankructwa lub defraudacji, zaśmiałem się cicho, szyderczo.

Nie słyszałem słów, jakie padały w saloniku, ale gdy wzrok mi przywykł do czerwonego oświetlenia, zobaczyłem wyraźnie Henry'ego oraz dziewczynę.

Effie?

Zmrużyłem oko, ściągnąłem brwi.

– To nie jest Effie – powiedziałem.

Fanny tylko się roześmiała. Spojrzałem jeszcze raz, szukając podobieństwa.

Nie, to z pewnością nie była Effie. Och, oczywiście dopatrzyłem się pewnego podobieństwa w kształcie figury i w rysach twarzy, ale ta dziewczyna była znacznie młodsza i włosy miała o wiele ciemniejsze, może czarne, może ciemnorude, nie dało się tego ocenić w zwodniczym świetle. Tak czy inaczej, zdecydowanie ciemniejsze i bujniejsze, po prostu inne. Oczy też całkiem odmienne, o mocniejszym kolorze, ciężkie od makijażu, brwi czarne, o intrygującej linii. Wszystko to jednak mało ważne. Najistotniejsza różnica ujawniała się w ruchach dziewczyny, płynnych, pełnych wężowej gracji. Przywodziły na myśl tancerkę egzotyczną, podniecający sposób bycia urodzonej kurtyzany. Effie była szczera, otwarta, ciekawa, pełna namiętności, gdy tymczasem ta dziewczyna – chłodna, elegancka w każdym ruchu, lecz jednocześnie opanowana, doskonale, niemal dramatycznie powściągliwa.

Już miały się ze mnie wylać kolejne pretensje do Fanny, gdy nagle dostrzegłem, że to jednak była Effie! Od tej strony jej nie znałem, takiej natury w ogóle w niej nie podejrzewałem. Na moment dominującym uczuciem stało się uwielbienie. I coś jeszcze, jakiś bardziej prymitywny instynkt. Pragnąłem tej dziewczyny, tej upiększonej Cyganki. W tamtej chwili była dla mnie chyba ważniejsza nawet od pieniędzy Henry'ego. W każdym razie tylko tak mogę wytłumaczyć, że nie położyłem kresu tej niebezpiecznej maskaradzie od razu, tamtej nocy.

Gdy Henry opuścił dom publiczny, Fanny zaprowadziła Effie i mnie do własnego pokoju. Zobaczyłem tam całą kolekcję różnych sprytnych przyrządów i środków, pomocnych przy stworzeniu istoty, którą nazywały Martą – cienie, pudry, róże, farby i kremy. Fanny szybko i sprawnie usunęła je ze skóry Effie, używając jakichś tajemniczych płynów i maści. Włosy umyła jej w jakimś przejrzystym roztworze o ostrym zapachu.

Effie poddawała się zabiegom obojętnie, kompletnie ignorując moją obecność. Nie zareagowała także, gdy ją pochwaliłem za wspaniałe przedstawienie. Wreszcie, gdy wszystkie ślady przebrania zostały usunięte, zapadła w stan przypominający śpiączkę, jak po narkotykach. Czym Fanny ją odurzyła? Czyżby Marta była postacią zrodzoną z silnego afrodyzjaku? Nie po raz pierwszy i nie ostatni zastanowiłem się, do czego Fanny dąży.

Dopiero o trzeciej nad ranem pozwolono mi zabrać Effie do domu. Jakiś czas siedziała przed kominkiem, susząc włosy, potem oparła głowę na kolanach rajfurki i pozwoliła się uczesać. Obserwowałem długie, spokojne ruchy ręki z grzebieniem i dłoń Effie, która nieświadomie naśladując gesty starszej kobiety, gładziła kota. Uderzyła mnie wtedy myśl, że za sprawą symetrii postawy i jednakowego spokoju wyglądają jak siostry albo jak kochanki. Ja siedziałem obok, nieistotny, odsunięty. Nie celowo, z pewnością, bez złych intencji, ale jednak. Choć nie kochałem Effie, byłem zły. Przy okazji tak głęboko zatonąłem w myślach, że gdy Fanny wreszcie się odezwała, mało nie podskoczyłem.

– Kochanie – zwróciła się do Effie. – Pora się budzić. Chodźmy.

Effie, która wcale nie spała, poruszyła się, uniosła głowę.

– Dobrze, już dobrze – ciągnęła Fanny. – Wiem, że jesteś zmęczona, ale musisz wrócić do domu. Pamiętasz?

Z ust Effie wyrwało się niegłośne westchnienie, trudno powiedzieć – zgody czy protestu.

– Naprawdę czas na ciebie – przekonywała Fanny. – I nie martw się, niedługo wrócisz.

Effie podniosła wzrok na mnie. Wyraz zagubienia zniknął z jej twarzy w mgnieniu oka, uśmiechnęła się z ożywieniem, jakiego nie widziałem u niej przez całą noc.

– Mose! – krzyknęła, wyraźnie uradowana i zaskoczona, jakbym nie towarzyszył jej od kilku godzin. – Och, Mose!

Zerwała się na równe nogi, zarzuciła mi ręce na szyję.

Niech mnie licho.

Kusiło mnie, by rzucić jakiś sarkastyczny komentarz, ale zerknąwszy na Fanny, wyraźnie usatysfakcjonowaną, zrezygnowałem. Coś się kluło w głowie tej wiedźmy. Fanny Miller jest niebezpieczną kobietą. Pamiętaj o tym, jeśli ją kiedyś spotkasz.

Jak już powiedziałem, odwiozłem Effie do domu, zanim służba wstała. Włosy jej prawie wyschły, przebrana była w swoją suknię i płaszcz. Wydawała się ożywiona, choć o zdarzeniach w salonie nie mówiła. W dorożce ośmieliłem się zadać jej bezpośrednie pytanie na ten temat, a wtedy spojrzała na mnie pustym wzrokiem.

– Zapytaj Martę – powiedziała i więcej nie chciała wracać do sprawy.

Nie zamierzałem się z nią droczyć. Moim zdaniem wiedziała, że podglądałem, więc czułem się zakłopotany. Chyba nic w tym dziwnego. Zresztą nie z nią musiałem o tym porozmawiać, tylko z Fanny. To ona obmyśliła całość. Effie była tylko narzędziem. Chociaż pora zrobiła się już późna, wysadziwszy Effie pod drzwiami, od razu zawróciłem na Crook Street.

33

Wiedziałam, że wróci. Lubił panować nad sytuacją. Nie podobało mu się błądzenie w ciemnościach. Miał dość rozumu, by pojąć, iż w pewnym sensie został wykorzystany, a w moim interesie leżało utrzymanie go w doskonałym nastroju aż do czasu, gdy przestanę go potrzebować. Okazałam mu znacznie więcej sympatii niż przy poprzednim spotkaniu. Szczerze mówiąc, nie sprawiło mi to najmniejszych trudności. Mój plan powiódł się nawet lepiej, niż przypuszczałam, a gdy Mose przyjechał po raz drugi tej nocy, byłam bardzo zadowolona i pełna energii. On natomiast, chłodny i z rezerwą, węszył spisek, tyle że nie wiedział, gdzie go podejrzewać. Wszedł do saloniku, trzymając ręce w kieszeniach, z marsem na twarzy.

– Mose! Miło mi cię...

– Igrasz moją przyszłością! Może zechciałabyś mi wyjaśnić, o co chodzi?

Uraczyłam go najsłodszym z moich uśmiechów.

– Cierpliwości. Co ci się nie podoba? Przecież nic ci nie grozi.

– Nie w tym rzecz – burknął. – Umówiliśmy się, oczekiwałem, że dotrzymasz słowa. Tymczasem grasz po swojemu, ja jestem zakładnikiem. Co by było, gdyby Chester rozpoznał

Effie? Kto by za to zapłacił? Chester ma wpływy, twoim zdaniem puściłby mi to płazem? Skądże! Zrobiłby, co leży w jego mocy...

– Przestań jęczeć – przerwałam mu pogodnie. – I usiądź, proszę, bo mnie kark rozboli od patrzenia na ciebie w górę. Zapewniam, nie prowadzę żadnej własnej gry. W takim świetle, w tym przebraniu nikt by Effie nie rozpoznał. A zwłaszcza Henry. W życiu by mu nie przyszło do głowy, że w takich okolicznościach może spotkać własną żonę.

– Może i tak, ale po co ryzykować?

– Usiądź – powtórzyłam.

Nareszcie posłuchał. Zdusiłam triumfalny uśmiech. Miałam go w garści.

– Czy pamiętasz, jak wszystko planowaliśmy? – spytałam.

Kiwnął głową.

– Zapytałeś, jakie mam powody, by się angażować.

Słuchał z uwagą.

– Otóż Henry Chester przed laty... No tak. Nie powiem ci, co zrobił, ale nikt nigdy nie wyrządził mi większej krzywdy. Od tego czasu czekałam na okazję do zemsty. Mogłabym go zabić, ale nie chcę skończyć na szafocie. Nie mam też jednak zamiaru rezygnować z zemsty. Chcę go zniszczyć. Całkowicie. Rozumiesz?

Oczy mu rozbłysły ciekawością.

– Nie chcę go uśmiercać dosłownie – podjęłam. – Chcę mu odebrać pozycję, karierę, małżeństwo, rozum. Wszystko.

Uśmiechnął się z wahaniem.

– Nie zadowalasz się byle czym.

– To prawda. Ale obojgu nam się to opłaci. Jeśli mnie posłuchasz, dostaniesz mnóstwo pieniędzy. Tylko – zrobiłam pauzę, by zaczął słuchać jeszcze uważniej – jeżeli postanowisz działać na własną rękę albo zrobisz cokolwiek, co by miało zniweczyć mój plan, nie daruję. Nie chcę cię krzywdzić, ale zemsta jest dla mnie dużo ważniejsza niż ty. Zabiję cię, jeśli będę musiała. Już ci to kiedyś powiedziałam, pamiętasz?

– Nie zamierzam ci stawać na drodze, Fan – oznajmił z ponurym grymasem.

Od razu wiedziałam, że jest nieszczery. Cóż, lepsza fałszywa obietnica niż nic. Uwierz mi, naprawdę go lubiłam. Mimo jego dwulicowości. Pozostawała nadzieja, że faktycznie okaże się rozsądny.

– Chcę, żeby Henry spotkał się z Martą ponownie. W przyszłym tygodniu.

– Tak?

– Planuję, że będzie ją widywał możliwie najczęściej.

– Rozumiem. – Westchnął. – Dostrzegam komiczną stronę sytuacji, ale nie pojmuję, w jaki sposób mielibyśmy na niej zyskać. Zwłaszcza że w ten sposób nie tknę pieniędzy Henry'ego.

– Cierpliwości – powtórzyłam. – Dostaniesz pieniądze. I nie będziesz na nie długo czekał. Bo widzisz, Mose, dzięki zmyślnym planom i odrobinie chemii Henry jest już prawie zakochany w Marcie.

– No, to byłby niezły żart! – Roześmiał się całkiem szczerze.

– A ty na tym zyskasz.

Już nie był ponury. Docenił ironię sytuacji, więc choćby z tego powodu pójdzie mi na rękę. A dopóki miałam Mose'a, miałam też Effie.

Effie, która wkrótce się stanie moim asem mieczy.

* * *

Czytałam kiedyś, pewnie w jakiejś bajce, że każdy człowiek potajemnie kocha własną śmierć i podąża za nią z desperacją porzuconego kochanka. Gdyby Effie nie powiedziała mi, głosem Marty, że Pustelnikiem jest Henry Chester, domyśliłabym się tego, gdy wychodził do domu tamtej nocy. W oczach miał czarny blask. Wiedziałam wtedy, że jakąś cząstką swojej duszy zbrukanej poczuciem winy zdołał ją rozpoznać. Nie, nie Effie, nie tę smętną, pustą istotę czekającą, aż ją ożywi silniejsza osobowość. Rozpoznał Martę. Moją Martę, przywróconą do życia w oczach Effie. Tak, rozpoznał ją. I dał się uwieść, jak człowiek kuszony chłodem grobu. W tamtych czasach już potrafiłam patrzeć i widzieć, jeśli tylko chciałam, więc dojrzałam jego ponure pragnienie i celowo je podsycałam. Tak, są zioła, którymi można uśpić umysł, i korzenie, które potrafią go obudzić. Wywary otwierające oczy duszy oraz inne, przemieniające rzeczywistość w kruche kształty, podobne do ptaków z bibułki. Są też duchy i zjawy. Obojętne, czy w nie wierzysz. Tkwią w sercu człowieka pełnego winy, czekając na szansę odrodzenia.

Mogłabym ci opowiedzieć historię o tym, jak moja matka tchnęła życie w glinianą figurkę, szeptem włożyła dziwne wspomnienia w jej głowę pozbawioną rozumu... i pewien mężczyzna oszalał. Albo o korzeniu, który pewna dziewczyna zjadła, by porozmawiać ze zmarłym ukochanym. I o chorym dziecku, które wychodziło ze swojego ciała i frunęło do umierającego ojca, by szeptać mu w ucho modlitwy... Wiele widziałam. Możesz kręcić głową i prawić o nauce. Pięćdziesiąt lat temu nazwałbyś tę naukę magią. Bo widzisz, wszystko się zmienia. Koło Fortuny każe nam płynąć przez tajemnicze, mroczne wody. Można odzyskać zmarłych, jeśli się ma wiarę i czas. Nam potrzebny był czas.

Marcie, by zebrać siły.

Mnie, by ją przyciągnąć bliżej.

Czekałyśmy.

34

Aż trudno uwierzyć, że czas potrafi zawrócić. Jest złożony jak prześcieradło w bieliźniarce, na załamaniach przeszłość znajduje się blisko teraźniejszości, na wyciągnięcie ręki. Niekiedy się na siebie nakładają. Gdy wracałem z Crook Street na Cromwell Square, uderzyło mnie wspomnienie tak potężne, że nie mogłem się nadziwić, dlaczego wyszło mi z pamięci na długi czas. Całkiem jakby ta rudowłosa dziewczyna zbudziła uśpioną część mojego umysłu i wyzwoliła monstra przeszłości.

Ożywione, tworzyły przede mną obrazy potępienia. Było poczucie winy, z którym potrafiłem żyć, znajome jak linie mojej dłoni. Ale to nie wszystko. Rozsadzała mnie radość. Po raz pierwszy obnażałem siebie bezwstydnie, niczym tania ulicznica przed srogim obrazem ojca w mojej duszy. Biegłem w świetle niknącego księżyca, a szczęście paliło mi trzewia. W ciszy świętokradczo wołałem jej imię.

– Marta!

Długo jeszcze wydawało mi się, że dotykam jej skóry, jej zapach miałem ciągle w nozdrzach, woń tajemnicy i rozkoszy. Śmiałem się bez przyczyny, jak szaleniec, zaiste, bo zdrowe zmysły mnie opuszczały, odsłaniając prawdziwą naturę, tak jak spod welonu wynurza się nieśmiała dziewica.

Wtedy sobie przypomniałem.

Do pierwszej komunii przystępowałem zaledwie miesiąc po tamtym wstydliwym akcie w pokoju matki. Lato przechodziło w dekadencką, przejrzałą jesień, tłuste brązowe pszczoły czaiły się zdradziecko wokół jabłoni, nawet powietrze miało odcień żółtawej mgiełki i słodkawy zapach, przepowiadający długie deszcze po zbiorach i gnicie owoców na gałęziach.

Tego dnia przystępowało nas do komunii sześcioro: czterech chłopców i dwie dziewczynki. Szliśmy od miasteczka do kościoła, towarzyszył nam chór śpiewający hymny, procesję zamykali rodzice i krewni niosący świece. Dla mojego ojca był to dzień powodu do dumy, natomiast matka, która nie znosiła gorąca, nie uczestniczyła w uroczystości. Ja miałem dość rozsądku, by się nie skarżyć, ale chętnie bym się pozbył alby, przypominającej babską koszulę nocną, oraz komży. Z całego serca nienawidziłem brylantyny, którą niania wysmarowała mi włosy. Przesłodzony zapach kosmetyku przywodził mi na myśl gnijące jabłka; drżałem na myśl, że zaraz do mnie zlecą się wszystkie osy z okolicy, zawisną nad moją głową niby złowieszcza chmura. Dzień był rzeczywiście upalny, pot spływał mi po twarzy i szyi, szczypał pod pachami, strumyczki łaskotały mnie w brzuch, piekły w pachwinach. Starałem się nie zwracać na to uwagi, skupić się na słodkich, odrobinę fałszujących głosach chłopięcego chóru i głębszych tonach śpiewu mojego ojca. Mój głos załamał się tydzień wcześniej, więc dla mnie chór się skończył. Napominałem siebie, że jest to dzień dla mnie szczególny, że właśnie dziś staję się pełnoprawnym członkiem Kościoła, a w najbliższą niedzielę, gdy dorośli przystąpią do komunii, będą pili wino z pucharu wysadzanego klejnotami i otwierali usta, by otrzymać tajemniczy biały krążek hostii, ja także się między nimi znajdę. Skosztuję krwi i ciała naszego Odkupiciela.

Zadrżałem. Czytałem w ojcowskich księgach o transsubstancjacji, o cudzie boskiego ciała i krwi, ale dopiero teraz przerażający obraz dotarł do mojej wyobraźni. Co się stanie, jeśli wbiję zęby w nieskalany biały krążek i poczuję, jak w ustach zmienia mi się w ludzkie ciało? Czy wino przeistoczy się w prawdziwą gęstą krew, gdy puchar dotknie moich warg? A jeśli tak, to co mam zrobić, żeby nie zemdleć na stopniach ołtarza?

Oczyma wyobraźni ujrzałem koszmarną scenę: blady jak trup, zgięty wpół wymiotuję krwią i ciałem, a wszyscy zgromadzeni patrzą na mnie przerażeni i zdumieni. Wstrząśnięty ojciec jak skamieniały stoi z tacą hostii w ręku.

Niewiele brakowało, a byłbym stracił przytomność od razu.

Może czeka mnie kara? – rozmyślałem z lękiem.

Człowiek winny kieruje się własną logiką. Sądziłem, że nikt mnie nie widział w sypialni matki. Nie wyspowiadałem się z tego grzechu, bo przecież nie mogłem go powierzyć własnemu ojcu, nawet w konfesjonale. W swojej niegodziwej głupocie uznałem, że uniknąłem kary. Tymczasem przecież Bóg widział wszystko, Bóg był ze mną przez cały czas i teraz każe mi pić prawdziwą krew. Wiedziałem, że zemdleję, i to naprawdę, bo już czułem w ustach słoną, gęstą ciecz. A jeśli splugawię hostię, będę przeklęty po wsze czasy.

Zdusiłem strach ogromnym wysiłkiem woli. Musiałem jakoś przebrnąć przez ceremonię. W przeciwnym razie ojciec dowie się o moim grzechu, bo będę musiał mu powiedzieć. Sama myśl o tym, co mi wtedy zrobi, wytrąciła mnie z paraliżu. Żwawszym krokiem ruszyłem do kościoła.

To nie jest krew, powiedziałem sobie w myślach. Tylko tanie wino. I nie ciało z trupa dawno ukrzyżowanego człowieka, ale komunikant, opłatek, mąka pszenna z wodą, bo chleb za szybko by czerstwiał i pleśniał. Widziałem opłatki w kasetce, którą ojciec trzymał w zakrystii.

Podniosłem wzrok, dojrzałem przepastną gębę kościoła, gotową połknąć nas sześcioro odzianych na biało, jak sześć białych komunikantów. Zachciało mi się śmiać. W duchu zagrałem na nosie.

Nic mnie ta cała komunia nie obchodzi. Wcale się nie boję. Możesz sobie wsadzić te głupie opłatki wiesz gdzie.

Zachichotałem, na tyle głośno, że ojciec obrzucił mnie karcącym spojrzeniem. Natychmiast pokryłem śmiech kaszlem. Czułem się dużo lepiej.

* * *

Msza trwała całą wieczność. Słowa ojca brzęczały niczym ciężkie, przesiąknięte cukrem pszczoły w jabłoniowym sadzie. Przyglądałem się dwóm dziewczętom siedzącym naprzeciwko, po lewej stronie nawy. Liz Bashforth, brzydka, o czerwonej twarzy, ubrana w przyciasną sukienkę, i Prissy Mahoney, której matka „straciła męża" przed dziesięciu laty. Ludzie gadali, że w ogóle nie było żadnego męża, tylko wygadany irlandzki ladaco, który musiał uciekać do Londynu, zostawiając „żonę" i córkę na łasce losu. Tak czy inaczej matka Prissy najwyraźniej poradziła sobie całkiem nie najgorzej, bo ubrała córkę w nowiuteńką sukienkę z koronkami i białymi wstążkami, w białe rękawiczki oraz odpowiednie pantofelki. Zerkając na Prissy znad śpiewnika, przyglądałem się rozpuszczonym włosom, które w dwóch gęstych pasmach spływały na piersi. Nieprzyzwoite słowo wywołało rumieniec na mojej twarzy, ale byłem już w tym wieku, kiedy narasta zainteresowanie dziewczętami, więc co chwila zerkałem na niewielkie wypukłości pod ozdobionym wstążkami stanikiem. W pewnej chwili Prissy pochwyciła moje spojrzenie, na jej ustach zarysował się cień uśmiechu.

Natychmiast uciekłem wzrokiem i spiekłem raka. Po chwili znów się na nią gapiłem.

Ledwo zauważyłem, kiedy ojciec dał znać, żebyśmy przystąpili do komunii. Wstałem śpiesznie i zająłem swoje miejsce w kolejce, wciąż nie odrywając oczu od Prissy. Gdy szliśmy do ołtarza, uświadomiłem sobie, że ona czuje mój wzrok. Z niedbałą precyzją przerzuciła kasztanowe włosy przez ramię, jej biodra poruszały się w dziecięcej parodii uwodzenia.

Zniewolony czarem chwili nie od razu zwróciłem uwagę na to, że inni chłopcy też ją obserwują – i chichoczą. Przez chwilę byłem zdezorientowany. A potem zamarłem. Na białej sukni Prissy, z tyłu, w miejscu, gdzie nogi łączą się z ciałem, przez lśniący jedwab przesączyła się krew, rysując kształt krzywej dziurki od klucza. Ogarnęła mnie panika. Żołądek podszedł mi do gardła, całe ciało nagle powlekła warstwa potu. Moje bluźniercze myśli na temat hostii przybrały realny kształt. Wlokłem się przez nawę zafascynowany i przerażony krwawą dziurką od klucza na białej sukni, nie mogąc oderwać od niej oczu. W tej koszmarnej chwili oczyma wyobraźni zobaczyłem zabawki ojca, Prissy Mahoney jako tańczącą Kolombinę w błękitno-białej sukience, nakręcaną moimi świętokradczymi myślami. Zaczęła się poruszać, z początku nierówno i urywanie, potem z coraz większym wdziękiem, wreszcie z nieludzką płynnością obudzonego do życia mechanizmu. Jej włosy płynęły w powietrzu, gołe nogi podnosiła obscenicznie wysoko, piersi podskakiwały jej pod sukienką, twarz miała wykrzywioną uśmiechem, krew jej płynęła po udach.

Dużo później dowiedziałem się o menstruacji i choć już zawsze ten temat budził we mnie wstręt, przynajmniej zrozumiałem, że biedna Prissy nie była potworem, za jakiego ją uznałem, mając dwanaście lat. Wtedy jednak byłem całkowitym ignorantem, wiedziałem jedynie, że Bóg patrzy na mnie swoim ogromnym, bezlitosnym okiem wielkim jak samo niebo. Wiedziałem, że zostałem przeklęty za kpiny z hostii i przystąpienie do komunii bez rozgrzeszenia. Widomym znakiem była krew w kształcie czerwonego pucharu, krew w sercu białego opłatka, krew, która jest konsekwencją grzechu pierworodnego, krew... krew.

Powiedziano mi później, że krzyknąłem i straciłem przytomność. Ojciec, opanowany jak zawsze, kazał mnie przenieść do zakrystii. Pozostali przyjęli pierwszą komunię zgodnie z planem. Później przeniesiono mnie do domu i położono do łóżka bez słowa komentarza. Leżałem przez całą noc i dzień, a miasteczko huczało od plotek. Według jednych zostałem opanowany przez diabła, bo niby z jakiego innego powodu miałbym zemdleć na widok hostii? Zdaniem innych postradałem zmysły, a byli i tacy, którzy uznali mnie za zmarłego.

Nie wezwano lekarza, tylko ojciec siedział przy mnie z Biblią i różańcem, modlitwą walcząc z moją gorączką i majakami. Nie wiem, czy mówiłem przez sen. Jeśli tak, nic nie pamiętam, a ojciec nigdy o tym nie wspominał, ale gdy się obudziłem następnego dnia, wygonił mnie z łóżka bez słowa, umył i ubrał w komunijne szaty. W milczeniu poszliśmy do kościoła i przed całkiem sporym tłumkiem ciekawskich przyjąłem pierwszą komunię – komunikant oraz wino. Plotki jednak żyły swoim życiem i nie ucichły jeszcze długi czas, bo w takim miasteczku skandal nigdy nie umiera. W końcu komentarze przycichły, przynajmniej kiedy ojciec był w pobliżu. Oficjalna wersja głosiła, że miałem atak epilepsji. Pod tym pretekstem nie posłano mnie do szkoły, więc nie miałem styczności z innymi dziećmi. Ojciec, jak sam Bóg, miał mnie na oku bez przerwy, ale nigdy nic nie powiedział o epizodzie w kościele. Po raz drugi w życiu żyłem w pełnej wzgardy radości, że znów mi się upiekło.

Z czasem o wszystkim zapomniałem.

Aż do teraz.

Prissy Mahoney nie żyła od dwudziestu lat. Mój ojciec także zmarł, a ja nie zamierzałem już nigdy postawić stopy w rodzinnym miasteczku. Dlaczego więc te zdarzenia z odległej przeszłości wydały mi się tak bliskie, takie ważne?

Jesteś głupcem, powiedziałem sobie z mocą. Jesteś głupcem i tyle. Nikt nie będzie cię teraz osądzał. Nikt.

Ale już nastrój mi się zmienił i choć próbowałem odzyskać uczucie swobody, bezwstydnej radości – nie potrafiłem. Dotarłem na Cromwell Square tuż przed świtem. Miałem ściśnięty żołądek i ciężkie powieki.

Zajrzałem do sypialni Effie i doznałem wstrząsu. Zdumiała mnie własna gorycz na jej widok. Moja żona leżała jasna i spokojna w pościeli, niewinna jak dziecko. Jakim prawem wyglądała tak czysto? Przecież ją znałem, wiedziałem o ciasnej magicznej dziurce od klucza między jej nogami. Przekonałem się, że jest skalana! Hipokrytka! Gdyby była prawdziwą żoną, nie musiałbym dzisiaj dzielić łoża z kokotą z Haymarket ani wracać do domu zimnym świtem, prześladowany przez wspomnienia.

Tu jednak mój gniew napotkał przeszkodę: Marta nie była kokotą z Haymarket. Wiedziałem o tym, choć mój umysł się z tym nie godził i doprowadzał mnie do szału. Jak najwierniejszy kochanek pamiętałem jej głos, dotyk, smak jej skóry.

– Marta...

Drgnąłem na dźwięk własnego głosu. Nie wiedziałem, że wypowiem jej imię. Nerwowo zerknąłem na Effie. Poruszyła się lekko, zamruczała coś w poduszkę po dziecinnemu. Wstrzymałem oddech, zamarłem bez ruchu. Stałem tak jakąś minutę, może dwie, czekając, aż zaśnie, po czym ostrożnie pchnąłem drzwi i wyszedłem na korytarz.

Nagle coś dotknęło mojej nogi. W irracjonalnym ataku paniki wyobraziłem sobie, że to Kolombina z twarzą Prissy Mahoney sięga ku mnie w ciemności. A potem zobaczyłem diabelskie żółte ślepia błyszczące złowieszczo w mroku i zakląłem soczyście.

Przeklęty kot!

Syknąłem na niego, on na mnie prychnął, po czym wrócił do swojego żywiołu, w ciemność, a ja schroniłem się w sypialni.

35

Gdy otworzyłam oczy, słońce jasno świeciło za otwartym oknem, a Tabby siedziała przy łóżku, trzymając w dłoniach tacę z gorącą czekoladą i biszkoptami. Sięgnęłam w głąb pamięci, szukając snów z minionej nocy, ale nie znalazłam nic poza wyraźnie oddzielonymi obrazami: Fanny siedząca z kotami przy ogniu, ja złożyłam głowę na jej kolanach. Mose o twarzy powleczonej brunatnym blaskiem płomieni. Usta Henry'ego uśmiechnięte czule. Po ślubie go takiego nie widziałam. Sceny jak rysunki w talii rozrzuconych kart. Równocześnie jest mi dobrze, nic mnie nie dręczy. Nie czułam się tak, odkąd dziecko umarło.

Usiadłam gwałtownie, raptem głodna jak wilk. Wypiłam czekoladę, zjadłam wszystkie biszkopty, a na koniec poprosiłam Tabby o kanapkę.

– Czuję się wspaniale – oznajmiłam wesoło.

– Miło mi to słyszeć, proszę pani – odezwała się Tabby ostrożnie. – Tylko mam nadzieję, że pani nie będzie chciała wychodzić, zanim całkiem wydobrzeje... Pan Chester kazał...

– Gdzie on jest?

– Powiedział, że idzie do pracowni i wróci dopiero wieczorem.

Miałam nadzieję, że mojej ulgi nie było widać zbyt wyraźnie.

– Rozumiem – stwierdziłam z najlżejszą sugestią w głosie, że wcale o niego nie dbam. – Dziś chyba pozwolę sobie na krótki spacer. Świeże powietrze dobrze mi zrobi. Dzień jest prześliczny.

– Ale pan Chester powiedział...

– Powiedział, żebym się oszczędzała po chorobie. Mam dość rozumu, by sama ocenić, czy krótki spacer wyjdzie mi na zdrowie.

– Tak, proszę pani.

Uradowałam się w duchu. Odniosłam niemałe zwycięstwo.

Em ubrała mnie w elegancką suknię spacerową w kolorze złota, włożyłam czepek od kompletu. Przejrzawszy się w lustrze, stwierdziłam, że w ciągu ostatnich kilku tygodni bardzo pobladłam, pod oczyma miałam sine cienie. Uśmiechnęłam się odważnie do swojego odbicia, by rozjaśnić ponury wyraz, jaki czaił się w mojej twarzy.

Dość tego, pomyślałam sobie. Długo chorowałam, ale już jestem zdrowa. Mose miał rację, niedługo... Przetarłam oczy dłonią, nagle straciłam pewność siebie.

Co myśmy właściwie zrobili? Czy minionej nocy byłam na Crook Street? A jeśli tak, to co się tam działo?

Zawirowało mi w głowie, aż musiałam się przytrzymać toaletki. Spomiędzy splątanych myśli wypełzło śmiałe wspomnienie: Fanny myjąca mi włosy i susząca je przed kominkiem... Nie, to musiał być sen. Dlaczego Fanny miałaby mi myć włosy? Zmarszczyłam brwi, próbując to sobie przypomnieć. W lustrzanym odbiciu moje oczy zmieniły kolor, włosy mi pociemniały, skóra nabrała ciepłego odcienia chińskiej herbaty... Palce mi zdrętwiały, usta się otwarły, dusza wysunęła z ciała niczym zasuszony liść spomiędzy kart książki. Wiedziałam, że powinnam pamiętać. Ale łatwiej było dryfować jak balon niesiony wiatrem, słyszeć cichy głos Fanny, która każe mi spać, mówi, że wszystko jest dobrze, że mogę zapomnieć, że tak ma być.

Czuję nerwowy wstrząs, dwa razy, sprowadza mnie on do ciała. Spycham wspomnienia na powrót w ciemność. Nie chcę pamiętać.

(Ciii... wszystko będzie dobrze... nie musisz pamiętać... nie potrzebujesz pamiętać... ciii...)

Nie muszę pamiętać. Fanny wie najlepiej.

* * *

Nim wyszłam z domu, ranek dawno minął i w efekcie dotarłam do Mose'a dopiero w południe. Właśnie wstał, oczy miał zaczerwienione z niewyspania, jasne włosy w nieładzie spadały mu na bladą twarz. Nawet w takim stanie uderzała niesłychana czystość jego rysów, delikatna, prawie kobieca uroda, oczywiście jeśli pominąć uparte linie w kącikach ust i oczu zmrużonych wieczną kpiną. Błysnął uśmiechem przez ledwo uchylone drzwi... w zasadzie połową uśmiechu, bo drugiej części twarzy nie widziałam. Owionął mnie zapach stęchlizny i dymu z cygar.

– Effie! Jedną chwileczkę.

Zamknął drzwi i zniknął. Otworzył po kilku minutach, widać usiłował zaprowadzić we wnętrzu jaki taki porządek. Pootwierał okna.

Cmoknął mnie w usta i opadł na krzesło.

– Łyczek brandy? – zaproponował z nieodłącznym uśmiechem.

Pokręciłam głową. On nalał sobie solidną porcję, przełknął jednym haustem, podnosząc szklankę do ust wprawnym gestem.

– Twoje zdrowie, kochana – powiedział, nalewając trunek po raz drugi. – Zeszłej nocy byłaś niedościgniona.

– Jak to?

Uśmiechnął się jeszcze szerzej i uniósł szklaneczkę w drwiącym toaście.

– Rozumiem, najdroższa, rozumiem – powiedział z przekąsem. – Skromność przede wszystkim. Nie powinienem poruszać tego tematu. Ale skoro już zacząłem, zechciej przyjąć wyrazy najwyższego uznania, bo dzięki twojemu fantastycznemu przedstawieniu mamy drogiego Henry'ego w kieszeni. Wystarczy odrobina cierpliwości i będzie nasz. A dokładnie rzecz biorąc, twój. Wychylił brandy do dna. – Na twojej łasce.

Instynkt ostrzegł mnie, by się nie zdradzać z utratą pamięci. Potrzebowałam czasu, musiałam się zastanowić.

– Jednym słowem, twój plan zadziałał?

– Nawet lepiej, niż przypuszczałem. Henry połknął przynętę razem z haczykiem, żyłką i spławikiem. Co więcej, Fanny twierdzi, że się w Marcie zadurzył po uszy. – Mrugnął porozumiewawczo. – Jeszcze dwa tygodnie i będzie płacił, ile tylko zechcemy.

– Aha! – Przynajmniej tyle zrozumiałam. – A co ze mną? Mówiłeś...

Nie wiem czemu, ale jego porozumiewawczy uśmiech mnie ubódł.

– Cierpliwości, kochanie. Daj mi te dwa tygodnie, niechże i ja nad nim popracuję. A potem, z jego pieniędzmi... Chciałabyś mieszkać we Francji?

Patrzyłam na niego kompletnie zagubiona.

– We Francji?

– Albo w Niemczech, a może we Włoszech? Podobno w Italii malarzom dobrze się wiedzie.

– Nie rozumiem. – Łzy nabiegły mi do oczu, a on wyglądał jak zadowolony z życia troll.

– Oczywiście Henry nie zgodzi się na rozwód – podjął

– więc już nie wrócisz do domu. Ale czy jest czego żałować? Za kim będziesz tęsknić? – Przerwał, przyjrzał mi się uważnie. – Tak, proponuję ci, żebyś została panią Harper, moja ty gąsko – wyjaśnił, bo ciągle patrzyłam na niego całkiem oszołomiona. – Z pieniędzmi Henry'ego możemy się całkiem przyzwoicie urządzić, a ja malowaniem zarobię na wygodne życie. Oczywiście nie obejdzie się bez skandalu, ale do tego czasu my już od dawna będziemy gdzie indziej. Zresztą czy nas to obchodzi?

Nadal milczałam. Czułam się jak zabawka z zepsutym mechanizmem, przepełniona oczekiwaniem na ruch, lecz zastygła w ogłupiałej ciszy.

– No cóż – podjął Mose – widzę, że dostałem za swoje. Sądziłem, że mam niejaką charyzmę, ale najwyraźniej wolisz pantoflarza.

– Nie! – W ustach miałam smak miedzi, słowo wyrwało mi się samo, rozpaczliwie i gwałtownie. – Nie myślałam... Nie przyszło mi do głowy uciekać od Henry'ego... Zwłaszcza gdy powiedziałeś...

– Tamto jest nieważne, zapomnij. Powiedziałem też, że cię kocham, pamiętasz? Lecz aktualnie stan finansów nie pozwala mi cię poślubić. Mogę w każdej chwili iść do więzienia za długi. Cóż to by było za małżeństwo?

– Więc ty...?

– Tak, okłamałem cię. Powiedziałem, że nie chcę się z tobą ożenić. Bolało mnie to kłamstwo, ale nie tak bardzo, jak ciebie zabolałaby prawda. – Uśmiechnął się pocieszająco, objął mnie w talii. – Teraz jednak, jeśli zdołam przekonać Henry'ego, by się z nami podzielił fortuną, będziemy ustawieni do końca życia. Swoją drogą jest ci coś winien za wszystko, co przez niego przeszłaś.

Był przekonujący. Pozwoliłam się zaprosić do krainy fantazji, chłonęłam obraz zręcznie szkicowany przez kochanka, widziałam nas mieszkających w Paryżu, a może w Wiedniu czy Rzymie, Mose zarabia fortunę na sprzedaży swoich obrazów, a Henry jest odległym wspomnieniem.

Ciągle jednak przeszkadzała mi myśl o minionej nocy. Drżała na skraju świadomości, rozpraszała. Fantastyczne przedstawienie? Trochę kręciło mi się w głowie, traciłam kontakt z rzeczywistością. Chwyciłam oparcie krzesła, jakoś utrzymałam równowagę. Wtedy przypomniała mi się scena wyjęta ze wspomnień, tak potężna, że aż się zachwiałam.

Znów byłam w swoim pokoju, gotowa iść spać, ulubioną pluszową zabawkę trzymałam pod pachą. W kącie przy oknie widziałam balony, które mama mi kupiła na urodziny. Kołysały się w lekkim strumieniu powietrza. Byłam podekscytowana i szczęśliwa, ale też czułam się trochę winna, bo jeden pan zobaczył mnie na schodach. I chociaż wydawał się miły, to mama na pewno nie byłaby zadowolona, gdyby się dowiedziała, że zaprosiłam go do pokoju.

Potrząsnęłam głową, uwolniłam się od wspomnienia. Świat wrócił do równowagi, odzyskał ostrość. W następnej chwili zawirował i...

...znów byłam w pokoju ze złym panem (Pustelnikiem), ale tym razem wcale się go nie bałam. Miałam w ustach słony miedziany smak, który po chwili rozpoznałam. To smak nienawiści. Zły pan (Henry) patrzył na mnie, zmrużyłam powieki, stałam się leniwym egipskim kotem, uśmiechnęłam się do niego jak chińska lalka. Zły pan mnie nie rozpoznał (Henry mnie nie rozpoznał), a ja wkrótce będę silniejsza.

Raptem obraz rozpadł się w kolorowe szkiełka kalejdoskopu. Wspomnienia eksplodowały we wszystkie strony, potem zrodził się dźwięk, z początku ledwo słyszalny pomruk, z chwili na chwilę coraz głośniejszy i wyższy, aż do piskliwego krzyku, szalonego wołania, wycia na granicy utraty zmysłów. W tym głosie słyszałam słowa, myśli, rozpaczliwe pytania, bezkształtne odpowiedzi. Byłam chropowatą ścianą dźwięku, o tę ścianę rozbijał się mój zdrowy rozsądek, który nie chciał słyszeć ani pamiętać.

(Czy będę fruwała? Czy będę...)

(mamusiu zły pan nie daj mnie skrzywdzić)

(żądlić żądlić żądlić żżżżądlić)

(to był Henry Henry ją zabił Henry zabił)

(Marta)

(ja to byłam ja ale wróciłam już wróciłam)

(ale będzie zabawa nauczymy się żądlić siostrzyczko)

(fruwać?)

(bo Henry zabił moją...)

(Marta)

(Marta)

(Marta)

Krzyczałam głośno, rozpaczliwie. Rój pszczół zagarnięty płomieniem, cięcie brzytwą po oczach zdrowych zmysłów… Niewyraźnie zdałam sobie sprawę, że palce zakrzywione jak szpony unoszą do twarzy, a głos, mój własny głos wyje na granicy szaleństwa.

– Nie! Wyjdź, wyjdź, wyjdź! Jestem Effie, Effie, Effie! – raz po raz powtarzałam swoje imię.

Potem usłyszałam w głowie głos Fanny – matki, podpory, przyjaciółki. Spowiła mnie miękka zasłona ulgi, majaki ucichły. Czułam, jak Fanny gładzi mnie po włosach, zdejmując z mojej głowy wszelkie troski.

(ciii wszystko będzie dobrze kochanie wszystko będzie dobrze niczego nie musisz pamiętać)

(ale Fanny w moim umyśle jest ktoś inny i byłam)

(ciii to już nie potrwa długo tylko się rozprawimy z Henrym)

(ale ja)

(ciii ty też tego chcesz to ci się podoba)

(...?)

(ciebie też skrzywdził też przestraszył teraz masz przyjaciółkę która rozumie)

(Marta?)

(nie bój się my rozumiemy możemy pomóc kochamy)

(kochacie?)

(tak kochanie wpuść mnie)

Wyobraź sobie płatek śniegu spadający w głęboką studnię. Wyobraź sobie okruch sadzy lecący z mrocznego londyńskiego nieba.

(kocham)

(ja...)

Potem nic.

36

Biedny Mose! I biedna Effie. Chyba powinnam była się czegoś takiego spodziewać. Zrobiłam co w mojej mocy, żeby Effie zapomniała, co się działo, gdy była w transie, bo moim zdaniem tak byłoby lepiej. Niestety, miałam nad nią znacznie mniejszą władzę, niż mi się wydawało. Wielu ludzi uważa, że utalentowany mesmerysta może dowolnie rządzić innym człowiekiem, ale to nieprawda. Marta rzeczywiście była Effie, całkiem dosłownie albo, jeśli wolisz spojrzeć na to inaczej, Effie stała się Martą. Moim zdaniem coś je łączyło, może za sprawą wspólnych doświadczeń z Henrym. Effie miała naturalny dar jasnowidzenia, Marta mogła się przez nią ze mną porozumiewać, nawet mnie dotykać, ale jestem świadoma, że rozsądek temu przeczy. Ten złośliwy, zimny głos racjonalnego myślenia utrzymuje, że Marta odrodziła się jedynie z mojej inspiracji oraz uzależnienia Effie od laudanum – na skutek moich sugestii Effie widziała jedynie to, co ja jej pokazywałam, i zachowywała się zgodnie z moimi poleceniami. Któż to wie?

Mnie te argumenty wydają się równie mało warte jak dowody przytaczane przez Henry'ego Chestera. Moim zdaniem dzisiejsza nauka to wczorajsza magia, a dzisiejsza magia może być nauką dnia jutrzejszego. Jedyną stałą w naszym niespokojnym racjonalnym świecie jest miłość oraz jej mroczna druga połowa, nienawiść. Wierz lub nie, ale razem z Effie przywołałyśmy Martę za pomocą miłości i nienawiści. Na jakiś czas dałyśmy jej dom, a ona uchyliła przed nami rąbka tajemnicy. Możesz uważać, że wykorzystałam Effie do własnych celów, ale zapewniam, nie tak to wyglądało. Kocham ją równie mocno jak córkę, są w moim pojęciu dwiema twarzami tej samej kobiety. Stworzyłyśmy razem potrójną jedność, Erynie, nierozdzielne i niezwyciężone, połączone miłością. Właśnie miłość kazała mi zadbać, by Effie zapomniała, co jej pokazałam. I miłość sprowadziła ją do nas ponownie, gdy potrzebowała matki i siostry. Wiedziałam, że tak się stanie. Tylko doszło do tego wcześniej, niż przewidywałam.

W piątek późnym popołudniem na Crook Street przyszedł Mose, nieogarnięty i mocno poruszony. Z jego słów zrozumiałam, że Effie zjawiła się u niego z wizytą i najwyraźniej miała atak, który go mocno zaniepokoił. Wytłumaczyłam mu sprawę, najprościej jak się dało, tak by zrozumiał. Wyszedł nie do końca usatysfakcjonowany, ale posłuszny. Ponoć odesłał Effie na Cromwell Square z poleceniem, by nie opuszczała domu przed przyszłym czwartkiem. Wierzyłam w nią, ufałam, że nie da Henry'emu żadnego powodu do podejrzeń. Najważniejszy był czas.

37

W ciągu następnego tygodnia widywałem żonę rzadko jak nigdy. Nie umiałem temu zaradzić, ot, nagle nie potrafiłem znieść jej obecności. Zakosztowałem silniejszych wrażeń i jej chorowita bladość mnie przerażała. Bez przerwy czuć było od niej laudanum, bo przyjmowała lek często, nawet bez przypominania. Zauważyłem też, że stawała się coraz bardziej nerwowa, w miarę jak upływały kolejne godziny dnia i lekarstwo traciło siłę oddziaływania. Jadła niewiele i prawie się nie odzywała, oskarżając mnie zamglonymi oczyma. Kot nie odstępował jej ani na chwilę, znienawidzony członek rodziny, śledzący mnie zmrużonymi żółtymi ślepiami. Wbrew sobie poddałem się złudzeniu, że to zwierzę czyta mi w myślach.

Nie mogłem tego znieść. Podjąłem korespondencję z doktorem Russellem, wyrażając troskę o stan umysłu mojej żony. Nawet teraz nie potrafię wyjaśnić, dlaczego to zrobiłem. Może już wtedy rozumiałem, że nie zniosę życia z Effie, skoro znalazłem się pod urokiem Marty. Spotkałem się z Russellem kilkakrotnie i opowiedziałem mu, że polecony przez niego lek, chloral, doskonale sprawdza się u mnie jako środek nasenny. Mało tego, najwyraźniej rzeczywiście nie miał skutków ubocznych. Dyskutowaliśmy także o uzależnieniu Effie.

Russell za każdym razem okazywał uprzejme zainteresowanie, z błyskiem pasji w zielonych oczach rozprawiał o licznych maniach, do jakich ma skłonności słaba płeć, przytaczał przykłady katalepsji histerycznej, schizofrenii oraz nimfomanii. Jego zdaniem słabszy intelekt jest u kobiet przyczyną większej podatności na choroby umysłu. Idea ta radowała go szczerze, był uczonym w każdym calu. Przyszło mi na myśl, że znalazłem w nim potencjalnego nieocenionego sprzymierzeńca. Pielgrzym wiecznie poszukujący egzotycznych przypadków obłędu, kolekcjoner chorych głów. Narodziła się myśl, ledwo ukształtowana, krucha i odłożona na później, że któregoś dnia zdołam go przekonać, by dodał do swoich zbiorów Effie. Prowadzoną z nim korespondencję odkładałem do zamykanej na klucz szuflady biurka. Zachowywałem się z wyważoną nonszalancją truciciela magazynującego kolejne porcje arszeniku.

Całymi dniami przesiadywałem w pracowni, próbując ukończyć „Karciarzy". Po raz pierwszy w życiu malowałem bez modelki. Z pamięci dobywałem rysy twarzy, szkicowałem od razu na płótnie, ołówkiem i farbami olejnymi. Postać nabierała kształtów pod moimi palcami jak za sprawą czarów. Pamiętałem fakturę włosów, ciepło skóry, niedbale pochyloną głowę. Z delikatnością czułego kochanka malowałem czerwonawy blask światła na policzkach uwydatniający butny zarys szczęki i drżące usta. Wargi lekko zaciśnięte. Zbłąkana iskra odbiła się w jej oczach. Dziewczyna patrzyła przez stół na drugiego gracza, brwi miała uniesione w wyrazie triumfu i radości. Postać namalowałem w ciemnych barwach, by wyeksponować twarz. Chyba nigdy wcześniej nie stworzyłem bardziej wymownych rysów. Włosy spływające kaskadą rozświetliłem czerwonym nimbem, zyskując akcent dwuznaczności, niebezpieczeństwa, przywodzący na myśl łunę płonącego miasta. Przez pięć dni pracowałem w gorączce, zaciemniając ukończone fragmenty płótna w taki sposób, żeby wzrok patrzącego kierował się na twarz dziewczyny, tylko na jej twarz.

Raz, przelotnie, ujrzałem w niej pewne podobieństwo do Effie. Ale zanim ta myśl na dobre przybrała kształt, już wiedziałem, że się pomyliłem. Marta była pełna życia, w niczym nie przypominała mojej biednej „Małej żebraczki". Równie dobrze można by porównywać ognisty płomień z kartką papieru. Gdyby te dwie miały się spotkać, Effie zostałaby wchłonięta przez nienasyconą energię Marty.

Przez cały tydzień spalało mnie pożądanie. Prężyłem się w szponach żądzy pod ciężkim przykryciem, a oko Boga tkwiło wbite gwoździem w czubek mojej głowy. Pościel parzyła mnie siarkową wilgocią ciała. Tęskniłem bez przerwy.

Przez sześć nocy czerpałem sen z butelki z chloralem. Dobrze ją pamiętam, granatowe szkło, chłodne antidotum na szkarłatne sny. Zagubiony w potędze gorączki i namiętności powitałem czwartkowy świt pewien rozczarowania. Nie było sensu iść do niej po raz drugi. Nie istniała Szeherezada, dama o bajecznych stopach i oczach jak granaty. Dzisiaj spotkam się z tanią dziwką, przemyślnie ubraną, ale tylko dziwką. Nie będzie żadnej magii. Wiedziałem na pewno.

* * *

Przyjechałem o północy. Zegar w holu akurat odliczył ostatnią minutę i zaczął wybijać dwunastą. Zadrżałem. Gdy ciężkie tony wsączały się w ciszę, za moimi plecami ktoś otworzył drzwi. W progu stanęła Fanny, w żółtym brokacie, z włosami jak winorośl. Oba koty ocierały się jej o łydki. Poprowadziła mnie tym razem nie do czerwonego saloniku, ale w górę, do jakiegoś pokoju na pierwszym piętrze. Nigdy wcześniej tam nie byłem.

Zapukała do drzwi i od razu je otworzyła. We wnętrzu panował półmrok, światło z korytarza natychmiast zniszczyło dyskretny blask w pomieszczeniu. Zrobiłem krok i usłyszałem, jak drzwi za mną się zamykają. Przez chwilę rozglądałem się wokół zdezorientowany. Pokój był spory, prawie pusty, oświetlony kilkoma lampami gazowymi, ze szklanymi niebieskimi kloszami. Przypominały mi butelkę z chloralem, obiecując chłodne zapomnienie. Zadrżałem. Wcale nie z powodu myśli – w pokoju było zimno. Ogień na kominku wygasł, palenisko odgrodzono ciemnym chińskim parawanem z laki. Podłogę częściowo przykrywały dywany, natomiast ściany były nagie. Wnętrze zdawało się martwe, nie było w nim nic z przepychu czerwonego salonu. Mebli nie było, jedynie stolik, na którym zostawiono szklankę i niebieską karafkę.

– Proszę sobie nalać – syknął za mną jakiś głos.

Tak, to ona. Niesamowite, potrafiła zniknąć, kiedy tylko chciała. Czarne włosy... jak mogłem je uznać za rude? Przecież były czarne, kruczoczarne jak u damy pik, jak u szulerki z kartą w ręku. Spływały między jej rozłożonymi rękoma prosto niczym deszcz. Była blada jak kreda, usta ginęły w jasnej twarzy, oczy lśniły kobaltem w gotyckiej bladości. Suknia składająca się z kilku warstw została uszyta z jakiejś sztywnej tkaniny odstającej od ciała, obfita i bogata stanowiła kontrast z ponurym otoczeniem. Dziewczyna przywodziła na myśl porcelanową lalkę.

Automatycznym gestem nalałem sobie trunku. Był połyskliwy i cierpki, wyczułem w nim jałowiec. Znów musiałem walczyć z poczuciem, że tracę kontakt z rzeczywistością. Ciekaw byłem, czy dodano do trunku chloralu, bo zdawało mi się, że zapadam w wodnistą pustkę, a Marta jest rozkołysanym duchem w podmorskim świetle, utopioną syreną, której włosy cuchną wodorostami i zgnilizną. Wtedy objęła mnie zimnymi ramionami, przelotnie musnęła ustami wargi.

Szeptała mi w ucho obsceniczne słowa, a ja oparłem się na niej, chwyciłem w garście suknię, ściągnąłem dziewczynę na podłogę, opadłem razem z nią na dno mulistego oceanu. Jej krew szumiała mi w uszach, jej ciało wreszcie zdusiło moje poczucie winy.

Gdy opadłem z sił, leżeliśmy razem na miękkim niebieskim dywanie, a ona snuła szeptem opowieść podobną do baśni, o kobiecie, która zmieniała się razem z fazami księżyca, wyrastając z dziecka w piękność, a na koniec zmieniając się w ohydną staruchę... Ogarnięty namiętnością po raz wtóry, zanurzyłem się w niej jak delfin skaczący w fale.

– Muszę się z tobą znów zobaczyć – powiedziałem wreszcie. – Jak najszybciej.

– W przyszły czwartek – stwierdziła cicho, lecz głosem nieznoszącym sprzeciwu. Beznamiętnie, prawie ochryple. To był głos taniej dziwki pilnującej interesu.

– Nie, nie. Muszę cię zobaczyć wcześniej.

Pokręciła głową z roztargnieniem. Matowy brokat sukni przylgnął jej do nóg. Wyżej była naga, sutki odcinały się od bladej skóry najdelikatniejszym błękitem.

– Mogę cię widywać tylko raz w tygodniu – powiedziała. – Tylko w czwartki. Tylko tutaj.

– Dlaczego? – Przepełniał mnie gniew. – Przecież ci płacę! Gdzie się podziewasz przez resztę tygodnia? Z kim jesteś?

Splamiona Kolombina uśmiechnęła się łagodnie spoza wilgotnych pukli. I nic więcej.

– Przecież ja cię kocham! – Nieszczęśliwy ścisnąłem ją za szczupłe ramiona, zostawiłem na nich siniaki. Spragniony, taki spragniony. – Kocham cię... – Objawienie. – Kocham cię!

Zmiana światła. Chloralowe oczy odbijają moją twarz zastygłą w wyrazie błagania. Ona przekrzywia głowę jak dziecko słuchające z uwagą.

– Nie – mówi tonem bez wyrazu. – Nie kochasz mnie. Jeszcze nie dość mocno. Jeszcze nie.

Odrzuca moje zaprzeczenia gestem, zaczyna wkładać na siebie porozrzucany strój. Robi to z niewymuszoną gracją, jak rozpuszczone dziecko, wciągające na siebie ubranie matki.

– Pokochasz mnie, Henry – mówi miękko. – Wkrótce mnie pokochasz.

Długi czas pozostaję sam w niebieskim pokoju, wydany na pastwę swojego pragnienia. Na podłodze u moich stóp zostawiła jedwabną apaszkę. Mnę ją i zwijam w dłoniach. Jakiś prymitywny instynkt każe mi chcieć owinąć ją wokół jej bladego gardła. Szeherezada zniknęła, tropiona przez głodne wilki.

Marta... Marta. Marta! Oszaleję od tego imienia. Marta, mój sprzedajny sukub, moje znikające księżycowe dziecko. Dokąd odchodzisz, kochanie? Do jakiejś mrocznej podwodnej krypty, gdzie pływają rusałki? Do kamiennego kręgu, gdzie będziesz do rana tańczyła z innymi wiedźmami? Czy może z głębokim dekoltem i ustami pomalowanymi na czerwono pójdziesz nad brzeg rzeki? Czy w plugawych zaułkach tarzasz się w rozpuście z mętami i kalekami? Czego ode mnie chcesz, Marto? Powiedz tylko słowo, a dam ci, czego tylko zapragniesz. Dam ci wszystko.

Wszystko.

38

Nikt nam nie przeszkadzał. Henry nie mógł sobie znaleźć miejsca, oddany bez reszty swym marzeniom. Byłyśmy tylko we dwie.

Podążała za mną jak skażone odbicie w kociej źrenicy, blady wizerunek mnie samej, szeptała do mnie w ciemnościach. Marta, moja siostra, mój cień, moja miłość. Nocami rozmawiałyśmy po cichu, schowane pod kołdrą, jak dzieci dzielące się sekretami. Za dnia była ze mną wszędzie, zawsze niewidoczna. Przy obiedzie ujmowała moją dłoń pod stołem, szeptała mi w ucho słowa otuchy. Nie widywałam się z Mose'em, bo jego zdaniem byłoby to niebezpieczne dla naszych planów, ale i tak nie byłam samotna. Ani się nie bałam. Zaakceptowałyśmy siebie wzajemnie, ona i ja. Po raz pierwszy w życiu nie czułam się samotna.

Pozorowałam chorobę, żebyśmy mogły przebywać razem. Przyjmowałam laudanum i udawałam, że śpię. A sny były czarodziejskimi statkami o żaglach jak skrzydła, płynącymi wysoko w powietrzu. Pierwszy raz od lat pozbyłam się nienawistnego ciężaru winy, który Henry złożył na moje barki. Uwolniłam się od Henry'ego i od siebie. Byłam przezroczysta jak szkło, czysta niczym źródlana woda. Otwierałam okna pokoju i rozkoszowałam się wiatrem przemykającym przeze mnie, jakbym była fletem...

– Proszę pani! Tak nie można!

Głos Tabby wyrwał mnie z euforycznej zadumy. Obróciłam się do niej, raptem skołowana i drżąca. Odstawiła tacę i podbiegła do mnie, wstrząśnięta i zatroskana. Objęła mnie, a wtedy na chwilę uznałam ją za Fanny, która przyszła zabrać mnie do domu, i znowu się rozpłakałam.

– Och, proszę pani! – Objęła mnie i poprowadziła do łóżka. – Pani musi się położyć. Zaraz wszystko doprowadzę do porządku. – Zakrzątnęła się jak kwoka gdacząca niespokojnie. Zamknęła okno i nim zdążyłam zaprotestować, nakładła na mnie koców. – Tak stać, proszę pani, na zimnie, prawie bez niczego... Pani się przeziębi i umrze, przeziębi się pani na śmierć! Proszę pomyśleć, co by pan Chester powiedział, gdyby to zobaczył... Taka jest pani chudziutka, leciutka jak piórko, za mało pani jada, trzeba by porcje ze dwa razy większe...

– Tabby, bardzo cię proszę, nie martw się o mnie – przerwałam jej ze śmiechem. – Czuję się doskonale. I lubię świeże powietrze.

Gwałtownie potrząsnęła głową.

– Ale nie takie! Bardzo proszę o wybaczenie, ale nie takie. Miejskie powietrze bardzo źle wpływa na płuca. Pani potrzebuje filiżanki czekolady i coś zjeść. I to nie takie rzeczy, co to zaleca ten cały doktor Russell, tylko prawdziwe, staromodne wiejskie jedzenie...

– Doktor Russell? – Starałam się, żeby w moim głosie nie było napięcia, ale i tak przechodził w bezradny pisk. – Henry obiecał, że nie pośle po lekarza! Tabby, ja się naprawdę czuję całkiem dobrze.

– Niech pani się tym nie martwi – pocieszała mnie Tabby. – Przecież pan Chester się troszczy o panią, dlatego wezwał doktora i zasięgnął jego porady. Może nie powinnam była tego mówić.

– Ależ wręcz przeciwnie. Bardzo dobrze zrobiłaś. I cóż doktor powiedział? Kiedy był?

– Przyszedł wczoraj, gdy pani zasnęła. Nie wiem dokładnie, co powiedział, bo rozmawiał z panem Chesterem w bibliotece, ale pan później mi polecił pilnować, żeby pani brała kropelki, piła dużo ciepłego i jadła lekkie dania. Rosół z kurczaka, galaretki... Ale mnie to się wydaje – znowu spochmurniała – że pani potrzebuje porządnego jedzenia, puddingów i czerwonego mięsa, a może i kieliszek czegoś mocniejszego. Tak, właśnie tak, a nie tam wywary i galaretki. I tak powiedziałam panu Chesterowi.

– Ach, to tak... – mruknęłam, skrywając poruszenie.

Zresztą ta rozmowa z lekarzem nie miała żadnego znaczenia. Przecież wkrótce i tak będzie za późno, Henry nic już nie zrobi. Wystarczy, żebym zachowała spokój i nie dała mu powodu do niezadowolenia. Już niedługo Mose będzie gotów rozpocząć realizację planu. A do tej pory...

(Ciii... śpij. Ciii...)

Tabby trzymała w ręku filiżankę czekolady.

– Ciii, proszę pani. Niech pani wypije i odpocznie. Nabierze pani sił.

Zmusiłam się do wzięcia filiżanki.

– A kropelki? – spytała Tabby. – Brała pani lekarstwo?

Uśmiechnęłam się. Sama myśl, że mogłabym ich nie wziąć, wydawała się śmieszna.

– Będziesz musiała niedługo kupić nowe, już prawie zużyłam całą butelkę.

– Oczywiście, proszę pani, oczywiście – zapewniła mnie Tabby. – Pójdę jeszcze dzisiaj, proszę się nie martwić. Teraz pani wypije czekoladę, a ja przyniosę pyszne śniadanie.

I dopilnuję, żeby tym razem pani coś zjadła! – dorzuciła z udawaną srogością.

Pokiwałam głową i zamknęłam oczy, bo ni stąd, ni zowąd, zalała mnie fala znużenia, budząc ból w skroniach. Jeszcze uchyliłam powieki, gdy usłyszałam, że drzwi się zamknęły. Wtedy Tyzia wskoczyła lekko na kołdrę i ułożyła się tuż przy mojej dłoni. Pogładziłam ją odruchowo. Mrucząc, przeniosła się na poduszkę, jak najbliżej mnie i przez jakiś czas obie spałyśmy.

Gdy się obudziłam, na stoliku przy łóżku stała filiżanka zimnej czekolady oraz taca z obiecanym śniadaniem: dawno wystygła herbata, tost z bekonem i smażone jajka. Przespałam co najmniej godzinę. Herbatę wylałam przez okno, bekon i jajka oddałam Tyzi, która zjadła je z wyraźnym apetytem. Raz Tabby się ucieszy, że danie nie wróciło do kuchni nietknięte. Ubrałam się w starą szarą suknię, schowałam włosy pod białym czepkiem, obmyłam twarz. W lustrze dostrzegłam, że jestem bardzo blada i mizerna. Rysy bardzo mi się wyostrzyły. Nieważne. Nigdy nie uważałam siebie za piękność, nawet w czasach, gdy byłam ślicznotką pana Chestera. To Marta zawsze była piękna. Nie ja.

Henry pracował w studiu, jak zwykle. Spędzał tam prawie całe dnie. „Karciarze" zostali ukończeni i nawet zasłużyli na pochwałę Ruskina, który zaproponował wystawienie obrazu w Royal Academy i obiecał napisać do gazet życzliwy artykuł. Henry tymczasem sprawiał wrażenie zajętego czymś innym, zupełnie się nie interesował całym ambarasem. Powiedział mi, że pracuje nad nowym, dużym płótnem zatytułowanym „Szeherezada", ale poza tym był dziwnie milczący. Posiłki spożywaliśmy w ciszy, tylko od czasu do czasu rozlegało się brzęknięcie sztućca o porcelanę, które niosło się strasznym echem przez jadalnię. Kilkakrotnie udałam niedyspozycję, by się uwolnić od tych okropnych posiłków, gdy Henry jadł w milczeniu, ja nerwowo stukałam palcami w szkło, a mój głos drapał ciszę w desperackiej próbie przełamania milczenia. Raz czy drugi Henry wynurzył się ze swojej próżnej kontemplacji, przeprowadzając jakąś gwałtowną tyradę, a ja rozumiałam, że mnie nienawidzi. Ślepo i z pasją, poza wszelką logiką, pierwotnie i nieświadomie. Tak samo rój pszczół czuje nieodpartą konieczność żądlenia. Wzmocniona nowym spojrzeniem na świat zrozumiałam coś jeszcze: Henry nie wiedział, że mnie nienawidzi. Było to uczucie skryte, dojrzewające w mroku, czekające na swój czas... Pozostawała mi nadzieja, że Mose zacznie działać wkrótce.

* * *

Cztery tygodnie byłam pod silnym wpływem leku, na wpół uśpiona, oderwana od rzeczywistości – gąsienica w kokonie. Moje ciało nabrało nowych, dziwnych nawyków. Jadałam sporo ciast i łakoci, przy bezkrytycznej aprobacie Tabby, choć wcześniej nie przepadałam za słodyczami. Zamiast herbaty wolałam lemoniadę. Nie wolno mi było samej wychodzić do ogrodu. Jeżeli chciałam zaczerpnąć świeżego powietrza, zawsze ktoś ze służby dotrzymywał mi towarzystwa na ławce przy stawie albo na tarasie. Czasem niefrasobliwie plotkująca Em, innym razem Tabby, milcząca, lecz zawsze miła, ubrana w kwiecisty fartuch o podwiniętych rękawach, odsłaniających grube, czerwone ramiona. W rękach wiecznie miała jakąś robótkę, a to szycie, a to szydełkowanie... W razie brzydkiej pogody wysiadywałam godzinami przy oknie, patrząc na deszcz i pracując nad haftem. Po raz pierwszy w życiu znajdowałam w tym zajęciu przyjemność. Czasami cały dzień mijał mi nie wiadomo kiedy i bez jednej logicznej myśli. Miałam w umyśle ogromne puste przestrzenie, a w nich wirowały oderwane obrazy, spadające na mnie znienacka, oślepiające zaskakującą intensywnością.

Któregoś ranka, gdy Henry wyszedł, zajrzały do mnie ciotka May i matka. Akurat tego dnia byłam tak otumaniona lekami, że ledwo obie rozpoznałam. Matka była w doskonałej formie, ubrana w różowy płaszcz i czepek ze strusimi piórami, mówiła z ożywieniem o panu Zellinim, który zabrał ją na przejażdżkę dwukółką. Ciotka May wyglądała staro. Kiedy ją pocałowałam, zachciało mi się płakać, chyba bez powodu, ot z tęsknoty za dawnymi czasami, jeszcze na Cranbourn Alley.

Spojrzała na mnie czarnymi, mądrymi oczyma i przytuliła mocno do płaskiej piersi.

– Effie, wracaj do nas – szepnęła. – Zawsze masz u mnie dom, dziecino, cokolwiek by się działo. Chodź ze mną, teraz, póki nie jest późno.

Płakałam między innymi dlatego, że już było za późno. Miałam nowy dom, nową rodzinę. W tamtej chwili spadło na mnie straszne przeczucie, zatonęłam w cudzych wspomnieniach... Może gdybyśmy wtedy były tylko we dwie, spróbowałabym jej powiedzieć, co się ze mną dzieje. Ale była też matka, z radością wyliczająca zalety pana Zelliniego, a Tabby polerowała korytarz do połysku, podśpiewując jakąś popularną piosenkę z wodewilu. Razem jedno z drugim było tak odległe od Crook Street, że nie potrafiłam znaleźć słów, by w ogóle poruszyć temat.

Którejś nocy, gdy szykowałam się do snu, przypomniał mi się Mose. Zaistniał w moich myślach bolesną tęsknotą. Nawet nie wiedziałam, kiedy minęły pełne dwa tygodnie, odkąd w ogóle o nim myślałam. Głowa zapadła mi w poduszki, pełna byłam ogromnego zmieszania, samotności i poczucia winy. Jakim cudem zapomniałam o człowieku, którego obdarzyłam miłością, o mężczyźnie, za którego gotowa byłam oddać życie? Co się ze mną działo? Jeżeli zapomniałam o nim, o matce i ciotce May, co jeszcze umknęło mi z pamięci? Może faktycznie traciłam zmysły? Co się ze mną działo tamtej nocy, gdy uznałam, że się przebudziłam z głębokiego snu? Dlaczego któregoś ranka płaszcz wiszący w szafie ociekał wodą? Dlaczego poziom laudanum w buteleczce obniżał się regularnie, choć w ogóle nie pamiętałam, żebym przyjmowała lek? I skąd mi się brało przekonanie, iż wkrótce dojdzie do jakiegoś przełomowego zdarzenia?

Zaczęłam prowadzić pamiętnik, lecz kiedy przeczytałam zapisane karty, okazało się, że nie pamiętam połowy odnotowanych tam zdarzeń, a także nie przypominam sobie, żebym je zapisywała. Fragmenty poezji, jakieś imiona i szkice... Miejscami charakter pisma był tak różny od mojego, że wątpiłam, bym to rzeczywiście ja sama prowadziła notatki. Stawiam litery równe i zaokrąglone, te obce stanowiły pozbawioną konkretnego kształtu bazgraninę, jakbym dopiero całkiem niedawno opanowała sztukę pisania.

Któregoś razu, otworzywszy pamiętnik, zobaczyłam powtórzoną wielokrotnie zbitkę trzech słów: „Euphemia Madeleine Chester". Przy innej okazji tak samo rozpisane znalazłam imiona kotek Fanny: „Tyzyfone, Megajra, Alekto. Tyzyfone, Megajra, Alekto. Tyzyfone..." – i tak nieomal przez pół strony. Tymczasem zdarzały się też dni, gdy myśli miałam przejrzyste. Właśnie w taki dzień uświadomiłam sobie, że Henry mnie nienawidzi. Przestraszyłam się tego odkrycia, ale jednocześnie z uczuciem bliskim radości stwierdziłam, że muszę z mężem walczyć, wykorzystując cały swój spryt i pogardę. Czekałam, obserwowałam i zaczęłam dostrzegać, co planuje.

Tabby ostrzegła mnie bezwiednie, wspominając o doktorze Russellu. Domyśliłam się jego roli, a strach, jaki wtedy mnie sparaliżował, dawno już opanowałam. Henry nie wygra. Zapisałam to w pamiętniku czerwonymi jak krew wersalikami, na wypadek gdyby znów przydarzył mi się zanik pamięci.

Zamierzałam opuścić męża. Uciec od niego z Mose'em. Fanny mi udzieli pomocy.

W obecności Henry'ego zawsze udawałam mało przytomną, ale spod na wpół opuszczonych powiek obserwowałam go uważnie. I czekałam.

Doskonale wiedziałam, na co czekam.

39

Następne cztery tygodnie wlokły się bezlitośnie jak letnie popołudnia, gdy miałem lat dwanaście i wszystkie bogactwa natury czekały na mnie za przykurzonym szkolnym oknem. Czekałem. Pracowałem jak szalony, do utraty sił, więc kiedy już musiałem wrócić do domu, udawało mi się zachować przynajmniej pozory zdrowego rozsądku. Ściany pracowni pokrywały rysunki węglem: profile, trois-quattre i portrety en face, szkice dłoni, włosów, oczu, warg. Pracowałem w tempie graniczącym z szaleństwem. Zarzucałem podłogę szkicami robionymi kredą, tuszem i akwarelą. Każdy był idealny, nasycony doskonałością wspomnienia kochanki.

W sobotę wyprawiłem się do swojego dostawcy na Bond Street i kupiłem płótno pierwszej jakości, rozpięte i zagruntowane. Nigdy dotąd nie malowałem na takim dużym. Miało dwa i pół metra wysokości oraz półtora szerokości, a ponieważ było już rozciągnięte na ramie, musiałem wynająć dwóch ludzi, by je przetransportowali ze sklepu do pracowni. Warte było każdego pensa z dwudziestu funtów, jakie za nie zapłaciłem, bo gdy tylko umocowałem je na sztalugach, natychmiast zacząłem gorączkowo malować, od razu na pięknej kremowej powierzchni ogromne, wzniosłe postacie podsuwane przez wyobraźnię.

Zakładam, że widziałeś moją „Szeherezadę". Wisi w Royal Academy do dzisiaj, królując nad obrazami Rossettiego, Millaisa oraz Hunta. W oczach ma wszystkie barwy widma. Jest wyższa niż w rzeczywistości, prawie naga, przedstawiona na tle niewyraźnej wschodniej draperii. Ciało ma prawie dojrzałe, twarde, szczupłe, pełne wdzięku, skórę w kolorze słabej herbaty, dłonie smukłe i pełne wyrazu, długie paznokcie pomalowane na zielono. Włosy opadają jej nieomal do stóp – tutaj nieco nagiąłem rzeczywistość, ale reszta jest prawdziwa, możesz mi wierzyć. Postawę ma dumną, patrzy wprost na oglądającego, wyzywająca w swojej nagości, drwiąca z jego pełnego winy pożądania. Jest cudownie bezwstydna, chce włączyć widza do jakiejś egzotycznej opowieści o ryzykownych przygodach. Twarz jej płonie od emocji, usta skłonne do śmiechu wyrażają kpinę. U jej stóp leży otwarta księga o swobodnie rozłożonych kartach, a w cieniu leżą i szczerzą kły dwa wilczyska o ślepiach jak siarka. Jeśli przyjrzysz się ramie, znajdziesz fragment z wiersza.

Kto śmie znaleźć Szeherezadę
Na lądzie czy wodzie,
Szkarłatne usta pocałuje
I o tym opowie?

To ja pragnę Szeherezady
W noc jedną z tysiąca
I szukam jej w blasku księżyca,
I w zachodzie słońca.

Kto zatrzyma Szeherezadę
Tuż po wschodzie słońca?
Ja szukam jej w blasku księżyca
W noc jedną z tysiąca.

W czwartek wróciłem do domu wcześniej niż zazwyczaj, bo wyobrażenie na wpół ukończonej „Szeherezady" było tego dnia zbyt potężne. Opuściłem pracownię w pośpiechu, nawet się nie przebierając. Dokuczał mi ból głowy, który falą uderzał w nabiegłe krwią oczodoły. Chloral zostawiłem w domu, więc dotarłszy na Cromwell Square, od razu pośpieszyłem do swojego pokoju i do granatowej jak północ butelki. Byłem już przy apteczce, gdy dostrzegłem żonę stojącą, nieruchomo, za moim biurkiem, całkiem jakbym za sprawą bezruchu miał jej nie zauważyć.

W pierwszej chwili myślałem, że to Marta. A potem zalał mnie gniew, zagłuszając nawet ból głowy. Może dlatego, że zobaczyła mnie w takim stanie: bezradnego, szperającego między słoiczkami w poszukiwaniu chloralu. A może dlatego, że niewiele brakowało, bym zawołał Martę po imieniu. Lub z powodu jej wyglądu – ciastowatej twarzy idiotki, pustych bezbarwnych oczu i włosów jak u starej kobiety. Albo ze względu na listy, które trzymała w ręku.

Listy Russella! Prawie zapomniałem.

Patrzyłem na nią w milczeniu. Jedna tylko myśl kołatała mi się w głowie:

Jak śmiała?!

Effie mogłaby równie dobrze być wykuta z kamienia. Patrzyła mi w oczy tym swoim tępym szarym spojrzeniem.

– Napisałeś do doktora Russella – odezwała się cicho, oskarżycielsko. – Poprosiłeś go o wizytę.

Tak niesłychana impertynencja odebrała mi mowę. Cóż to? Ona oskarżała mnie, trzymając w ręku moje listy?!

– Dlaczego mi nie powiedziałeś, że pisałeś do doktora Russella? – Głos miała spokojny, bez wyrazu, zapisane kartki wyciągnęła w moją stronę jak broń. Tyle zjadliwości było na jej twarzy, że omal nie cofnąłem się do drzwi. Gniew bił od niej falami.

– Czytałaś moje listy! – Zamierzałem narzucić jej swoją wolę, ale słowa były tylko bezładną mieszanką dźwięków, jak talia rozsypanych kart. Myśli wydały mi się raptem powolne i obce, przeszkadzała im wściekłość. Spróbowałem jeszcze raz. – Nie masz prawa szperać w moich papierach. – Oblizałem wargi. – W moich prywatnych listach.

Po raz pierwszy w życiu nie zareagowała na ostre nuty w moim tonie. Oczy miała jak kamienie, jak grynszpan. Kocie oczy.

– Od Tabby wiem, że doktor Russell był tutaj. Ale ty mi o tym nie powiedziałeś. Dlaczego nie dowiedziałam się od ciebie, że posłałeś po niego? Co chciałeś przede mną ukryć?

Zamknął się wokół mnie zimny kokon strachu. Skarlałem pod ciężarem jej gniewu, skurczyłem się, stałem się kimś innym, młodszym... Tańcząca Kolombina pojawiła mi się przed oczyma jak znienawidzony pajac z pudełka. Na czoło wystąpiły mi kropelki potu. Zmusiłem się, by nie patrzeć na butelkę chloralu, stojącą zaledwie kilka centymetrów od mojej dłoni.

– Posłuchaj no mnie, moja droga Effie! – warknąłem.

O tak, tak lepiej, dużo lepiej.

– Zachowujesz się niewybaczalnie! Jestem twoim mężem i mam prawo podjąć wszelkie kroki, by dbać o twoje zdrowie. Wiem, że masz słabe nerwy, ale to nie daje ci prawa do szperania w moich prywatnych listach. Ja...

– Moje nerwy nie mają tu nic do rzeczy! – krzyknęła wściekle, ale nie było w jej głosie nawet grama histerii, jakiej mógłbym się spodziewać po takim wybuchu. Zaczęła głośno czytać list, a jej słowa ociekały goryczą. Jak zuchwałe dziecko udatnie naśladowała ciężki akcent doktora.

Szanowny panie Chester!

W ślad za naszą ostatnią rozmową chciałbym potwierdzić, iż całkowicie zgadzam się z Pańską diagnozą dotyczącą stanu nerwowego Pańskiej drogiej małżonki. Chociaż jak dotąd nie ma powodów mówić o manii, dowody wydają się wskazywać na degenerację. Zalecałbym w dalszym ciągu częste podawanie laudanum, by zapobiegać atakom histerii, oraz lekką dietę, a także dużo odpoczynku. Zgadzam się, że nieroztropne byłoby opuszczanie domu do czasu, aż dokonam kolejnej weryfikacji stanu umysłowego pani Chester. Tymczasem proszę, by poddał ją Pan uważnej obserwacji i zawiadamiał mnie o wypadkach konwulsji, omdleń, histerii oraz katalepsji...

– Effie! – przerwałem. – Nic nie rozumiesz!

Nawet w moich uszach własne słowa zabrzmiały nieprzekonująco, znów ogarnęło mnie nieprzyjemne wrażenie skarłowacenia. W głowie mi huczało, a nie śmiałem sięgnąć po chloral. Gdy poprzednio wyciągnąłem drżącą dłoń po butelkę, niechcący wepchnąłem ją na sam tył szafki, między inne mikstury i proszki. Teraz nie mogłem jej dosięgnąć, musiałbym się odwrócić do Effie plecami, wystawić na jej złe spojrzenie odsłonięty kark.

– Chcę ci pomóc! – wyrzuciłem z siebie. – Chcę, żebyś znowu była zdrowa. Chorowałaś... byłaś w bardzo złym stanie po urodzeniu dziecka... Nic dziwnego, że nerwy odmówiły ci posłuszeństwa. I to wszystko! Przysięgam!

– Moje nerwy są w najlepszym porządku – odparła z kamienną twarzą.

– Wspaniale – powiedziałem, odzyskując równowagę. – Jeżeli masz rację, ja pierwszy będę się cieszył. Ale musisz zachować rozsądek. Te twoje dziwaczne wymysły... podejrzenia, że doktor i ja... spiskujemy przeciwko tobie! Czy naprawdę nie pojmujesz, że właśnie tego się obawiałem?

Jesteś moją żoną. Czy żona powinna podejrzewać męża, tak jak ty zdajesz się mnie podejrzewać?

Groźnie zmarszczyła brwi, ale widziałem, że nią wstrząsnąłem. Gwałtowne pulsowanie w mojej głowie nieco zelżało. Uśmiechnąłem się, podszedłem do Effie, zamknąłem ją w objęciach. Zesztywniała, ale się nie wyswobodziła. Skóra jej płonęła.

– Moje biedactwo. Połóż się na chwilę – podpowiedziałem. – Tabby przyniesie ci filiżankę herbaty...

Szarpnęła się gwałtownie.

– Nie chcę żadnej herbaty!

Głos Effie tłumiły włosy, ale domyśliłem się w jej okrzyku bezradnego rozdrażnienia i pozwoliłem sobie na uśmiech. Był taki moment, kiedy zmartwiło mnie jej lodowate zachowanie, a potem wściekłość, ale – zgodnie z przewidywaniami – szybko wróciła do normalnego stanu. Powinienem był pamiętać, że posłuszeństwo miała głęboko zakorzenione w duszy. Nie mogła mi się przeciwstawiać długo. Ale też... widziałem w jej oczach coś takiego... co mnie wykreśliło, jakbym był całkiem nieważny, jakbym w ogóle nie istniał.

Jeszcze długo po tym, gdy opuściła moją sypialnię, trwało wspomnienie tamtej chwili. Nawet zawartość granatowej butelki okazała się bezsilna wobec natłoku poplątanych myśli, a kiedy w końcu zapadłem w sen, śniłem o ojcowej Kolombinie. Znów miałem dwanaście lat, nakręciłem ją i ze zgrozą obserwowałem coraz szybszy taniec. Wirowała jak szalona, ręce, nogi i splamiona krwią sukienka zlewały się w jedną plamę. Opanowało mnie przekonanie, że obudziłem jakieś zło, które bezustannie ku mnie dążyło przez te wszystkie lata, nawet teraz. Tylko czekało, by się przedrzeć przez woal niepamięci i uderzyć.

Sięgnąłem przez rozdygotane powietrze ku zamazanej plamie jedwabiu. Coś ostrego cięło mnie przez dłoń jak brzytwa, lecz udało mi się chwycić Kolombinę. Wiła mi się w rękach jak wąż, ale nie puszczałem, wymierzyłem dokładnie, zamachnąłem się i z całej siły cisnąłem nią o ścianę. Rozległ się głośny trzask, zazgrzytały tryby i przekładnie, wydostało się z niej ostatnie drgnienie muzyki. Gdy ośmieliłem się spojrzeć na nią ponownie, leżała pod ścianą nieruchomo. Porcelanowa głowa była zmiażdżona, spódnice w nieładzie wokół talii. Odetchnąłem z ulgą. A gdy zacząłem niespokojnie wydobywać się ze snu, usłyszałem własny głos, przeraźliwie wyraźny.

– Lepiej było spać, kochanie.

AS MIECZY

40

Przychodziły we dwie, bliźniacze zjawy. Twarze nakładały się jedna na drugą, całkiem niespodziewanie Effie spoglądała na mnie oczyma córki albo przez mgiełkę jej uśmiechu przebijał uśmiech Marty. Tak czy inaczej, już była, prawie widoczna. Czasem myślałam, że serce mi pęknie z miłości – do córki i do Effie, do obu. Marta była szczęśliwa jak nigdy przedtem. Wiedziała, że wróciła do domu, że jest bezpieczna, znowu z mamą, a do tego z siostrą. Od tamtej nocy, gdy poprosiłam ją o nazwanie Pustelnika, nie potrzebowałam już jej wspomnień. Ta część jej duszy usnęła, zapadając się głębiej w otchłań spraw, które lepiej zapomnieć. Nie śniła więcej o złym panu i o tym, co jej zrobił przed laty. W zasadzie, dzięki moim wywarom, w ogóle niewiele pamiętała.

Lubiła sypiać w swoim pokoju, gdzie zostały książki i zabawki. Bawiła się z Megajrą i Alekto, a kiedy przychodził Henry... z nim także się bawiła.

Z każdą wizytą uzależniał się bardziej. Podawałyśmy mu chloral i silne afrodyzjaki. Marta zasypywała go pocałunkami. Z trudem chwytał oddech, leżąc na podłodze jeszcze długo po jej wyjściu. Stracił umiejętność odróżniania rzeczywistości od wyobrażeń. Gdybym mu wtedy pokazała Effie bez żadnego przebrania, i tak by jej nie rozpoznał. Bardzo schudła, na ramionach i piersiach pojawiły jej się wrzody, ale Henry nic nie widział. Przez ciało Effie promieniowała Marta, zmieniając je i wzmacniając. Henry był jej własnością, należał do niej bez reszty. Obserwowałam, jak z upływem czasu mącił mu się wzrok, jak mój wróg stawał się bierny i apatyczny. Bał się własnego cienia, a moje serce wypełniało mroczne zadowolenie. Umacniałyśmy się jego kosztem obie: moja córka i ja. Zemsta naprawdę jest słodka. Ja to wiem.

Mose przyszedł dwukrotnie. Oznajmił, że wierzyciele nie będą czekali wiecznie, że nie rozumie, czemu zwlekamy. Pożyczyłam mu pięćdziesiąt funtów, wydawał się zadowolony. Niedługo mu wszystko powiem. Już niedługo.

Niech tylko Marta nabierze sił.

Minęło następnych pięć tygodni i przez pięć czwartków Henry Chester ślepo brnął po schodach mojego domu prosto w koszmarną ekstazę pożądania. A moja zjawa przechodziła przez niego na wylot, pozbawiając go pewności siebie, pretensjonalnej męskiej wyższości, bigoterii, wzorców i marzeń. Gdyby to nie był Henry Chester, pewnie byłoby mi go żal, ale myśl o mojej biednej małej zjawie pozbawiała mnie jakichkolwiek wątpliwości. On nie miał litości dla Marty.

Przez pięć tygodni przeleciała szara matowa jesień, zima przyszła wcześnie, sprowadziła ze sobą mroźny wiatr, powlokła drogi lodem i rozdarła niebo na ciemne szare pasy. Pamiętam bożonarodzeniowe dekoracje w sklepach, choinki na Oxford Street i błyskotki na lampach gazowych, ale w domu przy Crook Street na oknach i drzwiach nie było żadnych ozdób. Świętować miałyśmy później.

Ostatni raz Henry zjawił się dwudziestego drugiego grudnia. Mrok zapadł o trzeciej po południu, o dziewiątej mżawka zmieniła się w deszcz ze śniegiem, a potem już padał sam śnieg, powlekając bruk cieniutką warstwą bieli, która szybko czerniała. Wszystko wskazywało na to, że święta jednak będą białe. Effie przyszła wcześnie, okutana w gruby płaszcz aż po oczy. Spojrzałam w niebo i niewiele brakowało, a byłabym ją odprawiła. Uznałam, że Henry nie przyjdzie w taką ponurą, fatalną noc. Marta miała więcej wiary.

– Przyjdzie – oznajmiła z szelmowską pewnością siebie. – Zwłaszcza dzisiaj.

Och, moja kochana Marta! Uśmiech miała tak śliczny, że aż mnie kusiło, by porzucić zemstę. Przecież najważniejsze, że ją miałam, mogłam tulić w ramionach, czuć jej chłodną twarzyczkę na policzku. Po co ryzykować w imię jałowego zwycięstwa nad człowiekiem, który i tak był przeklęty?

Oczywiście wiedziałam po co.

Na razie ciągle należała do niego. W jego oczach częściowo była Effie, więc nie mogła w pełni należeć do mnie, póki on nie wyrzeknie się swoich praw. A dopóki widywał je jako dwie odrębne istoty, nie mogły się prawdziwie zjednoczyć. Byłyby to dwie oddzielne połowy, rozpadające się z wolna w pustce zapomnienia, skąd mogło je wydobyć tylko matczyne gorące uczucie.

– Marta...

Spoza zieleniejącego spojrzenia Effie promieniował jej uśmiech.

– Cokolwiek się zdarzy, pamiętaj, że cię kocham.

Szczupła rączka objęła mnie za szyję.

– Obiecuję ci, kochanie, że to już nie potrwa długo – szepnęłam, przytulając ją czule. – Przyrzekam.

– Wiem, mamusiu – powiedziała. – Ja ciebie też kocham.

41

Po tamtej konfrontacji żona stała się moim wrogiem. Jak nieodstępny cień śledziła mnie grynszpanowymi oczyma, zawsze gdy przebywałem w naszym przeklętym domu. Cienka się zrobiła jak modliszka, chociaż jadła mnóstwo słodyczy. Dryfowała przez gęste powietrze zielone od blasku lamp gazowych niczym syrena – topielica. Robiłem, co mogłem, by jej nie dotykać, niestety ona wyraźnie znajdowała przyjemność w ocieraniu się o mnie jak najczęściej. Jej dotyk przypominał zimową mgłę. Niewiele się do mnie odzywała, lecz często mówiła do siebie cienkim, dziecinnym głosikiem. Czasami, gdy nie spałem w nocy, zdawało mi się, że coś podśpiewuje: dziecięce rymowanki, szkolne piosenki i francuską kołysankę:

Aux marches du palais...
Aux marches du palais...
'Y a une si belle fille, lonlà...
'Y a une si belle fille...

Rozmawiałem jeszcze raz z Russellem i, uroniwszy kilka dzielnych łez, dałem się przekonać, że jedyną nadzieję na leczenie mojej ukochanej Effie stanowi baczny nadzór oraz troskliwa opieka w jakiejś szanowanej instytucji, przygotowanej do wypełniania tego rodzaju zadań. Zaoponowałem, gdy lekarz zasugerował, iż smutek po stracie dziecka mógł nieodwracalnie wytrącić umysł Effie z równowagi, lecz zachwiałem się w swoim świętym oburzeniu, gdy mi uświadomił, że jeśli wkrótce nie podejmę odpowiednich kroków, moja małżonka może sobie zrobić poważną krzywdę. Z chmurnym czołem i wewnętrznym szerokim uśmiechem podpisałem dokumenty podsunięte przez lekarza i starannie złożone umieściłem w portfelu. W drodze powrotnej wstąpiłem do klubu na lunch i po raz pierwszy od tygodni jadłem z prawdziwym apetytem. Nad szklaneczką brandy pozwoliłem sobie na nieczęsty luksus wypalenia cygara. Świętowałem.

Nim dotarłem na Cromwell Square, było już ciemno, choć zegarek wskazywał dopiero dziesięć minut po trzeciej. Wiatr się wzmógł, miotał czarnymi liśćmi po ulicach tam i z powrotem. Gdy, zapłaciwszy woźnicy, wchodziłem do domu, odczułem na twarzy zimne liźnięcie deszczu ze śniegiem, poły fraka pochwycił w szpony lodowaty wiatr. Razem z nim wpadła do holu chmura zeschłych liści. Zatrzasnąłem drzwi przed ciemnością, drżenia nie zdołałem opanować.

Effie zastałem w saloniku. Siedziała po ciemku, obok wygasłego kominka, na kolanach trzymała haft, ale nad nim nie pracowała. Raptem okno się otworzyło, do pokoju wtargnął wicher. Na podłogę posypały się martwe liście. Przez jeden koszmarny moment znów ogarnęło mnie przerażające uczucie bezradności. Byłem nikim, jakby upiorny wygląd mojej żony paradoksalnie ze mnie czynił ducha, i to w moim własnym domu. Jakbym to ja był widmem i zjawą, a ona istotą z krwi i kości. Dopiero gdy przypomniałem sobie o dokumencie w portfelu, świat odzyskał właściwe proporcje.

Krzyknąłem niecierpliwie i zadzwoniłem po Tabby. Jednocześnie zmusiłem się, by przemówić do małżonki. Kątem oka widziałem w ciemności szarą plamę jej twarzy.

– Co ty wyprawiasz? – skarciłem ją jak dziecko. – Dlaczego tu tak zimno? Przeziębisz się! A gdzie Tabby? Dlaczego pozwoliła ci siedzieć w nieogrzanym pokoju? Długo tu jesteś?

Obróciła się do mnie, w świetle lampy z korytarza wychynęło ku mnie pół dziewczęcej twarzy.

– Henry...

Głos miała bezbarwny, bez wyrazu, taki sam jak i ona cała. W dziwacznym oświetleniu usta poruszały się tylko w połowie, jedno oko skupiło na mnie spojrzenie, źrenica skurczyła się do rozmiarów główki od szpilki.

– Nie bój się, kochanie – powiedziałem. – Tabby zaraz przyjdzie. Każę jej rozpalić na kominku i przynieść gorącej czekolady. Przecież nie chcemy, żebyś się przeziębiła.

– Nie chcemy?

Wydało mi się, że w jej głosie pobrzmiewa ironia.

– Ależ oczywiście, kochanie – odparłem rześko, walcząc ze słowotokiem. – Tabby! Gdzież ona się podziewa? Tabby! Czy ona chce, żebyś zamarzła na śmierć?

– Tabby wyszła – powiedziała Effie cicho. – Wysłałam ją do aptekarza po krople.

– Aha.

– Jesteśmy sami. Em dzisiaj ma wolne popołudnie. Edwin poszedł do domu. Zostaliśmy tylko we dwoje.

Znowu podkradł się do mnie trudny do wytłumaczenia strach. Niełatwo mi było panować nad sobą. Nie wiedzieć czemu przerażała mnie myśl o tym, że jestem w domu sam z Effie, na łasce i niełasce jej szaleństwa. Poszperałem w kieszeni, znalazłem zapalniczkę do cygar, zdołałem się odwrócić do żony plecami i zapaliłem lampę. Czułem oczy Effie na plecach, wbijała mi wzrok w kark jak pazury. Zacisnąłem szczęki, broniąc się przed jej nienawiścią.

– Teraz lepiej, prawda? Smutno jest w ciemnym pokoju.

Tak trzymać. Rześka poufałość. Nie ma powodu sądzić, że zaplanowała to spotkanie w cztery oczy. Nie ma przyczyny uważać, że już wiedziała...

Obróciłem się do niej, policzki mnie już bolały od uśmiechu, który przecież i tak nie zdołał jej oszukać.

– Zamknę okno – powiedziałem.

Zmitrężyłem przy nim jak najwięcej czasu: najpierw klamka, potem zasłona, jeszcze liście na podłodze... Wrzuciłem je do kominka.

– Ciekawe, czy uda mi się rozpalić ogień.

– Nie jest mi zimno – stwierdziła Effie.

– A ja zmarzłem – odrzekłem z udawaną pogodą. – No cóż, spróbujemy. To nie może być bardzo trudne, Tabby rozpala ogień codziennie.

Ukląkłem przed kominkiem i ułożyłem na węglach papiery oraz suche patyki. Podpaliłem. Buchnęły ogniem na krótko, po czym zaczęły dymić.

– Oho, ho! – zaśmiałem się rubasznie. – Sprawa jest trudniejsza, niż przypuszczałem.

Wargi Effie wygięły się w chytry półuśmieszek pełen nienawiści.

– Nie jestem dzieckiem – stwierdziła nagle. – Ani niespełna rozumu. Nie musisz do mnie mówić jak do osoby ograniczonej umysłowo.

Rzuciła tę uwagę tak niespodziewanie, że aż straciłem rezon.

– Effie, no jak to – zacząłem niezbornie. – Ja przecież... – Zebrałem się w sobie, odchrząknąłem. – Jesteś chora – rzekłem głosem nabrzmiałym kruchą cierpliwością, jak lekarz. – Pozostaje mi nadzieja, że kiedyś zrozumiesz, jak krzywdzące i niewdzięczne są twoje słowa. Jednakowoż...

– I nie jestem chora – przerwała mi.

W tej chwili trudno było jej nie uwierzyć. Spojrzenie miała jasne i ostre jak skalpel.

– Wbrew wszystkiemu, co mówisz i robisz, by udowodnić, że jest inaczej. Nie fatyguj się, Henry, nie kłam. Jesteśmy tylko we dwoje. Nikt nie będzie podziwiał twojego przedstawienia. Spróbuj dla odmiany być szczery, dla dobra nas obojga.

Głos miała wyprany z emocji, jak guwernantka. Przez chwilę znów miałem dwanaście lat, chciałem się tłumaczyć, w nadziei, że uniknę kary, ale z każdym słowem bym się pogrążał coraz głębiej.

– Nie masz prawa odzywać się do mnie w ten sposób! – Nawet ja słyszałem słabość we własnym głosie, choć bardzo się starałem przejawiać autorytet. – Moja cierpliwość ma swoje granice, choć jestem dla ciebie bardzo wyrozumiały. Jako żona winna mi jesteś przynajmniej szacunek...

– Jako żona?! – wykrzyknęła Effie.

Poczułem się pewniej, skoro w jej wyważonym tonie usłyszałem nutę histerii.

– Odkąd to chciałeś mieć we mnie żonę? Gdybym tak opowiedziała...

– O czym? O czym chciałabyś opowiadać? – Mówiłem za głośno, traciłem panowanie nad sobą. – O tym, jak się tobą opiekowałem w chorobie, jak znosiłem twoje wapory, jak dawałem ci wszystko, czego dusza zapragnie?

– Ciocia May zawsze mówiła, że nieprzyzwoicie żenić się z dziewczyną dużo młodszą. Gdyby wiedziała...

– Co? Co takiego?

– Gdyby wiedziała, jak mnie traktujesz – wycedziła szeptem – i dokąd się wyprawiasz w środku nocy...

– Dziecko drogie, majaczysz! Gdzież to ja się wyprawiam w środku nocy, na litość boską?

– Doskonale wiesz. Na Crook Street.

Zamarłem. Skąd wiedziała? Zostałem rozpoznany? Ktoś mnie śledził? Szeroką falą dotarła do mnie świadomość, jakie mogą być skutki takiej wiedzy. Nie, to niemożliwe. Na pewno blefowała.

– Zwariowałaś!

Spokojnie pokręciła głową.

– Jesteś szalona, mogę to udowodnić! – Gorączkowo sięgnąłem do kieszeni fraka, wyjąłem z portfela pismo doktora Russella. – „...pacjentka, Euphemia Madeleine Chester" – czytałem, gwałtownie łapiąc powietrze, a moimi żyłami płynęła niezdrowa euforia. – „...Dowód zbyt istotny, by go nie brać pod uwagę... mania, histeria i katalepsja... zagrożenie dla siebie i dla innych.... niniejszym rekomenduję... na czas nieokreślony... przekazać... szanowanej instytucji". Czy rozumiesz, co tu jest napisane?! Mogę cię zamknąć w domu wariatów! Nikt nie uwierzy obłąkanej kobiecie, nikt!

Nie dopatrzyłem się w jej twarzy żadnego wyrazu, widziałem tylko straszną pustkę. Może wcale mnie nie słuchała? Albo znowu zamknęła się w swoich nieodgadnionych myślach? Odezwała się jednak całkiem spokojnym głosem.

– Zawsze wiedziałam, że mnie zdradzisz.

Co powiedzieć?

Miała rację: odgrywałem przedstawienie jedynie przed samym sobą.

– Już mnie nie kochasz. – Uśmiechnęła się, przez chwilę wyglądała niemal pięknie. – Ale to nic nie szkodzi, bo ja ciebie też już od dawna nie kocham. – Przechyliła głowę, jakby sobie coś przypominała. – Mimo wszystko nie pozwolę, żebyś mnie poświęcił dla własnych celów. Nie dam się zamknąć. Nie jestem chora i wcześniej czy później ktoś się zorientuje w mistyfikacji. A wtedy ludzie zaczną wierzyć w moje słowa. – Obrzuciła mnie spojrzeniem pełnym złej woli. – A tyle mam do powiedzenia... – rzekła bez emocji. – O domu na Crook

Street i o tym, co się tam dzieje... Fanny Miller nie będzie kłamała, żeby cię chronić, prawda?

Oddech kłuł mnie w gardle setką igieł, klatka piersiowa ścisnęła się boleśnie. Nagle desperacko zapragnąłem chloralu. Nie bacząc na triumfalny uśmiech Effie, chwyciłem fiolkę, którą miałem zawieszoną na szyi, wyrwałem korek. Drżącymi dłońmi wytrząsnąłem z niej do szklanki dziesięć granulek, zalałem sherry po wrąbek. Za dużo, rozlałem trunek, pociekł mi po rękawie. Raptem wezbrała we mnie dzika nienawiść.

– Nikt nie uwierzy w takie bzdury. – Głos miałem znów spokojny, odetchnąłem z ulgą.

– Tak czy inaczej doszłoby do skandalu, akurat kiedy twoje prace zaczynają zyskiwać uznanie. Wystarczy najmniejsza plotka, że próbowałeś zamknąć żonę w domu dla obłąkanych po to, by nie wydały się twoje sekretne nałogi... Byłbyś skończony. Podejmiesz takie ryzyko?

Podziękowałem bogom ciemności za chloral. Już czułem się lepiej, jakby ktoś uniósł mi czubek czaszki i wpuścił do niej chłodne powietrze, studząc myśli, aż zmieniły się w pyłki na wietrze. Słyszałem swój głos z wielkiej odległości.

– Moja droga Effie, jesteś wyraźnie przemęczona i rozdrażniona. Powinnaś się położyć i poczekać, aż Tabby przyniesie ci lekarstwo.

– Nie będę się kładła!

Wyczuła, że straciła nade mną przewagę, zabrakło jej pewności siebie, głos drgał na skraju histerii.

– Jak sobie życzysz, kochanie. Nie będę cię zmuszał. Sprawdzę, czy Tabby już wróciła.

– Nie wierzysz mi, prawda?

– Ależ oczywiście, że ci wierzę, kochanie. Wierzę ci. Oczywiście.

– Mogę ci zrujnować życie – powiedziała niepewnie, choć starała się opanować. – Mogę i zrujnuję!

Upiorna zjawa o grynszpanowych oczach, mówiąca cichym, lodowatym tonem, zniknęła. Została pusta groźba. Twarz Effie posrebrzyły łzy, dłonie mojej żony drżały. Włożyłem dokument do kieszeni na piersi i pozwoliłem sobie na uśmiech.

– Śpij dobrze, kochanie.

Gdy wyszedłem na korytarz, dłonie same mi się zacisnęły w pięści. Okrutnie i radośnie. Nie dopuszczę, żeby nas rozdzieliła, Marto, za nic na świecie.

Prędzej straci życie.

* * *

Spóźniłem się na Crook Stret dwadzieścia minut, burza deptała mi po piętach. Śnieg na bruku szybko topniał, powlekając ulice śliską oleistą mazią, więc powóz zarzucał na zakrętach. Mimo wieczornej kłótni z Effie byłem w pogodnym nastroju. Może dlatego, że przed wyjściem przyjąłem drugą dawkę chloralu.

Ponieważ na końcu podróży czekała mnie Marta, o Effie nie myślałem prawie wcale. Postanowiłem następnego dnia zaaranżować przekazanie jej do jakiegoś szacownego domu opieki w słusznej odległości od Londynu, gdzie nikt nie będzie słuchał bezsensownych oskarżeń rzucanych przez pacjentkę. A jeśli nawet ktoś nadstawi ucha, przykładne życie z pewnością uwolni mnie od wszelkich podejrzeń. W końcu Effie była tylko kobietą, na dodatek modelką. Zapewne ludzie będą mi współczuli z powodu rozpadu małżeństwa, ale nikt nie będzie mnie obciążał winą. Zresztą Effie była chora. Może bardziej, niż się komukolwiek wydawało. Czułem, że w taką noc może się zdarzyć wszystko.

Drzwi domu numer osiemnaście bujały się lekko uchylone, wypływało z nich różowe światło. Wszedłem, strząsnąwszy z siebie makabryczne myśli, zostawiając od progu ślad zamarzniętego błota. Fanny miała na sobie magnoliowy jedwab i gazę leciutką jak zefir, wyglądała absurdalnie dziewiczo, niczym panna młoda. Zatrważająca była bezgraniczna moc kobiet, pozwalająca im wyglądać tak, jak chcą je widzieć mężczyźni. Z Martą to samo.

Nawet z Martą.

Jakie mroczne tajemnice skrywały się w jej doskonałym ciele?

Bez słowa podążyłem za szeleszczącym trenem Fanny na samo poddasze, gdzie zaplanowano maleńkie pokoiki. Gdy sobie uświadomiłem, dokąd mnie prowadzi, ogarnęło mnie przerażenie, jakby mogła otworzyć drzwi niewielkiej sypialni i odsłonić przede mną znajomą scenę: zabawki na podłodze, łóżko z białą pościelą, kwiaty na stoliku i dziecko ladacznicy – prawie nagie, tylko w koszuli nocnej, takie samo jak wtedy, może jedynie ciut bledsze po latach spędzonych w ciemnym grobowcu. Wyciągnie do mnie ręce i zawoła mnie schrypniętym głosem Marty.

– Dlaczego prowadzisz mnie tak wysoko? – dziwię się. – Pójdźmy do któregoś z salonów.

Fanny ignoruje moją nieuprzejmość.

– To jest pokój Marty – wyjaśnia. – Prosiła, żebym pana tutaj przyprowadziła.

– Aha... – Słowa zmieniają mi się w ustach w drut kolczasty. – W zasadzie wolałbym... Jeśli można... Jakoś tu ciemno... i zimno. Nie ogrzewacie tej części domu? Może...

– Miejsce spotkania wybiera Marta – stwierdziła Fanny nieugięcie. – Jeżeli pan się nie zgodzi na jej propozycję, raczej nie będzie chciała pana więcej widzieć.

– Ach tak. – Próbowałem uśmiechnąć się dobrodusznie, lecz wyszedł mi dziwny grymas. – Niezupełnie zrozumiałem. Z pewnością gdyby Marta...

Ale Fanny już mnie zostawiła, już ruszyła po schodach, ciągnąc za sobą tren. Zakurzona podłoga w korytarzu wyglądała, jakby od dawna nikt po niej nie chodził. Podniosłem wzrok na drzwi, spodziewając się ujrzeć porcelanową białą gałkę w niebieskie kwiaty, jak w sypialni matki. Odtrąciłem tę myśl. Co za nonsensy! Skądże by tutaj biało-niebieska gałka w drzwiach! Albo blada córka ladacznicy, dziecko o ciemnych oczach pełnych wyrzutu i z czekoladą rozsmarowaną wokół ust. Istniała tylko Marta. Marta, Marta i jeszcze raz Marta. Położyłem dłoń na gałce. W jednym miejscu pod odłupaną białą farbą wystawały resztki poprzednich warstw: zielona, żółta, czerwona...

Ani krztyny niebieskiego, pomyślałem triumfalnie. Ani krztyny.

Obok własnej ręki zobaczyłem na farbie odciski paluszków, jakby dziecko przycisnęło trzy palce do paneli. Marta?

Nie, nawet ona nie miała tak drobnych dłoni. A ślady – lekkie, rozmazane, świeża ciemność na bieli... Czyżby... czekolada?

Straciłem panowanie nad sobą, krzyknąłem i mocno, gwałtownie pchnąłem drzwi. Nie ustąpiły. Nie zostało w moim rozumie miejsca na myśl, niosła mnie logika szaleńca, nagłe przekonanie, że po tylu latach Bóg postanowił mnie ukarać za to, co zrobiłem dziecku nierządnicy, odbierając mi Martę. Rozkojarzony mózg podsunął mi przerażająco wiarygodny obraz: oto pomiot ladacznicy, wsparty lekko dłonią o drzwi, nadsłuchuje. Wchodzi, widzi czekającą na mnie Martę. Po chwili wychodzi, dokonawszy zemsty... A Marta czeka, z koszulą nocną podciągniętą na twarz...

Krzyknąłem znów i załomotałem pięściami w deski, z całej siły, obijając sobie dłonie.

– Marto! Marto! Maaarto!

Drzwi otworzyły się w ciemność. Straciłem równowagę, poleciałem do przodu, wpadłem do pokoju, zderzyłem się z przeciwległą ścianą. Za mną drzwi zamknęły się z trzaskiem.

Przez chwilę panowała ciemność absolutna, a ja krzyczałem bez przerwy, pewny, że w tym samym pokoju jest ze mną zjawa, biała, sztywna, ciągle czekająca na bajkę.

Błysnęło światło. Oślepiło mnie, a kiedy odzyskałem zdolność widzenia, choć wielkie czarne płaty znaczyły mi widok cętkami, dojrzałem ją przy oknie. Stała z lampą w dłoni. Odczułem ulgę tak wielką, że omal nie zemdlałem.

– Marto... – starałem się mówić normalnie. – Wybacz, jakoś... nie mogę dzisiaj dojść ze sobą do ładu. – Uśmiechnąłem się niepewnie.

– Szczerze mówiąc, proszę pana, ja także. – Ona uśmiechnęła się psotnie, jej głos brzmiał jak szelest siana pod letnim niebem rozgrzanym do białości. – Chyba obojgu nam przyda się coś mocniejszego.

Przyglądałem się, jak nalewa trunek, a moje serce biło coraz wolniej, coraz spokojniej, aż prawie wróciło do normalnego rytmu. Wkrótce mogłem się uważniej rozejrzeć dookoła.

Pokój był urządzony bardzo skromnie. Stało w nim wąskie łóżko przykryte białą narzutą, stojak z miednicą, stolik nocny i zniszczony fotel. W świetle pojedynczej lampy wszystko zdawało się jeszcze bardziej ponure. Brakowało dywanów, obrazów, zasłon. A Marta była całkiem jak ten pokój – ubrana w zwykłą białą koszulę nocną, bosa, z rozpuszczonymi włosami, skrywała przede mną twarz. Znów poczułem się nieswojo, podobieństwo do tamtej nocy było zbyt silne, jakby to kolejne przebranie zostało pomyślane po to, by mnie wytrącić z równowagi, wpędzić w obłęd. Ale gdy mnie objęła, wrażenie zniknęło. Była ciepła, pachniała dziecinnymi aromatami, zwykłym mydłem, lawendą i czymś słodkim jak lukrecja. Ta, która mnie zagarniała w potężne egzotyczne doznania, stała się nagle najbardziej na świecie nieskomplikowaną, choć zapaloną młodocianą uwodzicielką, czternastoletnią dziewicą, wspaniale niedoświadczoną, cudownie bezpośrednią.

Wiedziałem, że to również jest przebranie. Prawdziwej Marty nadal wcale nie znałem. Poddałem się złudzeniu czułości.

Gdy leżeliśmy spleceni ramionami jak dzieci, wyszeptała mi w ucho kolejną bajkę. Tym razem o mężczyźnie, który zakochał się w portrecie zmarłej kobiety. Kupił go i ukrył na strychu, żeby żona o nic nie wypytywała. Codziennie odwiedzał portret, z dnia na dzień stawał się coraz bardziej melancholijny, ale nie potrafił wyrzec się przyjemności, jaką odczuwał, patrząc na wizerunek. Żona zaczęła coś podejrzewać. W końcu któregoś dnia poszła za nim i odkryła, że siedzi w ukryciu, wpatrując się w portret. Wiedziona zazdrością poczekała, aż wyszedł, wzięła nóż i ruszyła na strych, zdecydowana pociąć znienawidzony obraz na strzępy. Okazało się jednak, że obraz był nawiedzony przez duszę zmarłej kobiety. Duch rzucił się na rywalkę. Walczyły zawzięcie, zjawa czerpała siły z rozpaczy. W końcu biedna żona, krzycząc wniebogłosy, została wyrwana z ciała i rzucona w chaos, a duch zajął jej miejsce. Spokojnie zszedł na dół, by żyć razem z kochankiem.

Zadrżałem.

– Marto, wierzysz w duchy?

Pokiwała głową, poczułem ten ruch na skórze. Odniosłem też wrażenie, że się cicho zaśmiała. Ten śmieszek wytrącił mnie z równowagi, nawet trochę rozzłościł.

– Nie ma duchów – oznajmiłem. – Martwi nie mogą wracać, by prześladować żywych. Nie wierzę, że po śmierci dokądś idziemy.

– Nawet do nieba?

– Zwłaszcza do nieba.

– W takim razie nie boisz się zmarłych? – droczyła się ze mną.

– A niby dlaczego miałbym się bać? Nie mam się czego wstydzić. – Twarz mi płonęła, zastanowiłem się, czy Marta to czuje. – Nie chcę o tym rozmawiać.

– Dobrze. – Posłuszna jak dziecko. – Powiedz, jak ci minął dzień.

Zaśmiałem się tylko. Takie zdanie, prośba dojrzałej małżonki, w ustach dziewczynki!

– Powiedz, proszę – nalegała.

Wobec tego powiedziałem. Więcej, niż zamierzałem. Leżała w moich ramionach, miękka, dziecinna, zasłuchana, od czasu do czasu potakiwała. Opowiedziałem jej o Effie i o tym, jak ją przestraszyłem. O zabobonnym przekonaniu, że mam w domu ducha, o decyzji oddania żony do zakładu psychiatrycznego, żeby już nie stanowiła dla mnie zagrożenia. O przekonaniu, iż może mnie zniszczyć. Effie o nas wiedziała, chociaż jak zdobyła tę informację, nie umiałem sobie wyobrazić. Effie była moim wrogiem, cichym obserwatorem ukrytym w cieniach, zjawą... duchem. Effie, która nie powinna była się budzić, która powinna być martwa.

Po chwili zapomniałem, z kim rozmawiam, miałem wrażenie, że stoję przed boskim tronem, układając się z Nim, pogrążonym w głupiej, wzniosłej obojętności, a ja targuję się o życie.

Nie miałem prawa, teraz to wiem. Gdy przejąłem Effie, była jeszcze za młoda, nie rozumiała, co to jest miłość. Oszukiwałem ją obietnicami szczęścia. Nagiąłem ją, by spełniała moje oczekiwania, a gdy się nią znudziłem – odepchnąłem.

Wiem, jaki jestem.

Tyle że z Martą w ramionach, czując ciepło jej oddechu na skórze, dostrzegłem inną możliwość, która podnosiła mi włosy na ramionach w obrzydzeniu do samego siebie. Słowa, które mówiłem do Marty, wpadały w pustkę mojej czaszki, słodkie i naprężone, jak niewidoczna harfa pod powiekami.

– Duchów nie ma. Martwi nie mogą wracać, by prześladować żywych. Nie wierzę, że dokądś idziemy po śmierci.

Uświadomiłem sobie, że powtórzyłem te zdania na głos, przerywając strumień pełnej udręki analizy samego siebie. Przy czym nie pamiętałem ani słowa z tego, co powiedziałem.

Marta przyglądała mi się badawczo. Twarz miała jak wykutą z kamienia.

– Henry.

Wiedziałem, co powie. Odsunąłem się, pochwycony w śmiercionośne spojrzenie. Zacząłem mówić, nieważne co, wszystko jedno, byle nie dopuścić do tego, żeby ona wymówiła słowa, jedno słowo, które we mnie dźwięczało bezlitośnie...

– Henry.

Nie było ucieczki.

– Pamiętasz, jak powiedziałeś, że mnie kochasz?

Pokiwałem głową.

– Złożyłeś wtedy obietnicę. Zrobiłeś to szczerze?

Zawahałem się.

– Widzisz...

– Zrobiłeś to szczerze?

– Tak.

W głowie mi huczało, na języku miałem cierpki smak jak po jałowcówce.

– Henry, posłuchaj mnie. Już jej nie kochasz. Teraz kochasz mnie, prawda?

Pokiwałem głową.

– Dopóki ona istnieje, nie mogę być naprawdę twoja. Musisz się ukrywać, przychodzić potajemnie.

Przez suche usta wydostał mi się oddech zwiastujący nieśmiały protest, ale straszliwa czystość jej spojrzenia mnie uciszyła.

– Powiedziałeś, że o nas wie. I wie, że może ci zrujnować życie. Nawet jeśli ją zamkniesz w zakładzie, o ile zdołasz do tego doprowadzić, może się okazać, że to nie wystarczy. Jeżeli zacznie mówić, ktoś jej w końcu wysłucha. Rodzina pewnie uwierzy. Tak czy inaczej, dojdzie do skandalu. A to ci zniszczy opinię.

Wiedziałem, co usłyszę, i ta świadomość płonęła mi w mózgu żywym ogniem. Co gorsza, bardzo chciałem, by to powiedziała, by spuściła ze smyczy wilki w mojej głowie. Słodka Szeherezada! Myśli mi się mąciły. Przecież ona mówiła o morderstwie! O uciszeniu Effie na zawsze.

Poddałem się obrazom przemykającym przez umysł i odkryłem w sobie podniecenie na myśl o morderstwie, uczucie tak intensywne, że nieomal przyćmiło namiętność do Marty. Zaraz jednak oczarowanie Martą wróciło, objąłem ją, przycisnąłem do siebie, ukryłem twarz w jej miękkości i słodyczy, w zapachu bzu i czekolady. Chyba się rozpłakałem.

– Och, Marto...

– Przepraszam cię, Henry. Kocham cię całym sercem i nie potrafię wyrazić, ile dla mnie znaczą te wspólne noce...

Gdzieś w otchłani mój umysł pytał gorączkowo: O co jej chodzi? Czyżby zamierzała...

– ...ale już wiem, nie możemy się widywać. Tak już...

Zdrętwiałem. Tylko jakiś słaby głosik w mózgu mamrotał bezradnie: Nie, nie, nie, niemożliwe, przecież ona nie może powiedzieć tego, co słyszałem. To przecież jest... Nie! Niemożliwe! Nie takich słów oczekiwałem. Nie takiej obietnicy chciałem dotrzymać. Wzbierała we mnie histeria. Gdzieś z daleka usłyszałem własny głos, śmiech, krzyk, zawodzenie, wołanie szalonego błazna.

– Nie. Nie! Zrobię wszystko, cokolwiek rozkażesz, wszystko. – Nawet rzecz najstraszniejszą. – Nie musi tak być... – Och, Marto, mój Ogrójcu... – Zrobię dla ciebie wszystko!

W końcu mnie usłyszała. Obróciła twarz do światła, spojrzała mi w oczy. Powtórzyłem obietnicę z mocą, niech wie, że mówię prawdę.

– Zrobię dla ciebie wszystko.

Wolno pokiwała głową, krucha, a jednocześnie nieprzejednana.

– Effie jest chora. – Zmusiłem się do spokojnego tonu. – Długo nie pożyje. Stale przyjmuje laudanum. Często zapomina, ile wzięła.

Marta przyglądała mi się bez zmrużenia, oczy miała żółte jak ślepia kota.

– Może umrzeć... w każdej chwili.

Za mało, za mało! Odwróciła wzrok nieuważnie. Oczywiście. Przecież to nie była Effie żyjąca złudzeniami. No i obiecałem, że zrobię dla niej wszystko.

Rozpaczliwie wyrzuciłem z siebie nienawistne słowa, tchórzliwe przyznanie się do winy, którą już na siebie wziąłem:

– Nikt się nie dowie.

Zapadła między nami cisza.

* * *

Każdy szatański pakt wymaga przypieczętowania. Ten nie był wyjątkiem.

Wyobraź sobie, co widział Bóg: jęczący Chester, rozpięty na hakach, w uszach ma słodki głos demona... Ależ musiał się śmiać! Oddałem duszę za kobietę. Nieśmiertelny mistrz absurdu pewnie turlał się ze śmiechu, gdy nasze głosy leciały do Niego jak muchy.

Nic mnie to nie obchodziło. Moją duszą była Marta.

Okazała zatrważający zmysł praktyczny. Obmyśliła szczegóły, naszkicowała plan, który z pewnością nie jest ci obcy. Miękkim, kuszącym szeptem nakreśliła moją rolę, dłonie miała lodowate.

Plan był prosty. Następnego dnia miałem jak zwykle wyjść do pracy i wrócić z zapadnięciem zmroku. Przypomnieć Tabby, żeby podała Effie krople, jak co dzień. Po kolacji, gdy Effie pójdzie do siebie, przyniosę jej filiżankę czekolady. Nic w tym dziwnego, często się tak zdarzało. Tyle że tym razem będzie w niej laudanum i odrobina brandy, która skryje woń leku. Effie zaśnie głęboko i będzie spała, aż przestanie oddychać. Odejdzie bezboleśnie. A kiedy będzie można bezpiecznie wyjść, gdy nikt mnie nie będzie widział, wyniosę ją z domu. Będzie na mnie czekał przyjaciel Marty z wynajętym powozem, on mi pomoże zawieźć Effie na cmentarz i złożyć w odpowiednim grobowcu, który otworzymy dostarczonymi przez niego narzędziami. Zostawimy ciało w środku, zamkniemy kryptę i nikt się o niczym nie dowie. Wystarczy je złożyć w grobie rodziny, z której wszyscy wymarli, a zyskamy pewność, że nikt się nie zorientuje. Powiem policji, że moja żona była umysłowo chora i niezrównoważona, Russell rzecz jasna to potwierdzi. Przez jakiś czas będę odgrywał zrozpaczonego męża, wreszcie cała sprawa odejdzie w zapomnienie. I nareszcie będziemy wolni.

Niepokoiło mnie tylko jedno: ów wspólnik. Oczywiście rozumiałem, że będę potrzebował pomocy przy niesieniu ciała, ktoś też musi rozejrzeć się na cmentarzu, tyle że Marta nie chciała mi powiedzieć, kogo ma na myśli. Stwierdziła, że powinienem jej zaufać. Nalegałem. Po jakimś czasie zaczęła się złościć, oskarżyła mnie, że szukam wymówek, by skryć tchórzostwo. Pamiętam, siedziała na łóżku z nogami podwiniętymi pod siebie, jak Najświętsza Dziewica w „Zwiastowaniu" Rossettiego. Włosy spływały jej na ramiona, pięści miała zaciśnięte.

– Boisz się! – stwierdziła pogardliwie. – Rzucasz słowa na wiatr, obiecujesz... Gdyby myśli były czynami, dawno byś się smażył w piekle. Ale kiedy trzeba rzeczywiście coś zrobić, wzdychasz i krygujesz się jak panienka! Czy twoim zdaniem ja bym się zdobyła na ten czyn? Jak sądzisz?

– Marto...

Płonęła gniewem.

– Maaarto, Maaarto! – przedrzeźniała mnie drwiąco.

Nagle znów miałem dwanaście lat, twarz wciśniętą we framugę, w ustach słone łzy i smak nienawiści. (Płaksa, płaksa, płaaaksa!). Przez łzy widziałem podwójnie, nie rozumiałem nagłego okrucieństwa, nie wiedziałem, co Martę tak rozjuszyło.

– Tylko tyle potrafisz?! – krzyknęła ze wzgardą. – Płaczesz? I to wszystko? Ja cię proszę, żebyś się oswobodził, żebyś mnie uwolnił, a ty szlochasz jak skarcony uczniak? Pragnęłam mężczyzny, kochanka, a ty... Nic mi nie potrafisz dać! Proszę cię o krew, a dostaję wodę!

– Maaa... – O mało nie powiedziałem „mamo". Lewa strona twarzy zaczęła mi drgać, powieka stała się trzepoczącym motylem.

Nie potrafiłem znieść takiej pogardy. Krzyczałem z miłości i z nienawiści przepełniających moje nabrzmiałe serce. Jakie słowa składały się na ten krzyk – tego nie wiem.

Była w nich obietnica. Marta złagodniała, nagrodziła mnie pocałunkiem.

Jestem, który jestem.

42

Gdy tylko zobaczyłam go wychodzącego od Marty, chwiejnym krokiem idącego po schodach, wiedziałam, że nastał nasz czas. Zatracił się powodowany bezkresną żądzą, zgubił lodowatą, pogardliwą maskę człowieka szanowanego. Oczy miał wielkie i zdziwione, na moment pojawiła się w nich dawna niewinność. Czarny zimny wiatr zabrał go jak pijane dziecko.

Wtedy widziałam go po raz ostatni. W każdym razie w sposób dla ciebie zrozumiały.

Następny dzień wstał bez świtu. O siódmej pojawił się Mose z mętnym spojrzeniem po nocy spędzonej w cudzym łóżku i chciał ze mną mówić. Wszedł do pokoju bez pukania, rozwichrzone włosy spadały mu na czoło, usta wykrzywiał grymas. Wyglądał na zmęczonego i poirytowanego, z pewnością bolała go głowa, bo podszedł od razu do karafki z brandy i nalał sobie solidną porcję.

– Mose – odezwałam się – wyglądasz okropnie. Stanowczo powinieneś o siebie zadbać.

Osuszył szklaneczkę i uśmiechnął się cynicznie.

– Zakładam, że dobrze wiesz, co mówisz. Co mi ta flądra dodała do trunku? I w dodatku miała czelność żądać ode mnie czterech gwinei!

– Poprzedniej nocy uważałeś ją za czarującą osóbkę – przypomniałam łagodnie.

– Było, minęło. Dzisiaj wyglądała na co najmniej czterdziestkę.

– Niewdzięcznik! Napij się kawy. – Nalałam mu filiżankę. – Kobiety są mistrzyniami iluzji, przecież wiesz.

– Wszystkie jesteście wiedźmami. Z tobą na czele. Nie próbuj na mnie dzisiaj swoich sztuczek, nie jestem w nastroju.

Dłuższą chwilę siedział naburmuszony, popijając kawę. Potem nagle wstał, odstawił filiżankę tak gwałtownie, że niewiele brakowało, a byłby ją stłukł.

– Teraz powiedz mi, o co chodzi. Mam dość czekania i zwodzenia wierzycieli, zwłaszcza że mógłbym ich spokojnie spłacić. Kiedy zamierzasz wreszcie skończyć te swoje gierki z Effie i przejść do interesów?

– Usiądź – poprosiłam.

– Nie chcę – rzucił rozdrażniony. – Czy tobie się wydaje, że jestem niespełna rozumu, jak ona? Odpowiesz na moje pytania tu i teraz, bo w przeciwnym razie zakończę sprawę po swojemu. Wtedy ani ty, ani Effie nie zobaczycie złamanego grosza z pieniędzy Chestera. Zrozumiano?

Westchnęłam ciężko.

– Widzę, że faktycznie muszę ci wszystko powiedzieć.

43

Oczywiście, że byłem wściekły. W zasadzie nic przeciwko nim nie miałem, przynajmniej wtedy. Czekałem, skoro Fanny chciała, żebym czekał, nie zadawałem pytań. Ale czas mijał, znowu się do mnie pofatygował jeden z głównych wierzycieli. Z Effie nie rozmawiałem już od kilku tygodni, a widywałem ją tylko na Crook Street. Była blada i apatyczna, miała puste, na wpół przytomne spojrzenie osoby uzależnionej od laudanum. I nic dziwnego. Choć pogardzałem jej słabością, tęskniłem za śliczną, namiętną istotą, którą była jeszcze nie tak dawno. Pisała do mnie dziesiątki listów, słowami rozpaczliwymi, gwałtownymi i pomieszanymi. Równe pochyłe pismo łamało się miejscami, przerywane postrzępioną bazgraniną trudną do rozszyfrowania. Nie śmiała się ze mną spotkać. Dzień przed moją ostateczną rozmową z Fanny dostałem ostatnią wiadomość, krótszą niż poprzednie, spisaną na kartce wyrwanej z zeszytu, bez daty ani podpisu. Pismo było pozbawione charakteru, dziecinne, moje imię w nagłówku miało z pięć centymetrów wysokości.

Mose

Boże kochanie kochanie kochanie. Tak długo. Chorowałam? Pamiętasz? Chyba spałam przez całe życie. I śniłam. Byłam martwa, zabił mnie Henry Chester. Zostawił mnie na strychu, z mnóstwem mechanicznych zabawek. Mówi, że jestem szalona, ale ma oczy jak studnie. Czasami słyszę go nocą, kiedy wszyscy śpią. Z kimś rozmawia. Mose, ty też ją kochasz? Dlatego nie chcesz mnie widzieć? Wszyscy ją kochają. Czasami myślę, że z miłości do niej mogłabym umrzeć. Oddać swoje życie... mizerny żywot... Dla ciebie. Ty jesteś moim życiem. W mrocznych zaułkach mojej uśpionej pamięci podążasz za mną, słyszę twój śmiech. Czuję twoją dłoń na włosach. Śpię od stu lat. Kurz pokrył mi powieki. Zestarzałam się. Jej to nie przeszkadza, ona zaczeka. A ty? Czasami patrzę na twarz w lustrze i zastanawiam się, czy ona tam jest. Mose, nie daj mi spać.

Studiując w Oxfordzie, brałem udział w pewnym szczególnym przyjęciu. Środek nocy, trefna wódka, kilka chichoczących dziewcząt o końskich twarzach. Ktoś rzucił myśl, byśmy urządzili seans spirytystyczny. Zabraliśmy się do tego w szampańskich humorach. Naszykowaliśmy okrągły stolik, ustawiliśmy wokół niego krzesła, przy zewnętrznej krawędzi blatu wypisaliśmy kredą litery, na środku postawiliśmy talerz ze strzałką. Przygasiliśmy światła, dziewczęta piszczały przestraszone, chłopcy śmieli się w głos... Zaczęła się zabawa. Gdy tylko zapadła cisza, puknąłem w stolik, budząc piski i śmiechy na nowo.

Z początku talerz pod naszymi palcami obracał się bez żadnego sensu, od czasu do czasu ktoś wołał o ciszę, raz po raz wybuchały chichoty i oburzone głosy oskarżające o oszustwo – nikt nie był bez winy.

Później talerz, na pozór pod wpływem własnej woli, wskazywał litery tworzące sprośne wiadomości i żądania. Dziewczęta piszczały jak oszalałe. Zawsze miałem zręczne dłonie.

A potem coś się zmieniło. Moje ostrożne manewry zostały przerwane przez któregoś bardziej utalentowanego gracza. Starałem się odzyskać panowanie nad sytuacją, lecz talerz nie chciał słuchać mojej ręki i obracał się z zadziwiającą precyzją. Zirytowany przyjrzałem się towarzyszom. Przysięgam, nikt nie dotykał talerza. Nikt.

I tak byłem przekonany, że to trik. Nie wierzyłem w duchy, do dzisiaj nie wierzę. Ale nigdy się nie dowiedziałem, kto mnie prześcignął tamtej nocy. Sądziłem, że wszyscy są zbyt pijani, zbyt pozbawieni wyobraźni, by odpowiednio zwinnie manewrować dłońmi, jednak zdania, które ułożyły się z liter na stoliku do kawy, w mrocznym pokoju przed piętnastu laty, tamte słowa, które paliły mi mózg, nim zawiodły mnie nerwy i kopnąłem w drewnianą nogę...

Nie wiem, po co właściwie ci o tym mówię. Może dlatego, że nierówne bazgroły Effie i tamte rozpaczliwe zdania mogły wypłynąć z tego samego złamanego serca. To mógł być głos zza grobu.

„Nie daj mi spać".

* * *

Fanny miała własne powody, by mnie odsunąć od Effie. Bóg mi świadkiem, wtedy już mi na tej małej nie zależało. Miałem serdecznie dosyć ich gierek, żałowałem, że w ogóle dałem się w nie wciągnąć. A tak Fanny dbała, żeby mi nie zabrakło drinków i towarzystwa, gdy przebywałem na Crook Street, podczas gdy ona z Effie przeprowadzały nieskończone narady na piętrze. Nie to jednak było najgorsze. Nie.

Chodziło o imię.

Marta.

To imię było westchnieniem, modlitwą, błaganiem. Na ustach Fanny pocałunkiem, na wargach Henry'ego jękiem, u Effie błogosławieństwem tak potężnym, że cała tonęła w miłości i tęsknocie.

Marta.

Po północy szła mrocznym korytarzem domu przy Crook Street. Czułem jej lekkie muśnięcie na karku, gdy mnie mijała, natrafiałem na jej zapach w kotarach, słyszałem przez otwarte okno słodki głos z kornijskim akcentem, lekko ochrypły śmiech w londyńskiej mgle. Śniłem o niej od czasu, gdy ją zobaczyłem przez dziurę w ścianie, tę płonącą różę o purpurowym ciele, Furię z włosami w ogniu, roześmianą niczym wariatka czy bogini...

A przecież żadna Marta nie istniała.

Czasami musiałem sobie o tym przypominać, bo obawiałem się, że zwariuję jak oni. Żadna Marta nie istniała. Byłem świadkiem, jak znikała razem ze zmywaną ochrą, ze smugą kosmetyków na białym ręczniku, niczym Kopciuszek stworzona z oszukańczej magii, tyle że ona powstawała o północy, a świtem zostawiała po sobie jedynie kilka farbowanych włosów na poduszce. A przecież gdybym nie widział tego na własne oczy...

Niech ją licho! Przeklęte niech będą kobiece intrygi!

Nie istniała żadna Marta.

* * *

No i jeszcze Henry Chester. Nic nie kombinowałem, naprawdę. Nie miałem powodów darzyć go miłością, on też mnie nie kochał, po prostu cała sprawa wydawała mi się odrobinę zbyt skomplikowana. Przyznaję, z początku spodobała mi się myśl, że Effie uwodzi własnego męża, była w tym cudowna perwersja, ale potem... gdybyś zobaczył Chestera, z martwym uśmiechem przyklejonym na twarzy... Wyglądał na potępieńca u progu piekieł.

Czego ode mnie chcieli? Niech mnie diabli, jeśli wiedziałem! Nawet gdyby nam się udało zabrać Effie z Cromwell

Square, ze mną by nie została. Nie zamierzałem się z nią żenić, nigdy. Jeśli mówiliśmy o przyszłości, Fanny zawsze powtarzała: „Kiedy znowu będziemy razem...", całkiem jakby planowała zjazd rodzinny. Effie na stałe na Crook Street? Im częściej o tym myślałem, tym bardziej absurdalna wydawała mi się ta idea. W końcu uznałem, że im prędzej odetnę się od tych machinacji, tym lepiej.

Mało tego, traciłem nadzieję, że zobaczę chociaż parę groszy, bo ponura maskarada trwała w nieskończoność. Patrząc wstecz, myślę, że wtedy jeszcze mogłem się wyswobodzić. Owszem, straciłbym szansę na szantażowanie Chestera, ale nie dlatego zostałem. Możesz to nazwać arogancją. Ot, po prostu nie chciałem być gorszy od kobiety. Tak czy inaczej, wszedłem w pułapkę jak po sznurku.

Chcę wierzyć, że z początku się wahałem. Plan był tak mroczny, tak nonsensowny, że mógłby stanowić scenariusz czarnej komedii. Fanny wyłuszczała swój plan, a ja, mimo potwornego bólu głowy, śmiałem się coraz głośniej.

– Fanny, jesteś niesamowita – powiedziałem na koniec. – Przez chwilę nawet wydawało mi się, że mówisz poważnie.

– Mówię poważnie – stwierdziła ze spokojem. – Zupełnie poważnie. – Wbiła we mnie spojrzenie tajemniczych oczu w kolorze agatu, obdarzyła mnie tajemniczym półuśmiechem. – Liczę na ciebie, drogi Mose. Naprawdę.

Sapnąłem zirytowany.

– Chcesz powiedzieć, że Effie przekonała Henry'ego, żeby ją zamordował?

Tym razem mój śmiech był nerwowy, histeryczny. Dolałem sobie brandy, wypiłem jednym haustem.

Zaległa między nami cisza.

– Nie wierzysz? – odezwała się w końcu Fanny.

– Nie. Nie wierzę, żeby Effie...

– To nie była Effie.

A niech ją! Wiedziałem doskonale, co usłyszę.

– Fanny, nie ma żadnej Marty! – Głos mi się załamał piskliwie, ale szybko odzyskałem nad nim kontrolę. – Nie ma żadnej Marty. Jest tylko Effie, coraz bardziej szalona... Co ona będzie miała z tego wszystkiego? Czego chce?

Na ustach Fanny wykwitł nieodgadniony uśmiech.

– Powinieneś się domyślić. – Pauza, by słowa zapadły mi w duszę. – Obie na ciebie liczymy. – Szelmowski uśmieszek. – I Marta, oczywiście.

44

Nie mogłem wrócić do domu. Miałbym przebywać z nią pod jednym dachem? Mijać drzwi jej sypialni, a może natrafić na nią w korytarzu? Czuć jej oskarżający wzrok na plecach, patrzeć, jak pije czekoladę na śniadanie albo składa haft w pokoju dziennym? Wiedząc, że wkrótce będzie leżała martwa w jakimś grobie na Highgate, może nawet w tym, w którym niespokojnym snem spała córka ladacznicy? Nie do zniesienia.

Wobec tego poszedłem przez ciemność do pracowni i tam spróbowałem usnąć. Niestety! Wiatr szarpał oknami i krzyczał głosem Effie. Odważyłem się przyjąć zaledwie dwadzieścia granulek chloralu. Nawet one nie dały mi wytchnienia, jedynie letarg dla ducha, który w krótkim czasie znowu ze wzburzenia dygotał. W szafce miałem butelkę brandy. Chciałem się napić, lecz gardło miałem tak ściśnięte, że nie zdołałem przełknąć. Zakrztusiłem się, prychnąłem palącym trunkiem. Nagle w najgłębszym cieniu, w kącie studia coś się poruszyło. Jakby drgnienie tkaniny, zarys kobiecej dłoni...

– Kto tam jest?

Żadnej odpowiedzi, tylko wiatr.

– Pytałem, kto tam jest?!

Zrobiłem krok w tamtą stronę i zobaczyłem ją w kącie. Ręce wyciągnięte do mnie, twarz – blada plama... Wpadłem w szał, zacząłem krzyczeć, wyć...

Raptem natrafiłem dłonią na ramę. Nozdrza wypełnił mi zapach farby i pokostu.

Z trudem odzyskałem panowanie nad głosem, twarz mi zwiotczała, ćma pod lewą powieką rozpaczliwie wyrywała się na świat.

– Szeherezada.

Tak lepiej. Powtórzyłem imię jeszcze raz. Zmobilizowałem całą siłę woli, by dotknąć obrazu, zaśmiałem się z przymusem, chrypliwie. Nie było się czego bać. Próżno by tu szukać tańczącej Kolombiny z pustymi oczodołami i ostrymi zębami, nie było też dziecięcej zjawy z czekoladą na palcach ani Prissy Mahoney z krwawą dziurką od klucza. Ani matki na łożu śmierci, takiej ślicznej, takiej udręczonej...

Dość! Z wysiłkiem odwróciłem się od obrazu... Jakim cudem czułem na plecach spojrzenie Marty? Kłuło mnie niczym paznokcie wbite głęboko w ciało, bezlitośnie rozdzielające miękki biały sznur stosu pacierzowego. Podszedłem do kominka, spojrzałem na zegar. Druga trzydzieści. Na krześle leżała jakaś książka, wziąłem ją do ręki dla zabicia czasu. Z niesmakiem stwierdziłem, że to tomik wierszy. Otworzyłem go na chybił trafił.

Wieczór Wigilii sen jej zesłał,
zamknąwszy znużone powieki
nad bólem, co go całe wieki
cud żaden uśmierzyć nie zdołał.

Dziecięca ręka podkreśliła kilka fragmentów czerwonym ołówkiem. Z drżeniem uświadomiłem sobie, czyją książkę trzymam w dłoniach. I rzeczywiście, na pierwszej stronie wypisano okrągłymi, starannymi literami: Euphemia Madeleine Shelbeck. Rzuciłem książką w najdalszy kąt. Niech diabli porwą tę kobietę! Czy ona nigdy nie zostawi mnie w spokoju? Wiatr wył w krokwiach i zawodził w kominie potępiony, budynek zmienił się w siedlisko trzepoczących skrzydłami, skrzeczących, niewidocznych istot. Jak to, bałem się ciemności? Przecież ja sam byłem ciemnością, esencją nocnych koszmarów. Oto pojęcie abstrakcyjne! Potwór, który czuje strach. Żałosna istota, kryjąca się w zamierającym ogniu, w przeddzień swojego wyzwolenia. Już zacząłem się rozkoszować tą myślą, gdy drzwi pracowni z hukiem się otarły, a ja ponownie skarlałem z przerażenia.

Przez chwilę zupełnie wyraźnie widziałem demony powstałe ze wspomnień. Prowadziła je matka podobna do czarnego anioła. Zaraz jednak lodowaty podmuch wiatru mnie otrzeźwił, a drzwi się zatrzasnęły. Wtedy zobaczyłem kota. Kota Effie. Stał spokojnie tuż obok wejścia, w smudze martwych liści naniesionych przez wiatr. Z początku wydało mi się, że to liście są kotem, ale potem zobaczyłem jego podłużne, błyszczące ślepia w kolorze agatu. Jedną łapę podniósł wolno, jak piękna kobieta podająca dłoń na powitanie. Na moich oczach ziewnął szeroko, niczym wąż szykujący się do połknięcia ofiary, i zaczął oblizywać wyciągniętą łapę z gracją, bez pośpiechu. Na moment zmroziła mnie straszna pewność: to ona. Ta zjawa. Patrzyła na mnie kocimi ślepiami. Duch mojej poprzedniej ofiary przyszedł mnie prześladować, gdy myślałem o następnym morderstwie.

Czy naprawdę usłyszałem słowa, czy tylko mi się zdawało?

(a co z baj acozbaj a co z bajką?)

– Odejdź! – rozkazałem głośno.

(czy będzie krzyczała? obudzi się i zobaczy ciebie? będzie pachniała lawendą i czekoladą och prawda Henry?)

– To tylko zwidy.
(czy jesteś)
– Nie ma tu żadnego kota.
(Henry)
– Nie ma tu żadnego kota!
Głos mi się załamał, opadł w ciemność jak płatek sadzy, na nowo zagarnęła mnie cisza. Tak, miałem rację. To, co wziąłem za kota stojącego przy drzwiach, to tylko stertka brązowych liści, podnoszonych przeciągiem. Dziwne, lecz wcale mnie to odkrycie nie uspokoiło, przeciwnie, jeszcze bardziej zmroziło mi serce. Dygotałem cały.
Co Marta robi teraz?
Myśl o niej dała mi siłę. Zobaczyłem Martę w swoich ramionach, a wtedy świadomość, że niedługo będzie moja, natchnęła mi serce odwagą. Z pomocą Marty dokonam każdego czynu, i to bez wyrzutów sumienia. Nie będzie czarnego anioła pod moimi drzwiami, żaden jesienny kot nie przyczai się w cieniu... nie zobaczę bladego dziecka. Nie tym razem. Bo tym razem Marta będzie moja, wspólnie przeżyjemy tysiąc i jedną noc.
Wziąłem jeszcze pięć granulek chloralu. Na szczęście odczułem efekt prawie natychmiast. W głowie mi się przejaśniło, koszmary odleciały daleko ode mnie jak baloniki zebrane w girlandę, wolno szybujące w ciemności.
Dwadzieścia pięć minut do trzeciej. Czas ciągnął się w nieskończoność. Tak wiele czasu... Sekundy jak milczące fale toczyły się przez pusty szary brzeg, odliczając bezmiar. Z trudem dowlokłem się do sztalug, zacząłem malować.
Pewnie ją widziałeś. Niektórzy twierdzą, że to moje najwspanialsze dzieło, chociaż jej historia jest zbyt mocno związana z ciemnym jądrem duszy twórcy, żeby była pociągająca. Nie potrafię sobie jej wyobrazić w jednej galerii z wycieńczonymi kurtyzanami Rossettiego albo z przesło-

dzonymi dzieciakami Millaisa. „Triumf śmierci" jest bramą do mojego własnego piekła, uosobieniem każdej czarnej myśli, lodowatego strachu, zduszonej słodyczy... Jest blada jak ściana i śmiertelnie groźna, włosy ma rozwiane wokół twarzy na kształt gwiazdy o ostrych ramionach, oczy ślepe, nienawistne. Stoi w lekkim rozkroku, ramiona wznosi do bezlitosnego, wiecznie otwartego oka Boga na skrzepłej chmurze. Jest naga i w tej nagości przerażająca, bo choć nic ludzkiego nie pozostało w jej urodzie doskonałej, nic czułego w czystej wściekłości krzywizny ust, nadal wzbudza pożądanie. Jest ideałem piękna. Biała i czerwona jak zakrwawiona hostia. Pod nogami ma rozrzucone ludzkie kości, za plecami czerwone, apokaliptyczne niebo.

Chociaż malowałem twarz Marty, nie jest to Marta ani Effie, ani moja matka, ani Prissy Mahoney, a także nie tańcząca Kolombina. Albo, jeśli wolisz, jest nimi wszystkimi i wieloma innymi. Jest twoją matką, siostrą, ukochaną... Mrocznym wstydliwym snem, który cię nawiedzał, gdy wyrastałeś z dzieciństwa. Jest... jest tobą. Na głowie ma koronę cierniową, u stóp kota z martwych liści ziewającego szeroko, a na jej wężowym dziecinnym ciele, w podwójnym trójkącie między wargami, na piersiach i w mrocznej mgiełce włosów łonowych widnieją cztery znaki tetragramu: jod, he, waw, he. Sekretne imię Boga.

Jestem, który jestem.

45

Im dłużej myślałem, tym bardziej się wahałem.

Mose, mówiłem sobie, tyś chyba zwariował.

Stawka jednak była za wysoka, żebym się przestraszył nieszkodliwego oszustwa. A plan – prosty, dziecinnie prosty, bez najmniejszego ryzyka – musiał się powieść. Trzeba będzie tylko pomóc Henry'emu zawieźć Effie na cmentarz, wybrać kryptę, wsadzić ją tam, zapieczętować grób, a potem, kiedy Henry zniknie z horyzontu, wrócić. Zabrać Effie i zawieźć na Crook Street. Tam, niezależnie od tego, co one obie o tym sądziły, moja odpowiedzialność się skończy i będę mógł wreszcie zacząć zbierać owoce. Proste.

Henry uzna, że Effie umarła – albo z przedawkowania laudanum, którym ją naszpikuje, albo z zimna. Przez cały dzień padał śnieg. Fanny będzie zadowolona, a ja wreszcie zobaczę jakieś pieniądze. Pytasz, co z Effie? Cóż, nie obiecywałem jej żadnych cudów. W końcu ma w Fanny przyjaciółkę, ona się nią zajmie. Może nawet czasem wpadnę w odwiedziny, byle nie było gadania o Marcie. Nie chcę o niej więcej słyszeć.

Na Cromwell Square dotarłem mniej więcej pół godziny po północy. Ulice były nieprzejezdne, powozem nie miałem jak się przedostać, musiałem z Highgate High Street iść pieszo. Nasypało mi się śniegu do butów, włosy lepiły się do płaszcza. Święta będą jak z widokówki.

Dwanaście bałwanów strzegło High Street niczym duchy wartowników, jeden nawet miał na łysej głowie przekrzywiony na bakier policyjny kask. Mimo późnej godziny z rozjarzonych okien dobiegały śmiechy i śpiewy. Barwne latarnie i jasne girlandy zdobiły wejścia do budynków, błyskotki i świece rozjaśniały okna. Jedne z drzwi się otwarły, wypuszczając ostry zapach cynamonu, goździków i choinki oraz kilku podchmielonych gości, którzy niezdarnie wsiąkli w noc. Światło z korytarza rozłożyło się na śniegu szerokim wachlarzem. Uśmiechnąłem się. W taką noc, szczególnie w taką noc, nikt nie zwróci na nas uwagi.

Łomotałem w drzwi pewnie z pięć minut. Kiedy Henry wreszcie otworzył – a czekałem na to z niecierpliwością, bo chciałem zobaczyć jego minę, gdy się przekona, kim jest przyjaciel Marty, który ma mu pomóc – o mało nie zatrzasnął mi drzwi przed nosem. Szybko jednak zrozumiał, po co się zjawiłem, gestem nakazał mi wejść do środka. Zrzuciłem śnieg z butów, otrzepałem płaszcz.

Dom robił ponure wrażenie, wyglądał na zaniedbany. Nie było choinki, jemioły, ostrokrzewu. Nikt nie oczekiwał Bożego Narodzenia przy Cromwell Square numer dziesięć. Henry wyglądał okropnie. W nieskazitelnym czarnym garniturze i nakrochmalonej koszuli, gładko ogolony, robił wrażenie trupa. Oczy miał ogromne i całkiem puste, twarz mu się zapadła, a pod lewym okiem drgał mięsień – jedyna oznaka życia w kamiennych rysach.

– Pan jest tym przyjacielem Marty? – Pierwsze słowa wypowiedział ochrypłym szeptem. – Dlaczego mi nie powiedziała? Może sądziła, że się nie ośmielę... Czy ona... – Oczy błysnęły mu gniewem, w rozszerzonych źrenicach dostrzegłem, że pojął intrygę. Chwycił mnie za klapy i potrząsnął gwałtownie. Przez kropelki potu nad górną wargą widziałem powiększone pory. – Do diabła z panem! – syknął. – Zawsze wiedziałem, że nie sposób panu ufać! To pan powiedział Effie o Crook Street. To pan, prawda? Ależ oczywiście! Pan mnie zdradził. Zgadza się? Pan!

Wyswobodziłem się, strzepnąłem klapy.

– Drogi panie, nie mam pojęcia, o czym pan mówi. Stawiłem się tutaj, ponieważ Marta mnie o to poprosiła. Darzy mnie zaufaniem. Jeśli pan mi nie ufa, może pan zająć się kwestią na własną rękę.

Spiorunował mnie wzrokiem. Oddychał z trudem.

– Przekleństwo! – odezwał się w końcu. – Dlaczego akurat pan?! Jeśli zdradzi się pan chociaż słowem...

– A, tak, oczywiście. – Skrzywiłem się ironicznie. – Będę opowiadał na prawo i lewo. Niechże pan się zastanowi. Ja też mam niemało do stracenia. Zresztą możemy sobie wspólnie zapewnić alibi. Nic dziwnego, że wzięty malarz spędza wieczór ze swoim zleceniodawcą. W ten sposób obaj będziemy bezpieczni. – Przeciągnąłem dłońmi po mokrych włosach, przybrałem urażony wyraz twarzy. – Henry – odezwałem się poufale. – Sądziłem, że jesteśmy przyjaciółmi.

Jego oczy straciły blask. Wolno skinął głową.

– Jestem... rozdrażniony – stwierdził burkliwie. – Rzeczywiście, nie przypuszczałem, że to ty. Przyjaciel Marty... – Niezgrabnie potrząsnął moją ręką. – Zaskoczyłeś mnie, przyznaję. – Wziął się w garść. – Chodźmy do salonu.

Ruszyłem za nim, nadal z urażoną miną.

– Brandy? – spytał, nalewając sobie szczodrą porcję.

– Na rozgrzewkę – zgodziłem się, podsuwając mu drugą szklankę.

Czas jakiś piliśmy w ciszy.

– No i tak – zagaiłem wreszcie. – Gdzie służba?

– Tabby posłałem do jej siostry w Clapham. Sam rozumiesz, ze świąteczną wizytą. A pokojówka leży w łóżku, ząb ją boli.

– Szczęśliwy zbieg okoliczności – zauważyłem. – Można powiedzieć, palec boży.

Wzruszył ramionami.

– Doskonale wiem, co myślisz – odezwał się sztywno. – Sytuacja jest... rozpaczliwa. A równocześnie... dla mnie odrażająca.

– Oczywiście – przytaknąłem gładko.

Zerknął na mnie nerwowo jak ptak.

– Cóż... – zawahał się, z pewnością tak samo jak ja świadom groteskowej strony sytuacji.

Ach, te salonowe maniery!

– Uwierz mi, naprawdę rozumiem – powiedziałem, wiedząc, że jeśli się nie odezwę, będzie tak stał do rana jak posąg ze szklaneczką w ręku. – Wiadomo mi o... problemach, jakie masz z biedną panią Chester.

– Właśnie, właśnie. – Zdecydowanie pokiwał głową. – Długo chorowała, biedactwo. Badał ją doktor Russell, autor kilku książek na temat zaburzeń umysłowych. Jest nieuleczalnie chora. Szalona. Musiałbym ją oddać do zakładu psychiatrycznego. Pomyśleć tylko, jakie to zgorszenie!

– A tobie skandal zniszczyłby karierę – dokończyłem. – Co byłoby niewskazane, zwłaszcza teraz, gdy „Szeherezada" spotkała się z uznaniem krytyki. Podobno Ruskin zamierza o niej napisać.

– Naprawdę? – Rozproszenie uwagi nie potrwało długo. – I tak widzisz – podjął – dlaczego najstosowniejszym wyjściem... najszybszym i...

Mięsień pod okiem znowu mu zadrgał w nerwowym tiku. Henry wyjął granatową flaszkę, wprawnym gestem wysypał z niej tuzin granulek. Pochwycił moje spojrzenie.

– Chloral – powiedział cicho, przepraszającym tonem.

– Zalecony przez mojego przyjaciela, doktora Russella. Na nerwy. Pozbawiony smaku, zapachu... – Zawahał się. – Nie cierpiała – dodał z trudem. – To było takie łatwe... Zwyczajnie usnęła. – Po dłuższej pauzie powtórzył ostatnie zdanie, jakby zahipnotyzowany jego dźwiękiem. – Zwyczajnie usnęła. Wieczór Wigilii sen jej zesłał... Znasz ten wiersz? Namalowałem do niego obraz... – Jakiś czas wpatrywał się w pustkę, z rozchylonymi ustami, prawie spokojny, gdyby nie ten drgający mięsień pod okiem.

– Trudno o lepszy czas – stwierdziłem rześko, spoglądając na zegarek. – Mamy wigilię Bożego Narodzenia, nikt nie będzie się dziwił, że o późnej porze nie jesteśmy w domu. A gdyby ktoś zobaczył, jak niesiemy ciało, przyjmie, że pomagamy przyjacielowi, który za dużo wypił. Jest zimno, więc naturalnie włożymy kapelusze i szaliki. Jeśli dobrze pójdzie, śnieg będzie padał całą noc, więc nasze ślady na cmentarzu do rana całkiem znikną. Trudno o lepszy czas.

Cisza. Kiwnął głową, zgadzając się z moimi słowami.

– No dobrze – rzuciłem rzeczowym tonem. – Gdzie jest Effie?

Drgnął jak pajac znienacka pociągnięty za sznurki.

– W pokoju... w sypialni.

Ze zdumieniem dostrzegłem na jego twarzy zakłopotanie i poczucie winy.

– Śpi. Dodałem jej do czekolady...

– Doskonale – oznajmiłem. – A co powiesz służbie, kiedy się zorientują, że jej nie ma?

Henry rozciągnął cienkie wargi w uśmiechu.

– Powiem gosposi, że Effie poszła z wizytą do matki. I jeszcze... że chciałbym jej sprawić niespodziankę i ozdobić dom na święta. Musi być ostrokrzew i jemioła, i bombki, i największa choinka, jaką da się kupić... Będzie miała pełne ręce roboty. A ja pójdę do miasta, kupię żonie prezent, jak gdyby nigdy nic. – Uśmiechnął się nieomal pogodnie. – Coś naprawdę ładnego. Położę pod choinką. Poproszę Tabby, żeby przygotowała dla nas obojga jakieś specjalne danie, coś, co Effie lubi szczególnie... – Umilkł, jakby nagłe wspomnienie zakłóciło mu tok myśli. – Effie lubi czekoladę... – Przerwał na długą chwilę. Wreszcie podjął z wysiłkiem: – Może tort czekoladowy. A potem będę czekał. Po jakimś czasie zacznę się niepokoić, poślę człowieka do domu jej matki, żeby się dowiedzieć, co ją zatrzymało. Posłaniec wróci z wiadomością, że wcale tam nie dotarła. Wtedy wezwę policję i zgłoszę zaginięcie.

Napotkałem jego stoickie spojrzenie pełne triumfu. Poczułem coś na kształt podziwu. Czy ja byłbym tak opanowany w podobnych okolicznościach? Owszem, zdarzyło mi się parę razy w życiu ubrudzić ręce, ale nigdy nie otrułem kobiety z zimną krwią... chociaż bywało, miałem na to ogromną ochotę. Patrząc tak na Henry'ego Chestera, mężczyznę o bladej twarzy i lodowatym, bezlitosnym spojrzeniu, zastanowiłem się, czy się co do niego nie myliłem. Odkąd się poznaliśmy, po raz pierwszy sprawiał wrażenie normalnego, człowieka, który dzierży we własnych dłoniach swój los. Z krzywym uśmieszkiem spojrzał swojej winie prosto w oczy i powiedział:

– No dobrze. Chodźmy. Jestem, który jestem.

DWÓJKA PUCHARÓW

46

Wyobraź sobie płatek śniegu spadający w głęboką studnię. Wyobraź sobie okruch sadzy lecący z mrocznego londyńskiego nieba. Skup się na tym przez chwilę.

Płynęłam przez warstwy ciemności. Tańczyłam w groźnym krajobrazie. Widziałam, jak rycerz z powiewającymi na wietrze proporcami oddaje hołd damie na mosiężnej wieży. I stado białych rumaków. Widziałam ptaka z ogonem jak kometa... Ciemna siostra ujęła mnie za rękę i razem podążyłyśmy za sennym pływem na brzeg przedziwnego morza. Opowiedziała mi historię dziewczyny, która spała przez sto lat, a wokół niej wszyscy starzeli się i umierali. Miała ukochanego, który nie chciał o niej zapomnieć. Trzymał przy niej straż, pilnował jej zlodowaciałego snu i czekał. Tak bardzo ją kochał. Codziennie siadał obok i mówił do niej, opowiadał o swojej miłości. Dzień w dzień czesał jej włosy, zdejmował z twarzy kurz i pajęczyny. Czekał. Z czasem postarzał się i zniedołężniał, służba uznała go za szaleńca i opuściła. A on czekał. Aż któregoś dnia, gdy siedział w ostatnich promieniach jesiennego słońca, prawie ślepy, doświadczony wiekiem i przeciwnościami losu, wydało mu się, że ukochana drgnęła, że otworzyła oczy. Umarł z radości, z ukochaną w ramionach i jej imieniem na ustach, gdy wydawał ostatnie tchnienie.

Tak, opowiedziała mi tę historię, kiedy spałam. Czułam na włosach jej dłoń, słyszałam cichy śpiew.

Aux marches du palais...
Aux marches du palais...
'Y a une si belle fille, lonlà...
'Y a une si belle fille...

Przyjrzałam się ciału leżącemu na łóżku. Biedactwo... Czy ktoś będzie na nią czekał?

Mose będzie na mnie czekał. Tego byłam pewna. Przecież obiecał mnie obudzić. Na pewno mnie obudzi. Gdy Fanny przedstawiła mi plan, odmówiłam udziału. Bałam się. Nie chciałam czekać w ciemności, aż zasklepią grób nad moją głową, byłam pewna, że nawet odurzona laudanum – zwariuję. Ale ona mnie zapewniła, że to nie potrwa dłużej niż dziesięć minut. Mose wróci i będę mogła się obudzić. I odtąd już będziemy razem, Mose i ja, i nic nas nie rozdzieli. Uwierzyłam. Obiecał.

* * *

Henry odesłał gosposię do krewnych, a ja za nią tęskniłam. Brakowało mi kochanej Tabby w te ciemne i zimne godziny, jej serdecznych połajanek, aromatu ciasta, zapachu krochmalu i politury. Chciałam, żeby mnie otuliła kocami, kiedy się położyłam...

Jutro Tabby dowie się, że jestem martwa.

Ciotka May też w to uwierzy, zestarzeje się nagle za ladą sklepiku na Cranbourn Alley. Mama będzie musiała zapomnieć o frywolnych czepcach i przejażdżkach z panem Zellinim, ubierze się na czarno, a w czerni jej nie do twarzy. Będzie nosiła żałobę po córce, której nigdy nie rozumiała.

Czy odważę się do nich zajrzeć, gdy wreszcie się uwolnię od Henry'ego? Chyba nie. Dla nich będę martwa. Na dobre. Na zawsze. Nie mogę ryzykować, że Henry się czegoś dowie.

Noc była zimna. Śnieg ozdobił moje okno koronką szronu i wpadał przez komin, sycząc na rozgrzanych kamieniach. Wiatr żałośnie zawodził w kominie, godziny wolno mijały. Tyzia jakiś czas siedziała mi na kolanach, mrucząc głośno. Oczy miała zwężone w półksiężyce odbijające złoty blask z paleniska.

Czy Henry się nią zajmie, kiedy mnie tu nie będzie?

Nagle usłyszałam kroki w korytarzu. Serce zabiło mi mocno. To Henry, nie z trucizną, ale z czymś bardziej skutecznym, co uciszy na zawsze moje skołatane serce. Z nożem? Z toporem? Z pomysłowo zapętloną liną? Otworzył drzwi. Patrzyłam na niego kątem oka. Jego twarz w świetle lampy gazowej pozieleniała, jak na dziecinnym rysunku przedstawiającym wiedźmę. Powieki miał spuszczone, oczy ukryte w cieniu. Jedynie dzięki dyscyplinie, jaką zyskałam przez lata pozowania do obrazów, zdołałam przywołać na twarz wyraz rozespania. Ziewnęłam.

– Tabby? – mruknęłam.

– To ja, Henry. – Głos miał miły, nieomal czuły. – Przyniosłem ci coś. – Musnął dłonią mój kark, parząc mnie swoją gorączką. – Czekoladę. Dla mojej kochanej dziewczynki. Nie chciałbym, żeby ci czegoś zabrakło pod nieobecność Tabby.

– Czekolada... Dziękuję. – Uśmiechnęłam się niewyraźnie. – Pomoże mi zasnąć, prawda?

– Tak, właśnie. – Pocałował mnie w czubek głowy. Oddech miał gorący, wilgotny. Wyczułam, że się uśmiecha.

– Dobrej nocy, proszę pana.

– Dobrej nocy, Effie.

Gdy wyszedł, wylałam czekoladę i położyłam się do łóżka. Zostawiłam tam ciało fizyczne, a subtelnym wzniosłam się w górę. Już od dawna robiłam to bez wysiłku. Minęłam kolejne pokoje, wydostałam się z domu, na śnieg. Białe płatki przepływały przeze mnie, a ja nie czułam chłodu, jedynie radość z latania. Czekałam. W tym stanie nie miałam wyczucia czasu, więc mogłam dryfować kołysana śnieżycą przez długie godziny, nim wreszcie zobaczyłam, jak wychodzą z domu. Serce zabiło mi mocniej, gdy rozpoznałam Mose'a. Naciągnął na oczy stary kapelusz, postawił kołnierz płaszcza. Był z nim Henry, z wysoka widziałam go całkiem wyraźnie.

Groteskowy karzeł, komicznie skrócony dziwaczną perspektywą. Łypał spod kapelusza jednym okiem. Uniósł ręce, zasłaniając się przed moim wiatrem, moją burzą... Zaśmiałam się głośno. I pomyśleć, że tak niewiele było trzeba! Ot, zmiany kąta widzenia. Tyle wystarczyło, by przemienić strach w pogardę. Tak przywykłam do patrzenia w górę na cienką linię jego ust, na zimne tunele oczu, że zapomniałam o jego skazach, o słabości, okrucieństwie i zdradzie.

Z wysoka zawęziłam widok, by się skupić na rzeczach, których normalnie nie widać. Dostrzegłam chmurę wokół jego głowy, mroczną aureolę udręczonych barw. To jego dusza. Zaśmiałam się ustami nocy. Chyba tym razem usłyszał, bo zerknął do góry i patrzył mi prosto w oczy przez krótką chwilę najczystszego piekielnego zrozumienia.

Czarna rozkosz oblała mnie tylko na moment, bo za Henrym stał Mose z ciałem biednej Effie na rękach. Trzymał je bez wysiłku, jakby ważyło niewiele więcej niż płaszcz, którym zostało okutane od stóp do głów. Twarz mojego kochanka przesłaniała jasność opasana upiorną szkarłatną wstęgą, przywodzącą na myśl czerwony kaptur kata.

47

Leżała na łóżku. Włosy mała rozpuszczone, oddychała tak lekko, że przez chwilę odniosłem wrażenie, iż faktycznie jest martwa. Na nocnym stoliku zobaczyłem butelkę laudanum, obok niej pustą filiżanką po czekoladzie. Effie była ubrana w szarą sukienkę. Na tle bezbarwnej tkaniny jej skóra wydawała się świetlista, a włosy, spływające aż na podłogę – fosforyzujące. Na moment mój wzrok przyciągnęła brosza pod szyją, prezent od Fanny. Srebrny drobiazg odbijający zielonkawe światło, kot z grzbietem wygiętym w łuk.

Henry za moimi plecami wydał dźwięk, jakby się dusił.

– Śpi – stwierdziłem. Zależało mi, żeby się przypadkiem nie rozmyślił. – Gdzie płaszcz?

Wskazał mi hak za drzwiami.

– Pomóż mi ją owinąć. Jest kaptur? Nie... To znajdź jakiś czepek.

Nawet nie drgnął.

– Musisz mi pomóc – ponagliłem go niecierpliwie. – Sam nie dam rady.

Wreszcie się ruszył.

– Ja... nie mogę – wydukał. – Nie mogę jej dotknąć. Masz, weź. – Wetknął mi w ręce płaszcz i czepek. – Ty ją ubierz.

Zirytowany wzruszyłem ramionami i wziąłem się do roboty. Zawiązałem wstążki czepka, zapiąłem guziki płaszcza. Wziąłem ją na ręce jak dziecko. Była lekka. Jej głowa opadła mi na ramię. Henry nie chciał jej dotknąć nawet wtedy. Otworzył przede mną drzwi, a następnie zamknął je za nami, jak zwykle pedantycznie wyczulony na szczegóły. Zgasił lampę w korytarzu, po czym wciągnął buty i włożył płaszcz, ani razu nie spojrzawszy na mnie czy na nią. Parę chwil później znaleźliśmy się przed domem. Henry zamknął drzwi na klucz. Teraz już nie było odwrotu.

Nagle stanął jak wryty. Dlaczego? Bo na drodze stanął nam kot, jedną łapę unosił wysoko. Rozpoznałem Tyzię, kotkę Effie. Żółte oczy śledziły wirujące płatki śniegu. Henry wydał zduszony okrzyk. Doszedłem do wniosku, że za chwilę padnie ofiarą jakiegoś ataku.

– Nie bądź głupcem! – burknąłem ostrzej, niż zamierzałem. – To tylko kot, weźże się w garść, na litość boską. – Zaczynał mi działać na nerwy. – Obejmij ją w pasie – poleciłem obcesowo. – Jak się jej pozbędziemy, będziesz mógł do woli nurzać się w wyrzutach sumienia, ale na razie...

Kiwnął głową, odzyskał werwę. Zobaczyłem w jego oczach nienawiść, ale było mi wszystko jedno. Przynajmniej nie będzie rozmyślał na niewłaściwe tematy.

W normalnych okolicznościach droga do Highgate trwała jakieś dziesięć minut. Tej nocy wydawała się nieskończona. Śnieg utworzył na drodze sypkie, zdradliwe zaspy. Pod nimi był lód, więc cały czas się ślizgaliśmy. Stopy Effie ciągnęliśmy po białej pokrywie, przez co szliśmy jeszcze wolniej. Chociaż była lekka, co jakieś sto metrów musieliśmy przystawać. Oddech unosił nam się z ust białymi smugami, dłonie mieliśmy lodowate, a plecy mokre od potu. Nie spotkaliśmy prawie nikogo. Dwóch mężczyzn przed domem publicznym obrzuciło nas znudzonym spojrzeniem, jakieś dziecko wyjrzało zza pluszowej kotary w oknie ciemnego domu. W pewnej chwili Henry uznał, że widzi policjanta, i skamieniał ze strachu, ale mu uświadomiłem, że policjanci zwykle nie mają oczu z guzików ani nosa z marchewki.

Po półgodzinie dotarliśmy do cmentarza, nienaturalnie jasnego, prawie jakby był oświetlony, zwłaszcza na tle mętnego, pomarańczowego nieba. W miarę jak się zbliżaliśmy, Henry zaczął zostawać w tyle, w końcu ciągnąłem i Effie, i jego. Przed bramą rozejrzałem się dookoła, upewniłem, że nikogo nie ma w pobliżu. W ogóle mało było widać, z ledwością rozróżniałem najbliższą lampę. Śnieg ochoczo zasypywał nasze ślady nieskalaną warstwą bieli. Czas odpiąć od paska latarnię. Wsunąłem Effie w ręce Chestera.

– Trzymaj – nakazałem krótko. – Podeprzyj ją na chwilę.

Mało nie zemdlał, gdy głowa żony opadła mu na ramię. Wstążki czepka się rozwiązały, włosy frunęły mu na twarz, lekkie i białe jak śnieg. Z ust wyrwał mu się zduszony krzyk nienawiści, odepchnął ciało. Upadło w biały puch, na plecy.

– Ona żyje! – szepnął. – Poruszyła się.

– Możliwe – zgodziłem się spokojnie. – Ale jest nieprzytomna. Pomóż mi ją podnieść. – Mimo rosnącej irytacji mówiłem łagodnym tonem. – Już niedaleko.

Henry potrząsnął głową.

– Poruszyła się. Ona się budzi. Wiem na pewno. Ty ją weź. Daj mi latarnię.

Mówił bełkotliwie, z wyraźnym trudem. Uświadomiłem sobie, że lada chwila może stracić przytomność.

Podałem mu latarnię, posadziłem Effie, znów nałożyłem jej czepek na głowę i zawiązałem wstążki. Henry w tym czasie wyjął z kieszeni flaszkę chloralu, przyłożył ją do ust. Potem drżącymi palcami zapalił latarnię, ostatni raz obejrzał się przez ramię i ruszył za mną. Minęliśmy bramę.

48

Za murami cmentarza, gdzie wiatr nie miał wstępu, panowała głucha cisza. Niebo zaroiło się od jakichś rzeczy fruwających jak wióry. Próżno by wypatrywać księżyca czy gwiazd, tylko te ciemne płatki lecące jak ćmy do latarni. Za to ziemia połyskiwała, całkiem jak księżyc, zupełnie jakby się zamieniły miejscami na tę jedną koszmarną noc.

Ledwo nadążałem za Harperem. Mimo śniegu stawiał długie równe kroki, a przecież jeszcze niósł Effie. Jej włosy spływały mu po i przedramionach jak całun. Po raz pierwszy w życiu opanowała mnie zazdrość względem tego człowieka, który zdawał się niczego nie obawiać, nie mieć wyrzutów sumienia ani poczucia winy. A przecież był winien w tym samym stopniu co ja, tyle że jakoś się ze swoją winą pogodził, doszedł z nią do porozumienia... Jakże ja chciałem być Mose'em Harperem! Dopiero gdy chloral zaczął wywierać na mnie dobroczynny wpływ, zdałem sobie sprawę, że nareszcie mogę zaakceptować potworność naszych uczynków. Zaabsorbowany własną wewnętrzną ciszą uświadomiłem sobie, że stoję twarzą w twarz z wielką tajemnicą, za sprawą pływów i prądów, które już kiedyś poznałem, zawracam na szerokie wody dzieciństwa i grzechu, znów do pokoju z drzwiami z białą gałką w niebieskie kwiaty, do źródła wszelkiej mojej nienawiści, cierpień i nieszczęścia. Do matki.

Już dawno przestało mi być zimno. Czułem mrowienie w koniuszkach palców dłoni i stóp, ale poza tym miałem wrażenie, że zostałem pozbawiony ciała. Dryfowałem kilka centymetrów nad śniegiem, zaczepiając lekko stopami o jego wierzchnią, twardszą warstwę. Święty Paweł miał rację: grzech pierworodny przeniósł się na duszę z ciała. Skoro nie miałem ciała, byłem zupełnie czysty. Słowo „morderca" tańczyło przede mną w potoku rzęsistego światła. Jeśli patrzysz na jakiś wyraz dość długo, traci on znaczenie. Naprawdę.

Pamiętam, szliśmy przez Circle of Lebanon, grobowce stały po obu stronach alei, opatulone śniegiem, podkreślone blaskiem ognia z latarni. W którymś momencie Harper się zatrzymał, zrzucił z ramienia worek z narzędziami.

– Zakryj latarnię – polecił. – I zostań na czatach, tu, na ścieżce.

Ostrożnie położył Effie na ziemi przy wejściu do grobowca i zaczął czegoś szukać w bagażu.

– Nikt tu nie przychodzi – powiedział. – Wszyscy krewni zmarli. Idealne miejsce.

Nie odpowiedziałem. Całą uwagę skupiłem na grobowcu, ozdobionym herbem i nazwiskiem Isherwood. Wypisano je gotyckimi znakami na omszałym kamieniu. Zapamiętałem też okienko z witrażem, umieszczone w tylnej ścianie – błysnęło mi kolorowym blaskiem w świetle latarni. Przy oknie stał zniszczony klęcznik, niegdyś obity brokatem, teraz pokonanym przez wilgoć i czas. Mose otworzył furtkę bez trudu, po czym odgarnął z posadzki śnieg i liście.

– Widzisz? Tu jest wejście.

Spoglądając mu przez ramię, dostrzegłem płytę marmuru odrobinę jaśniejszą niż pozostałe, a w niej żelazny uchwyt w kształcie koła.

– Pewnie leży tam z tuzin nieboszczyków – ciągnął Mose. Niewielkim dłutem podważał krawędzie. W pewnej chwili narzędzie wyślizgnęło mu się z ręki. Zaklął. – Stara zaprawa, nie chce puścić. Będę musiał uszczypać kamień.

Raptem noc skoczyła mi do gardła jak głodny wilk. Oblałem się zimnym potem. Wiedziałem, po prostu wiedziałem, co znajdziemy w grobowcu, gdy Mose go w końcu otworzy. Wciągnąłem w płuca zimne powietrze i pochwyciłem ulotną woń jaśminu i kapryfolium.

Wtedy Effie się poruszyła.

Wiem na pewno. Widziałem. Zmieniła pozycję i spojrzała na mnie tymi strasznymi, grynszpanowymi oczyma. Naprawdę. Widziałem.

Harper był odwrócony do niej plecami. Udało mu się obluzować płytę. Gdy odciągał ją na bok, oddech buchał mu z ust białym pióropuszem jak dym ze smoczej paszczy i otaczał mu twarz bladą mgiełką. Usłyszawszy mój krzyk, obrócił się gwałtownie, wzrokiem szukał nieproszonych gości.

– Obudziła się! – powiedziałem. – Poruszyła!

Machnął ręką zniecierpliwiony. Ale ona się naprawdę poruszała. Z początku prawie niedostrzegalnie, choć i tak doskonale czułem nienawiść promieniującą z jej chudego, białego ciała. Miała twarz mojej matki i Prissy Mahoney, i tańczącej Kolombiny, i martwego bachora kokoty, a ich usta poruszały się w zgodnym rytmie, formując słowa mrocznej inwokacji, jakby na ich rozkaz mogła rozstąpić się ziemia, wyrzucając na nieskazitelny śnieg fontannę krwi.

Wreszcie Harper też zauważył, co się dzieje, dostrzegł senne przesunięcie policzka po ciemnym czepku, niezdarnie zaciśnięte pięści. W mgnieniu oka znalazł się przy niej z butelką laudanum w ręku. Objął ją za ramiona.

– Mooose... – szepnęła niewyraźnie, jak śpiące dziecko. – Ja...

– Ciii, cichutko – powiedział pieszczotliwym tonem. – Śpij.

– Nie... nie chcę... Nie chcę...

Wyraźnie się budziła. Z mozołem przedzierała się przez mrok nieświadomości.

– Śpij, Effie, śpij – zachęcał ją Harper łagodnie. – Ciii, śpij.

Rozwarła powieki szeroko, a wtedy w wielkich źrenicach ujrzałem oko Boga. Czułem na sobie Jego spojrzenie, przyszpilił mnie jak robaka pod lupą w promieniu słońca. Doświadczyłem Jego ogromnej, potwornej obojętności.

Krzyknąłem.

49

Klnąc w duchu na czym świat stoi, mówiłem do niej cicho i łagodnie. Niech ją szlag! Jeszcze parę minut i byłoby po sprawie. Naciągnąłem jej płaszcz na twarz, bo zimno wyraźnie ją rzeźwiło, objąłem i szeptałem do ucha uspokajające słowa. Niestety, budziła się coraz szybciej, gałki oczne chodziły pod powiekami, oddech miała gwałtowny i nieregularny. Jedną ręką otworzyłem butelkę z laudanum.

– Ciii, spokojnie, Effie. Wypij troszkę – namawiałem. – No, wypij. Troszeczkę.

Nic z tego, nie chciała. Zamiast pić, zaczęła mówić. Henry był całkiem niedaleko. Co prawda spanikował, kiedy otworzyła oczy, i odbiegł kilka kroków alejką, ale nadal pozostawał w zasięgu słuchu. Jeżeli Effie się wygada chociaż jednym słowem, Henry z pewnością wszystkiego się domyśli, nawet w takim stanie. Nie był głupi. Objąłem ją mocniej.

– No już – poleciłem bardziej stanowczo. – Wypij to i bądź cicho.

Skupiła na mnie rozkojarzone spojrzenie.

– Mose – odezwała się dość wyraźnie. – Miałam bardzo dziwny sen.

– Nieważne – syknąłem zdesperowany.

– Bo ja... – Umilkła.

Dzięki Bogu, zasypia, pomyślałem.

– Bądź grzeczna – powiedziałem cicho. – Wypij lekarstwo i śpij.

– Wrócisz po mnie... prawda?

Szlag by to! Akurat Henry zdecydował się wrócić. Był coraz bliżej. Zatkałem jej nos, żeby wlać laudanum do ust, ale i tak nie przestała mówić.

– Jak Julia w grobie... Jak na obrazie Henry'ego. Wrócisz po mnie, prawda?

W nocnej ciszy jej głos zabrzmiał czysto i wyraźnie.

* * *

Musisz mnie zrozumieć. Nie zamierzałem jej skrzywdzić. Gdyby milczała jeszcze dosłownie przez kilka minut... To naprawdę nie moja wina. Nie miałem wyjścia. Henry był już prawie przy mnie, jeszcze jedno słowo i cały plan ległby w gruzach. Wszystkie wysiłki na nic. Musiałem ją uciszyć.

Działałem odruchowo, nie chciałem jej zrobić nic złego. Tylko uciszyć ją na kilka minut. Tyle potrzebowałem, żeby się pozbyć Henry'ego. Ręce miałem zdrętwiałe od kruszenia kamienia, no i – tak, przyznaję – byłem zdenerwowany.

Tak, tak, zgoda. Nie jestem dumny z tego, co zrobiłem, ale na moim miejscu zrobiłbyś to samo, zaręczam. Uderzyłem jej głową, niezbyt mocno, ale trochę mocniej, niż zamierzałem, o próg grobowca. Tylko po to, żeby ją uciszyć. Nie byłaby mi wdzięczna, gdyby przez moje niezdecydowanie runął cały plan. Z pewnością wolałaby, żebym zrobił, co mogłem, dla jej dobra, no i dla własnego.

Głupia, mogła wszystko zepsuć.

Kiedy ją podniosłem, zobaczyłem ciemną plamkę krwi na śniegu w miejscu, gdzie leżała głowa. Jedną okrągłą plamkę wielkości pensówki. Czułem, że zaraz wpadnę w panikę. Może ją zabiłem? Już była na granicy życia i śmierci. Niewiele trzeba, żeby dokończyć dzieło Henry'ego. Przysunąłem ucho do jej twarzy, nadsłuchiwałem oddechu... nic. I co miałem zrobić? Nie mogłem zrobić nic, bo przecież Henry natychmiast zacząłby coś podejrzewać. Mogłem tylko czekać. Dziesięć minut i Henry zniknie. Wtedy będę mógł zająć się Effie, przecież takie uderzenie w głowę jej nie zabiło! Bardziej prawdopodobne, że nie usłyszałem jej oddechu, wiatr go zagłuszył. Nie mogłem sobie pozwolić na panikę z tak trywialnego powodu.

Delikatnie otrzepałem ją ze śniegu i zaniosłem do grobowca. W krypcie było całkiem ciemno, więc powiesiłem latarnię nad wejściem, żeby się nie przewrócić. W dół prowadziło dziesięć wąskich stopni, śliskich i powyszczerbianych. Zniosłem Effie ostrożnie i rozejrzałem się, gdzie by ją zostawić. W krypcie było nieco cieplej niż na zewnątrz, cuchnęło pleśnią i stęchlizną, ale przynajmniej trumny ukryto za kamiennymi płytami na półkach, zapieczętowano cementem. Położyłem ją na pustej półce, z worka po narzędziach zrobiłem poduszkę, otuliłem Effie płaszczem i wyszedłem.

Zamurowałem kryptę, kamienną posadzkę przysypałem ziemią i zeschłymi liśćmi, zamknąłem furtkę, zaklinowałem ją kamieniem. Wreszcie odwróciłem się do Henry'ego i podałem mu latarnię.

Patrzył na mnie przez chwilę wzrokiem bez wyrazu, po czym skinął głową i wziął lampę.

– Czyli... zrobione – powiedział cicho. – Skończone.

Dziwne, ale był całkiem spokojny. Głos miał jasny, ton prawie obojętny.

– Pamiętasz, co robić dalej? – Wolałem mu przypomnieć. – Prezenty. Choinka. Gosposia. Wszystko ma być całkiem normalnie.

Cały czas miałem przykrą świadomość, że jeśli zabiłem Effie, ryzykowałem tak samo jak on.

– Oczywiście – rzekł niemal arogancko.

Odwrócił się ode mnie, nie całkiem, pół na pół, a wtedy uderzyła mnie szczególna myśl, że właśnie zostałem odprawiony. Uśmiechnąłem się w duchu, a potem zacząłem się głośno śmiać, dusiłem się ze śmiechu, skręcany przewrotną radością, a huragan mojego śmiechu omiatał groby, absurdalnie dopasowany do nastroju gotyckiej nocy. Grube płatki śniegu wpadały mi do ust, do oczu.

Henry Chester powoli ruszył aleją. Latarnię trzymał wysoko, jak apostoł prowadzący zmarłych do piekła.

50

Przez bardzo długi czas nie działo się nic. Znajdowałam się poza myślą, poza snami. Potem świat zaczął wracać. Poszczególne myśli dryfowały mi w umyśle jak samotne nuty niedokończonej symfonii. Przedzierałam się przez chmury niepamięci w poszukiwaniu siebie, aż nagle przede mną zjawiła się twarz niczym uniesiony w górę balon i już przypomniałam sobie imię. Potem następne i jeszcze jedno, przybywało ich dookoła coraz więcej, wypływały z mgły jak rozrzucona talia kart. Fanny... Henry... Mose...

A gdzie ona, gdzie moja siostra? Ta, z którą śniłam, moja bliźniaczka, najbliższa przyjaciółka? W panice rozejrzałam się wokół. Nagle uświadomiłam sobie, że po raz pierwszy od czasu, gdy się spotkałyśmy, odkąd zaczęłyśmy wspólną podróż, jestem sama. Sama i w ciemnościach. Fala pamięci przewaliła mi się przez głowę, krzyknęłam przerażona. Mój głos odbił się echem od zmarzniętego kamienia i wtedy przypomniałam sobie, gdzie jestem. Chciałam się poruszyć, ale ciało miałam jak z zamrożonej gliny. Wreszcie udało mi się podeprzeć na łokciach. Macałam wokół siebie, wytężałam wzrok w smolistej ciemności. Leżałam na jakimś występie – zdrętwiałe dłonie nie potrafiły wyczuć, z drewna czy z kamienia – ale kończył się on kilka centymetrów za moim lewym bokiem. Co było dalej, nie potrafiłam odgadnąć. Wolałam leżeć spokojnie, niż narazić się na dotknięcie przegniłych desek jakiejś starej trumny... Z góry docierało do mnie ledwo słyszalne zawodzenie wiatru.

Wyobraziłam sobie siebie głęboko pod ziemią, oplecioną korzeniami cedrów. Jutro przyjdą tu ludzie, będą szli zaśnieżoną alejką do kościoła. Dzieci w jasnych płaszczykach i kapeluszach, już czekające na saneczkowanie po Highgate Hill, kochankowie idący ramię w ramię, oślepieni słońcem odbitym od śniegu, kolędnicy z latarniami i śpiewnikami... A ja będę pod ich nogami, zmarznięta na kamień, otoczona zmarłymi.

Drgnęłam, krzyknęłam bezwiednie:

– Nie!

Mose po mnie przyjdzie. Muszę na niego czekać, a on po mnie przyjdzie.

Odczułam wielką ulgę, bo przez chwilę wszystko mi się strasznie pomieszało, sądziłam, że już jestem nieżywa, na zawsze uwięziona pod śniegiem i marmurem. Ogrzana ukojeniem i nadzieją, spokojnie wyszłam z ciała fizycznego i przeniosłam się do światła, gdzie już na mnie czekała siostra.

51

Odprowadziłem wzrokiem Henry'ego znikającego na High Street, a potem zerknąłem na zegarek. Druga – czyli od dwóch godzin Wigilia. Byłem zmordowany. Teraz, kiedy już nie niosłem Effie, zaczęło mi się robić zimno. Postanowiłem dać Henry'emu pół godziny na dotarcie do domu, bo stanowczo nie chciałem, żeby się na mnie natknął, gdy będę otwierał grób. Poszedłem do pobliskiego klubu, którego właściciel miał bardzo zdrowe podejście do godzin zamykania lokali – w ogóle się nimi nie przejmował. Zawsze można tam było liczyć na szybką kolejkę czy dwie, zwłaszcza gdy człowiek chciał się rozgrzać w taką ponurą noc jak ta. Jeżeli miałem otwierać kryptę jeszcze raz, na dodatek sam, niezbędny mi był łyk czegoś mocniejszego.

Wiem, co myślisz, i przyznaję, w pewnym stopniu masz rację. Rzeczywiście, taka myśl przeszła mi przez głowę, kiedy układałem bezwładne ciało Effie na półce w krypcie. Postanowiłem to rozważyć w nieco mniej ponurym otoczeniu. Jak dotąd, troszczyłem się jedynie, by Henry uwierzył w śmierć Effie. Ani Fanny, ani ja nie sięgaliśmy myślą dalej. Żadne z nas nie planowało, co się stanie z Effie, z tą chorą istotą, kiedy intryga dobiegnie końca. Dopiero wtedy uświadomiłem sobie, że pewnie będzie potrzebowała leczenia. Może nawet konieczny okaże się pobyt w szpitalu. Trzeba by znaleźć jakieś miejsce, gdzie nikt jej nie rozpozna, bo gdyby do Henry'ego dotarły wieści, że jego żona jednak żyje, nie tylko przepadłby nasz dochodowy interes, ale wręcz skończylibyśmy w areszcie. Szczerze mówiąc, rzeczywiście wszystko wskazywało na to, że Effie...

To była tylko myśl. W końcu człowiekowi wolno myśleć, tak? Zresztą przysięgam, nigdy by mi to nie przyszło do głowy, gdybym nie był na wpół przekonany, że ona już i tak jest martwa. Niech ci się nie wydaje, że nie było mi szkoda słodkiej Effie. Naprawdę bardzo ją lubiłem. Ale też, trzeba przyznać, jej śmierć była wszystkim bardzo na rękę. Zupełnie jakby jej była pisana. I taka romantyczna, prawda? Jak Julii.

52

Gdy powoli wracałem na Cromwell Square, otulała mnie cisza. Potężna jak sama śmierć. Szedłem całkiem otępiały przez białą zasłonę śniegu.

Uparcie zmuszałem się do cierpienia. Powtarzałem sobie, że zamordowałem żonę, wyobrażałem ją sobie żywą, zamkniętą w grobowcu, krzyczącą, płaczącą, słabnącą, zdzierającą palce do kości o ciężki kamień w próżnej nadziei na ucieczkę... Nic. Najbardziej upiorne obrazy nie wywołały we mnie najmniejszych wyrzutów sumienia. A gdy wszedłem do domu, usłyszałem w głowie pewien dźwięk, który stopniowo przekształcił się w prosty radosny hymn, złożony z jednej nuty, wibrujący mi w uszach w rytm uderzeń serca: Marta, moja czarna msza, moje rekwiem, mój danse macabre. Czułem, jak mnie przyzywa przez noc, wiedziałem, że mnie pragnie. Pożądała mojej duszy. Docierał do mnie jej niesłyszalny głos, bliski, intymny...

Wróciłem do domu, a ona już tam była. Owinięta płaszczem tak, że widziałem tylko blady owal twarzy, gdy mnie milcząco zaprosiła do środka. Nawet się nie zatrzymałem, by zapalić lampy, od razu ją objąłem. Po co się zjawiła, jak weszła do domu – nawet mi nie postało w głowie pytać. Dosyć mi było wziąć ją w ramiona, och, jakaż ona była leciutka, prawie niewyczuwalna przez grube fałdy wełnianej tkaniny. Ukryłem twarz w jej włosach, w cierpkim zapachu nocy na jej skórze... jaśmin i bez, i czekolada...

Sparzyłem wargi na jej ustach, lecz ciało miała lodowato zimne. Rozbierając mnie, szkicowała mi palcami na skórze spirale zamarzniętego ognia. Szeptała mi do ucha, a jej głos przypominał szum cyprysów na cmentarzu w Highgate. Zsunęła płaszcz z ramion. Pod spodem nie miała nic. Zjawa w zielonkawej ciemności, z odbitą od śniegu poświatą połyskującą na skórze. Mimo wszystko była piękna.

– Och, Marto, co ja dla ciebie zrobiłem... Co ja bym dla ciebie zrobił.

Pamiętam, że po wszystkim zebrałem swoje rzeczy i poszedłem korytarzem do sypialni. Szła za mną, ciągle naga, a jej stopy nie wydawały żadnego dźwięku na grubych dywanach. Zostawiłem ubranie na podłodze, wsunąłem się pod kołdrę. Położyła się obok mnie i leżeliśmy jak zmęczone dzieci, aż w końcu, dużo później, zasnąłem.

Następnego ranka, gdy się przebudziłem o ósmej, jej nie było.

53

Tak, prawda, wypiłem trochę więcej, niż zamierzałem. W „Klubie Żebraka" było ciepło, spotkałem przyjaciół, którzy grali w karty, postawili mi kolejkę. Potem musiałem się zrewanżować, zamówiliśmy też coś do jedzenia, żeby nie pić na pusty żołądek... i przez to wszystko w końcu się spóźniłem. Może nie dosłownie, ale zrozum, że naprawdę długo nad tym myślałem, a konkluzja nie była prosta.

Nie patrz tak na mnie, nie ma powodu. Niech ci się nie wydaje, że łatwo mi było podjąć tę decyzję. Przecież w końcu właśnie po to, by zapomnieć, do czego byłem zobowiązany, w ogóle zacząłem pić. Dalej już wszystko potoczyło się samo. Pamiętam, o piątej nad ranem zerknąłem na zegarek i zdumiałem się, że to ta godzina. Wtedy już oczywiście było za późno.

Nie zdołałbym wrócić do domu, więc u starej megiery pilnującej klubu zostawiłem resztę pieniędzy w zamian za pokój. Zwaliłem się na łóżko w koszuli. Nie minęło pięć minut, a już smacznie chrapałem. Nagle coś mnie wyrwało ze snu. Nie wiedziałem co. Zorientowałem się dopiero po chwili: to ciche skrobanie w drzwi.

Pewnie jakiś gość, pomyślałem, pijany jak bela, który chce się domeldować do mojego pokoju, bo wszystkie inne zajęte.

Nic z tego, nie zamierzałem go wpuścić.

– Pokój zajęty! – zawołałem spod koca.

Cisza. Może mi się zdawało. Zacząłem odpływać w sen. Nagle jednak wydało mi się, że ktoś przekręca gałkę w drzwiach. Niech piekło pochłonie intruza! Niech mnie zostawi w spokoju! Tak czy inaczej, drzwi były zamknięte. Jak się o tym przekona, wreszcie sobie pójdzie.

– Powiedziałem, że pokój zajęty! – krzyknąłem. – Idź stąd, dobry człowieku, znajdź sobie jakieś inne miejsce.

Tyle wystarczy, uznałem.

Odwróciłem się na drugi bok, szczęśliwy, że mam ciepły koc i gładkie prześcieradło.

Wtedy usłyszałem otwierające się drzwi.

W pierwszej chwili uznałem, że to w sąsiednim pokoju, ale gdy zerknąłem kątem oka, w zielonkawym świetle zza okna dostrzegłem kobiecą postać. Zanim oprzytomniałem, drzwi się zamknęły, a drobne kroki zbliżyły się do łóżka. Chciałem coś powiedzieć, ale miałem z tym niejaki kłopot, bo mój umysł nadal znajdował się w oparach alkoholu, więc nie zdążyłem się odezwać, gdy stanęła obok łóżka i zrzuciła ubranie.

I co miałem robić? Naciągnąć kołdrę na głowę i wołać właścicielkę? Czy też udawać świętoszka: „Panienko, przecież my się prawie nie znamy..."? Nie, oczywiście, że nie. Nie powiedziałem nic. Zwyczajnie czekałem. Niewiele widziałem, ale na pewno była młoda i harmonijnie zbudowana. Może wpadłem jej w oko przy którejś wizycie w klubie? Nie bądź taki zaskoczony, zdarzało mi się to wcześniej. Przyszło mi też do głowy, że pomyliła pokoje. W takim razie tym bardziej należało trzymać język za zębami. A poza wszystkim innym, zmęczenie minęło mi jak ręką odjął.

Ubranie z szelestem opadło na podłogę, w półmroku blada postać usiadła na łóżku, pod jej ciężarem ugiął się materac. Weszła pod kołdrę. Kiedy mnie dotknęła, zadrżałem. Była strasznie zimna. Przez moment miałem wrażenie, że jej dotyk rozedrze mi skórę. Ale już chwilę później, gdy mnie objęła, mimo chłodu, który wsączyła mi w ciało, zacząłem reagować, doceniłem zmysłowość lodowatych pieszczot. Gdy mnie dosiadała, jej włosy spadły mi na twarz pajęczyną. Nogi miała długie i silne, mocno przycisnęła uda do moich boków. Dziwne, lecz miałem wrażenie, jakbym ją skądś znał... Ostrymi paznokciami delikatnie drapała moje ramiona. Szeptała prawie niedosłyszalnie z ustami tuż przy mojej twarzy. Przekręciłem głowę, żeby słyszeć lepiej.

– Mose...

Nawet oddech miała zimny, dostałem od niego gęsiej skórki. Mało ważne. Ważniejsze było coraz mocniejsze przekonanie, że już ją kiedyś spotkałem.

– Mose... Tak długo na ciebie czekałam... Och, Mose...

Już prawie ją rozpoznałem.

– A ty nie przyszedłeś. Tak mi zimno.

Prawie, ale nie do końca. Jakoś nie chciałem pytać. Ot, na wszelki wypadek. Ciągle jeszcze byłem otumaniony alkoholem. Przez mgłę niepamięci przebijały się oderwane wspomnienia: seans spirytystyczny (tak mi zimno), talerz, który pozornie sam obraca się na wypolerowanej powierzchni...

– Tak mi zimno. – Cicha skarga.

Jestem opiekuńczy.

– Już, już, kochanie, zaraz cię ogrzeję.

Muszę stwierdzić, podniecenie mija. Jej ciało jest jak glina pod moimi zmarzniętymi palcami.

– Czekałam, Mose, tak strasznie długo. Czekałam i czekałam. A ty nie przyszedłeś. Nie przyszedłeś. – Długie westchnienie, jak echo w jaskini.

I nagle myśl tak niedorzeczna, że prawie się roześmiałem. Tyle że śmiech ugrzązł mi w gardle, gdy uświadomiłem sobie konsekwencje...

– Effie?
– Ja...
– Dobry Boże, Effie!
Nagle opuściły mnie wątpliwości. To była ona, poznawałem zapach jej skóry, dotyk włosów, niepewny głos szepczący w ciemności. W głowie mi się kręciło, przekląłem brandy. Własny głos dobiegał mnie z daleka. Jak ostatni głupiec powtarzałem jej imię, jak zepsuta lalka.
I w końcu:
– Jak się wydostałaś? Chciałem wrócić, naprawdę. – Naprędce obmyślałem usprawiedliwienia. – Przed cmentarzem był policjant, nie mogłem wejść. Czekałem i czekałem... szalałem z niepokoju.
– Poszłam za tobą – oznajmiła głosem bez wyrazu. – Przyszłam tutaj. Czekałam, żebyś wrócił. Och, Mose...
Moja zdrada zawisła między nami, głośniejsza niż słowa.
– Effie – podjąłem z fałszywą szczerością – nie wiesz, co mówisz. Nieszczęsny gliniarz sterczał pod cmentarzem całe godziny... kiedy w końcu udało mi się go przechytrzyć, ciebie już nie było. Pewnie się minęliśmy dosłownie o parę minut. – Pocałowałem ją z udawaną namiętnością. – Nie wracajmy do tego. Cieszmy się, że jesteśmy razem i nic ci nie grozi. Zgoda? – Objąłem ją. Trząsłem się z zimna. – Ogrzej się, kochanie, i spróbuj zasnąć.
– Zasnąć... – tchnęła najcichszym szeptem, ledwo ją słyszałem. – Już nie zasnę. Dosyć spałam.

* * *

Gdy obudziłem się cztery godziny później, Effie nie było. Mógłbym uznać, że wszystko sobie wymyśliłem, ale na dowód, że nie śniłem, zostawiła mi na stoliku nocnym wizytówkę: srebrną broszę w kształcie kota.

54

Tabby wróciła od rodziny w wigilijny poranek. Obudziła mnie jej krzątanina na parterze, więc ubrałem się w pośpiechu. Spotkałem ją na schodach, akurat niosła tacę z czekoladą i biszkoptami dla Effie.

– Dzień dobry, Tabby – powitałem ją z uśmiechem. – Dla pani Chester? – Wyjąłem jej tacę z rąk. – Wyręczę cię.

– Ależ proszę pana, przecież to żaden kłopot...

– Będziesz miała dzisiaj mnóstwo innych zajęć – oznajmiłem. – Sprawdź pocztę, proszę, a potem zaczekaj na mnie w salonie, powiem ci, co umyśliłem dla pani Chester.

– Tak, proszę pana.

Wbiegłem na piętro, wylałem czekoladę, zjadłem dwa biszkopty. Rozrzuciłem pościel na łóżku Effie, zgniotłem jej koszulę nocną i rzuciłem ją na podłogę, rozsunąłem kotary. Filiżankę zostawiłem na stoliku nocnym. Właśnie taki bałagan lubiła Effie. W doskonałym humorze zszedłem porozmawiać z Tabby.

Od rana byłem znacznie bardziej opanowany niż wczoraj, mało tego, okazało się, że potrafię patrzeć na sypialnię Effie, dotykać jej koszuli nocnej i filiżanki, z której wypiła zatrutą czekoladę – z całkowitym spokojem. Zupełnie jakby nocne spotkanie z Martą obudziło we mnie nowego ducha. Światło dnia na dobre przegnało demony nocy.

– Tabby – zacząłem pogodnie – pani Chester postanowiła dzisiaj zrobić niespodziankę swojej matce i wybierze się do niej ze świąteczną wizytą. W tym czasie my oboje przygotujemy dla niej niespodziankę.

– Tak, proszę pana.

– Kupisz najpiękniejszy ostrokrzew, jaki znajdziesz, najładniejszą jemiołę i udekorujesz dom. Potem zajmiesz się świąteczną kolacją. Ma być wszystko: jaja przepiórcze, gęś, grzyby... i oczywiście najlepsza czekolada. Sama wiesz, jak bardzo pani Chester lubi czekoladę. – Uśmiechnąłem się do gosposi promiennie. – Jak sądzisz, czy po czymś takim wróci do siebie?

Oczy jej zalśniły.

– Tak, proszę pana! – odparła uszczęśliwiona. – Strasznie się o panią martwiłam. Taka jest chudziutka, proszę pana, koniecznie trzeba ją odkarmić. Potrzebne jej dobre, zdrowe jedzenie, niech sobie doktorzy gadają...

– Oczywiście – przerwałem. – I jeszcze jedno: bardzo cię proszę, ani słowa. Chcę zrobić pani Chester niespodziankę. Jeśli wyjdziesz zaraz, na pewno zdążysz przed jej powrotem ubrać choinkę.

– Och, pani na pewno będzie zachwycona!

– Mam taką nadzieję.

Gdy Tabby żwawym krokiem opuściła dom, pozwoliłem sobie na uśmiech – najgorsze miałem za sobą. Skoro przekonałem gosposię, że wszystko jest w najlepszym porządku, wszelkie moje kłopoty się skończyły. Z niekłamaną przyjemnością zacząłem się szykować do wyjścia po zakupy.

Około jedenastej wziąłem powóz na Oxford Street i przez jakąś godzinę chodziłem po sklepach. U irlandzkiego straganiarza kupiłem torebkę prażonych orzeszków. Zjadłem je z apetytem, wrzucając gorące łupiny do ścieku i patrząc, jak odpływają szarą rzeką topniejącego śniegu. Nabyłem łokieć złotej wstążki, dalej parę różowych dziecięcych rękawiczek, gdzie indziej pomarańczę. Na dobrą sprawę zapomniałem, że kupuję prezenty, by zachować pozory, całkiem poważnie rozważałem, co się będzie Effie bardziej podobało: efektowny akwamarynowy wisior, grzebień z szylkretu, wdzięczny czepek czy może szal?

W pasmanterii stanąłem przed wystawą bielizny nocnej, leniwie błądząc spojrzeniem po koszulach, czepkach, halkach.

Nagle zmartwiałem. Tuż przede mną leżał bursztynowy negliż z jedwabiu, identyczny jak ten, który miała moja matka, dokładnie taki, jak pamiętałem. Tyle że ten był nowy, koronka kipiała na jedwabiu jak morska piana. Ogarnęło mnie nieprzezwyciężone pragnienie – musiałem go mieć. W żaden sposób nie mogłem odejść, zostawiając go w sklepie, owo przewspaniałe trofeum, symbol zwycięstwa nad poczuciem winy. Kupiłem i zabrałem ze sobą, pijany z radości.

W krótkim czasie miałem z tuzin paczuszek, między nimi również i to cenne zawiniątko. Rozentuzjazmowany kupiłem więcej, niż zamierzałem. Między innymi upominek dla Marty. Piękny rubinowy wisior, roziskrzony i pulsujący niczym serce. Nabyłem jeszcze czterometrową choinkę, uzgodniłem dostawę i zawróciłem na Cromwell Square.

Wtedy ją zobaczyłem. Drobną postać w ciemnym płaszczu, z kapturem częściowo zasłaniającym twarz. W półmroku bocznej uliczki zalśniło blade pasmo włosów. I zniknęła.

W jednej chwili wszystkie pracowicie stworzone pozory diabli wzięli. Cały plan zawalił się jak domek z kart. Z ogromnym trudem zdusiłem w sobie głupie pragnienie, by za nią pobiec i ściągnąć jej kaptur z głowy.

Śmieszne. Po prostu śmieszne. Jak mogłem choćby przez chwilę pomyśleć, że to może być Effie. Wyobrazić ją sobie w ubłoconej cmentarną ziemią spódnicy, zobaczyć to straszne pragnienie w jej źrenicach...

Mimowolnie strzelałem oczyma na boki, wzrokiem szukałem dziewczyny w alejce.

Nie zaszkodzi sprawdzić, powiedziałem sobie.

Uliczka była wąska, bruk śliski od topniejącego śniegu i warstwy śmieci. Znalazłem tylko chudego kota obwąchującego martwego ptaka w rynsztoku. Dziewczyna zniknęła.

Ależ oczywiście! Niby miałaby na mnie czekać?

Mogła wejść do któregoś z domów albo do sklepu, ot, zwyczajnie. Na pewno nie była mścicielką, zesłaną, by mnie dręczyć.

A jednak... Owładnął mną przeszywający chłód. Zdecydowanym krokiem zawróciłem na Oxford Street, do ludzi, do świateł. Dziwne, lecz gotów byłbym przysiąc, że drzwi tych kilku budynków, które stały w bocznej uliczce, są zabite deskami. I okna też.

55

Obudziły mnie dzwony. Głośne, bijące bez żadnej harmonii, wtłoczyły mi się do snu i sprowadziły przykre wspomnienia. Ulica przed klubem była biała. Powietrze też. W oddali dostrzegłem kilka osób brnących przez mgłę do kościoła. Zadzwoniłem po kawę. Kiedy mi ją przyniesiono, zignorowałem pogodne życzenia „Wesołych Świąt", wypiłem gorący napój i wreszcie się rozgrzałem. Wtedy doszedłem do wniosku, że mogę stawić czoło wypadkom minionej nocy ze zwykłą rezerwą. Niech ci się nie wydaje, że byłem jakoś szczególnie poruszony. Noc przemówiła niespokojnymi obrazami snów, umiałem je odróżnić od rzeczywistości.

Taka właśnie jest różnica między mną a Henrym Chesterem. On się poddaje koszmarom, więc napadają na niego jak wygłodniałe demony, a ja doskonale widzę, czym są – czczymi fantazjami. A mimo wszystko zwiodły mnie, dwie spryciary, tak samo jak razem omamiliśmy biednego Henry'ego. Nie mam do nich żalu. Dobry gracz umie przegrywać z wdziękiem. Jestem po prostu ciekaw, jak to zrobiły.

Ubrałem się i zastanowiłem nad następnym ruchem. Effie na pewno już zdążyła wszystko opowiedzieć Fanny. W nocy nie potrafiłem ocenić, czy w ogóle pojęła, że ją zostawiłem, natomiast Fanny domyśli się tego z pewnością. A ona może mi narobić kłopotów, jeśli tylko zechce.

Tak. Najpierw trzeba odwiedzić Fanny, dopiero potem Henry'ego.

Wobec czego, włożywszy płaszcz, ruszyłem na Crook Street. Po drodze rozjaśniło mi się w głowie, powietrze było rześkie, roziskrzone, wokół pachniało choinką i przyprawami. Zanim dotarłem do drzwi domu Fanny, miałem już gotową historyjkę, która wszystko tłumaczyła.

Dłuższy czas pukałem bezskutecznie. Już zaczynałem sądzić, że w środku nie ma nikogo, gdy usłyszałem kliknięcie zamka i zobaczyłem przed sobą Fanny. Twarz miała bladą i kompletnie bez wyrazu, całkiem jak tarcza zegara za jej plecami w holu. W pierwszej chwili przyszło mi do głowy, że wybrała się do kościoła, bo była ubrana na czarno. Fałdy miękkiego aksamitu otulały ją od stóp do głów, w kontraście przy ciemnej tkaninie jej skóra lśniła olśniewającą bielą. Agatowe oczy wydawały się jeszcze bardziej kocie niż zwykle, ale zaczerwienione, jakby płakała. Dziwna myśl, cokolwiek niepokojąca. Przez wszystkie te lata, odkąd poznałem Fanny Miller, nie widziałem, by uroniła chociaż jedną łzę.

Rozciągnąłem usta w uśmiechu.

– Witaj, Fanny. Wesołych Świąt!

Z kamienną twarzą zaprosiła mnie do środka. Oczyściwszy buty o stopień, wszedłem, powiesiłem płaszcz w korytarzu.

Ani śladu dziewcząt. Odniosłem dziwaczne wrażenie, że dom opustoszał. Czułem w powietrzu kurz, jakby zalegał na posadzkach przynajmniej centymetrową warstwą. Tykanie zegara urosło nagle do ogłuszającego bicia, niczym uderzenia gigantycznego serca. Raptem stanął, ze wskazówkami zamarłymi na minutę przed północą.

– Zegar ci się popsuł – zauważyłem.

Nie odpowiedziała.

– Przyszedłem najprędzej, jak mogłem – ciągnąłem wytrwale. – Jak się czuje Effie?

Wzrok miała nieodgadniony, źrenice jak główki szpilek.

– Nie ma Effie – powiedziała tonem nieomal obojętnym. – Effie nie żyje.

– Jak to?! Przecież w nocy...

– Nie ma Effie – powtórzyła głosem bez wyrazu.

Zastanowiłem się przelotnie, czy przypadkiem, podobnie jak Henry, nie zagustowała w niebezpiecznych napojach.

– Nie ma Effie – powtórzyła. – Teraz jest tylko Marta.

Pięknie. Znowu ona.

– Ach, rozumiem, przebrała się. Doskonały pomysł. Nikt jej nie rozpozna. A jeśli chodzi o zeszłą noc... – Przestąpiłem z nogi na nogę. – W zasadzie... Plan... to znaczy... Henry niczego się nie domyślił. Żałuj, że cię tam nie było.

Żadnej odpowiedzi. Nie miałem pewności, czy mnie w ogóle słucha.

– Martwiłem się o Effie – mówiłem dalej – zamierzałem szybko po nią wrócić, ale... pewnie ci już powiedziała, że napotkałem pewne trudności. Przed bramą cmentarza stał policjant. Pewnie zobaczył światło i przyszedł sprawdzić, co się dzieje. Czekałem parę godzin. A jak w końcu dotarłem na miejsce, Effie już nie było. Bardzo się o nią martwiłem.

Jej milczenie zbijało mnie z pantałyku. Właśnie miałem znów się odezwać, kiedy usłyszałem za sobą w korytarzu jakiś nowy dźwięk, szelest jedwabiu. Obróciłem się gwałtownie i zobaczyłem cień, groteskowo wyciągnięty, wsparty na wzorzystej tapecie. W półmroku nie widziałem dokładnie tej osoby, na wpół odgadywałem jej rysy w bladej owalnej twarzy. Fałdy szarej sukni spływały miękko na ziemię perfekcyjnym łukiem. Czarne włosy, rozpuszczone, proste...

– Effie? – spytałem chrapliwie. Starałem się być dobroduszny.

– Nazywam się Marta.

Ach, oczywiście. Zaśmiałem się lekko, lecz mój śmiech szybko zamarł, groteskowy w ciszy. Jej głos też był pozbawiony wyrazu, bezkrwisty. Brzmiał jak padający śnieg.

– Zajrzałem sprawdzić, jak się miewasz – stwierdziłem niezdarnie. – Czy nic... Czy nic ci nie dolega.

Milczenie.

Chyba usłyszałem oddech. Jak trącenie palcem trawy pokrytej szronem.

– Wybieram się dzisiaj do Henry'ego – podjąłem. – W interesach. Porozmawiać o pieniądzach. – Słowa smakowały mi w ustach jak wrzody. Mówienie sprawiało fizyczną przykrość.

A one co? Mogłaby się któraś odezwać. Effie otworzyła usta... a, nie, przecież nie Effie. Marta, tak, ta flądra, czarny anioł namiętności Henry'ego. Jego kusicielka i oprawca. Nie miała nic wspólnego z Effie. Dotarło do mnie, że chociaż była wymysłem zrodzonym z ochry i pudrów, przez to stanowiła jeszcze większe niebezpieczeństwo. Bo była prawdziwa, niech ją piekło pochłonie! Tak samo rzeczywista jak ty czy ja. Czułem jej bierne zadowolenie, brnąłem przez niesKładne zdania w poszukiwaniu wyjaśnienia, które jeszcze kilka chwil wcześniej wydawało mi się tak jasne!

Miała zamiar to powiedzieć. Wiedziałem na pewno, że miała zamiar to powiedzieć. Zrobiła krok w moją stronę, dotknęła mojej ręki, a mnie nagle zabrakło powietrza. Buchała od niej wściekłość i gniew, lecz delikatny dotyk podziałał jak środek znieczulający – przestałem czuć cokolwiek.

– Zostawiłeś mnie, Mose. Pozwoliłeś mi umrzeć w ciemnościach. – Głos miała hipnotyczny, mało brakowało, a byłbym przytaknął.

– Nic podobnego, ja...
– Wiem wszystko.
– Właśnie mówiłem Fanny...
– Znam prawdę. Teraz moja kolej. – Niby mówiła tonem bez wyrazu, ale ja miałem nerwy napięte do ostateczności, więc i tak wyczuwałem gniew oraz coś na kształt kpiny.
– Effie...
– Nie ma Effie.
Wtedy nareszcie uwierzyłem.

* * *

Wycofałem się w najlepszym możliwym stylu: ostatkiem sił walcząc o oddech, przebiłem się przez pokłady brązowego powietrza. Zapach kurzu miałem w nosie, w płucach, wszędzie. Fanny nie odezwała się już ani słowem. Chwyciłem płaszcz, chwiejnym krokiem wyszedłem na ulicę. Zerknąłem trwożliwie za siebie. Zobaczyłem je wtedy po raz ostatni: stały ramię w ramię, trzymały się za ręce i obie mierzyły mnie złym spojrzeniem. Mogły być w tamtej chwili matką i córką, tak do siebie podobne, tak bliźniaczo naznaczone nienawiścią. Przestraszyłem się, potknąłem, upadłem. Zmoczyłem spodnie na kolanach i płaszcz na łokciach, straciłem czucie w rękach.

Gdy obejrzałem się po raz drugi, drzwi były zamknięte, ale nienawiść ze mną została. Delikatna, okrutna, kobieca, jak woń perfum. Dotarłszy do najbliższego baru, postarałem się ukoić skołatane nerwy, lecz gniew Marty nie opuścił mnie nawet po pijanemu, studząc zapał. Niech obie idą do diabła! Można by pomyśleć, że naprawdę zamordowałem Effie. Czego się spodziewały? Przecież pomogłem jej uciec, nawet jeśli sprawy potoczyły się nieco inaczej, niż zakładał plan. Ja omamiłem Henry'ego i ja będę im przynosił pieniądze. One z pewnością są zbyt delikatne, żeby stawić mu czoło.

Wczoraj słyszałem: „Potrzebuję cię, Mose, liczę na ciebie, Mose”, a dzisiaj... Ech!

Nie ma sensu owijać w bawełnę, powiedziałem sobie. Zwyczajnie mnie wykorzystały.

Nie miałem powodu czuć się winny.

Spojrzałem na zegarek. Wpół do trzeciej. Ciekawe, co tam u Henry’ego.

Od razu zrobiło mi się weselej. Niedługo złożę mu wizytę.

56

W stanie euforii trwałem aż do powrotu na Cromwell Square. Gdy zobaczyłem wieniec z ostrokrzewu na drzwiach, ogarnęło mnie znużenie. Zmysły mi odrętwiały na myśl o roli, jaką będę musiał odegrać przed Tabby, skoro Effie jednak nie wróci do domu. Już miałem dłoń na klamce, gdy drzwi nagle się otworzyły i w progu stanęła gosposia, uśmiechnięta, promienna, wyraźnie zadowolona.

Zobaczyła zakupy w moich rękach, krzyknęła z radości.

– Proszę pana! Pani Chester będzie uszczęśliwiona. Dom ślicznie przyozdobiony, ciasto stygnie w piekarniku... Ojejku!

Pokiwałem głową dość sztywno.

– Dobrze się spisałaś. Weź ode mnie paczki, proszę, i połóż w salonie. – Podałem jej zakupy. – Wypiłbym szklaneczkę brandy.

– Oczywiście, proszę pana.

Zabrała pakunki, zniknęła, uradowana jak dziecko.

Pozwoliłem sobie na krzywy uśmiech.

Akurat popijałem brandy w bibliotece, gdy dostarczono choinkę. Patrzyłem, jak Tabby i najęty człowiek ustawiają ją w salonie, po czym gosposia ozdobiła drzewko szklanymi bombkami, różnymi błyskotkami oraz białymi świecami mocowanymi woskiem na gałązkach. Uroczy obrazek. Siedziałem przy ogniu i przymknąwszy oczy, wdychałem nostalgiczny zapach igieł. Czułem się przyjemnie zdezorientowany, jakby to jakiś inny, młodszy Henry Chester czekał na magiczny wieczór i niespodzianki.

Zapadł zmrok. Tabby zapaliła świece na gzymsie kominka, dorzuciła do ognia. W pokoju zrobiło się ciepło i przytulnie. Świąteczny nastrój, choć tak nieodpowiedni w danych okolicznościach, ogarnął mnie bez reszty. Wydarzenia minionej nocy wydawały się odległe jak wypadki z dzieciństwa, do tego stopnia, że zwracając się do gosposi, nieomal wierzyłem we własne kłamstwa.

– Tabby, która godzina?

– Minęła czwarta, proszę pana. – Przytwierdziła do drzewka ostatnią świecę. – Może napiłby się pan herbaty i zjadł keksu?

– Chętnie, dziękuję. A herbatę lepiej zaparz od razu w dzbanku, pani Chester powiedziała, że wróci najpóźniej o czwartej.

– I kawałek tortu jej naszykuję. Biedactwo, pewnie będzie zmarznięta.

Tort, keks i dzbanek z herbatą stały na kredensie prawie godzinę, zanim pozwoliłem sobie na okazanie zaniepokojenia. Poszło mi znacznie łatwiej, niż sądziłem. W miarę jak nadciągała noc, spokój mnie opuszczał, choć nie rozumiałem dlaczego. Zachciało mi się pić, więc wychyliłem szklaneczkę brandy. Po alkoholu zrobiło mi się gorąco i zaczęło kręcić w głowie. Odruchowo powracałem wzrokiem do prezentu zawierającego jedwabny negliż, leżącego u stóp choinki. Nie mogłem sobie znaleźć miejsca.

Wreszcie zadzwoniłem na Tabby.

– Nie było wiadomości od pani Chester? – zapytałem. – Powiedziała, że wróci o czwartej, a już minęła piąta.

– Nie, proszę pana – odrzekła Tabby pogodnie. – Na pewno

nie ma powodu do zmartwienia. Pewno pani się gdzieś zatrzymała, by zamienić z kimś dwa słowa. Niedługo wróci.

– Mam nadzieję, że nic jej się nie stało.

– Proszę się nie martwić. Niedługo wróci.

* * *

Zaczekałem, aż wypaliły się świece na kominku. Te na drzewku przetrwały znacznie krócej, Tabby już dawno zastąpiła je nowymi. Nie zapaliła ich, czekaliśmy na powrót Effie. Dla uspokojenia wypiłem kawę i próbowałem czytać jakąś książkę, ale litery tańczyły mi przed oczyma, nie mogłem się skupić. Wreszcie przyniosłem szkicownik i zacząłem rysować, skoncentrowałem się na liniach i fakturze papieru, na ołówkach i kredzie. W myślach przyczaił mi się rój pszczół. Gdy zegar wybił siódmą, podniosłem głowę i wyciągnąłem rękę do dzwonka. Moja dłoń zawisła w powietrzu jak kończyna marionetki, bo kątem oka pochwyciłem ruch przy choince. Zasłona się poruszyła, delikatnie, pociągnięta niewidzialnymi palcami. Usłyszałem dziwny dźwięk, jakby echo, jakby dzwonki niesione wiatrem. Strumień powietrza dotknął prezentów. Bombka obróciła się sama z siebie, rzuciła na ścianę tęczowy odblask. A potem cisza.

Nonsens, powiedziałem sobie, hamując gniew. To tylko przeciąg między nieszczelną ramą okienną a drzwiami otwartymi gdzieś w domu.

Co za pomysł, żeby sobie wyobrażać Effie za oknem! Effie z długimi jasnymi włosami okalającymi białą twarz, na której maluje się pragnienie... Effie, która przyszła wziąć prezent, a może też jakiś ofiarować?

– Absurd! – powiedziałem. Mój głos zabrzmiał mocno i pewnie. – Nonsens.

Mimo wszystko musiałem podejść do okna, odciągnąć na bok ciężki brokat, wyjrzeć przez grubą szybę na ulicę.

Była oświetlona, biała i pusta. Nie dostrzegłem śladów stóp na skrzącym śniegu.

Zadzwoniłem na gosposię.

– Tabby, czy pani Chester przysłała wiadomość?

– Nie, proszę pana.

Radość się z niej ulotniła. Effie była spóźniona już trzy godziny, znowu padał śnieg, paraliżując noc.

– Pojedziesz na Cranbourn Alley i dowiesz się, czy pani Chester stamtąd wyszła. Ja zaczekam tutaj, na wszelki wypadek.

– Proszę pana – odezwała się niepewnie. – Może pani... Trudno powiedzieć...

– Rób, co powiedziałem – warknąłem, wtykając jej w rękę dwie gwinee. – Pośpiesz się i nigdzie nie zatrzymuj. – Uśmiechnąłem się ponuro. – Może przesadzam, ale mieszkamy w Londynie. Jedź! I prędko wracaj.

– Tak, proszę pana. – Brwi miała ściągnięte.

Patrzyłem przez okno, jak, opatulona płaszczem i szalem od stóp do głów, pośpieszyła przez dziewiczy śnieg.

Wróciła z dwoma policjantami.

Zobaczyłem ich, gdy wchodzili na teren posesji: jeden wysoki i chudy, drugi pulchny jak Tabby. Z mozołem brnęli przez gęsty śnieg do drzwi. Choć czułem nadciągającą panikę, to jednocześnie musiałem zdusić śmiech pełen goryczy. Jedną ręką odszukałem butelkę chloralu zawieszoną na szyi, wytrząsnąłem z niej trzy granulki, popiłem łykiem brandy. Udało mi się przepędzić z twarzy grymas kwaśnego uśmiechu. Usiadłem i czekałem.

Gdy usłyszałem pukanie, zerwałem się z fotela, omal nie potknąłem na schodach i pobiegłem do drzwi. Zobaczywszy ich na progu, pozwoliłem, by na mojej twarzy pojawił się wyraz przestrachu. Tabby niezdarnie ocierała łzy, stróże prawa stali bez ruchu, z gołymi głowami.

– Effie! – Głos mi drżał. W dwóch sylabach zawarłem całe napięcie wieczoru. – Znaleźliście ją? Zdrowa? Cała?

– Jestem sierżant Merle – odezwał się wyższy z policjantów. – A to – długą kościstą ręką wskazał drugiego – konstabl Hawkins.

– Panowie, co z moją żoną? – W głosie zachrypiał mi powstrzymywany śmiech. Dla sierżanta Merle'a z pewnością zabrzmiało to rozpaczliwie. – Mówcie, co z moją żoną?

– Obawiam się, proszę pana, że pani Chester nie dotarła na Cranbourn Alley. Pani Shelbeck nie zastaliśmy w domu, natomiast panna Shelbeck, jej szwagierka, jest w najwyższym stopniu zaniepokojona. Ledwo ją odwiedliśmy od przyjścia z nami.

Zmarszczyłem brwi, potrząsnąłem głową.

– Nie rozumiem...

– Czy możemy wejść?

– Ależ oczywiście, bardzo proszę. – Wcale nie grałem. Samo się wszystko układało. Po alkoholu, chloralu i z nerwów zawirowało mi w głowie. Przytrzymałem się framugi, a mimo to omal nie upadłem.

Merle był zadziwiająco silny. Chwycił mnie pod ramię i zaprowadził do salonu. Konstabl Hawkins podążył za nami wraz z Tabby.

– Pani Gaunt, zechce pani przynieść filiżankę herbaty dla pana Chestera? – spytał Merle cicho. – Chyba mu się przyda.

Gosposia wyszła, oglądając się przez ramię na policjantów. Twarz miała ściągniętą lękiem.

Siadłem ciężko na sofie.

– Przepraszam panów – powiedziałem. – Chorowałem ostatnio, a i stan małżonki bardzo mnie martwi. Proszę mi powiedzieć prawdę. Czy panna Shelbeck wydawała się zdziwiona, gdy panowie jej powiedzieli, że moja żona wybrała się na Cranbourn Alley?

– Rzeczywiście, była zaskoczona – przytaknął Merle. – Stwierdziła, że nie dostała od pani Chester żadnej wiadomości.

– Boże drogi... – Ukryłem twarz w dłoniach, by nie zdradzić się z uśmiechem, którego nie zdołałem powstrzymać. – Nie powinienem był puszczać jej samej! Trzeba było z nią iść, słuchać rad lekarza. Powinienem był się domyślić.

– Proszę pana?

Podniosłem na niego spojrzenie przepełnione troską.

– Moja żona ma... skłonność do wybryków. Jeden z moich przyjaciół, doktor Russell, specjalizujący się w chorobach nerwowych, badał ją nie dalej jak przed dziesięciu dniami. Pani Chester zapadła na histerię... Wydaje się jej, że ktoś ją szykanuje. – Pozwoliłem, żeby mi usta zadrgały, jakbym był bliski łez. – Dobry Boże – powtórzyłem z mocą – dlaczego pozwoliłem jej wyjść? – Wstałem gwałtownie, chwyciłem Merle'a za ramię. – Niech pan ją znajdzie, sierżancie. Nie sposób przewidzieć, dokąd poszła. Może być w niebezpieczeństwie.

A potem się rozpłakałem. Łzy pociekły mi po policzkach, dławiły mnie w gardle. Potrząsałem głową, szlochałem, uwalniałem się od smutku i od jadowitego śmiechu. I gdy tak zawodziłem z twarzą ukrytą w dłoniach, ogarnęła mnie wesołość, zimny, mechaniczny chichot ukryty gdzieś na samym dnie serca, a razem z nim świadomość, że mój smutek, jeśli rzeczywiście odczuwałem smutek, nie dotyczy ani Effie, ani nikogo innego. Tylko mnie.

57

Dopiero po siódmej zdecydowałem się złożyć Henry'emu spóźnioną wizytę. Dorożką dojechałem na High Street, a od cmentarza poszedłem pieszo na Cromwell Square. Mijając grupkę dzieci śpiewających kolędy, dostrzegłem między nimi dziewczynkę, może dwunastoletnią, promieniejącą nieziemską, krystaliczną urodą. Puściłem oko do ślicznego dziecka, każdemu berbeciowi wetknąłem w rękę sześciopensówkę i pogwizdując, ruszyłem dalej, do domu Chestera.

Otworzył drzwi prawie natychmiast, jakby oczekiwał odwiedzin. Po minie widać było wyraźnie, że nie uszczęśliwiła go moja wizyta, lecz obrzuciwszy ulicę ukradkowym spojrzeniem, wpuścił mnie do środka. Gosposi nie było widać ani słychać, więc przyjąłem, że wyszła. Tym lepiej. Łatwiej się dogadam z Henrym w cztery oczy.

– Wesołych Świąt – zacząłem pogodnie. – Pięknie przystrojony dom. No, ale też nie ma się czemu dziwić, w końcu mamy co świętować!

Obrzucił mnie ostrym spojrzeniem.

– Tak?

Uniosłem brwi.

– Dajże spokój, Henry, nie bądź taki skromny. Obaj wiemy, o czym mówię. Uznajmy, że w czasie tegorocznych świąt udało nam się... rozwiązać kilka problemów, prawda? Przy czym twoje były dość poważne, powiedziałbym, a moje – zaledwie finansowe. We dwóch świetnie damy sobie radę.

Henry nie był głupcem, szybko zrozumiał. Poprzedniej nocy widziałem go przytłoczonego poczuciem winy i oszołomionego chloralem, dziś natomiast miał trzeźwy umysł, choć trudno mi było w to uwierzyć. Zmierzył mnie spojrzeniem pełnym wyższości.

– Nie sądzę – odparł zimno. – Moim zdaniem nie powinniśmy nawet widywać się zbyt często. A teraz zechcesz mi wybaczyć, jestem dość zajęty.

– Przecież nie na tyle, by nie wypić świątecznego toastu ze starym przyjacielem! – zaprotestowałem. – Poproszę brandy, jeśli można. Nigdy nie omawiam interesów o suchym gardle.

Henry nie drgnął, więc sam sobie nalałem trunku z karafki.

– Napij się ze mną – zachęciłem go niewinnie.

– Czego chcesz? – spytał przez zaciśnięte zęby.

– Pytasz, czego chcę? – Zmartwiłem się wyraźnie. – Dlaczego zakładasz, że w ogóle czegoś chcę? Obawiam się, że mnie nie zrozumiałeś. Nigdy nie pozwoliłbym sobie na tak prostackie zachowanie, za nic w świecie bym cię o nic nie poprosił. Ale oczywiście, gdybyś miał ochotę, w imię naszej przyjaźni, coś mi podarować... Powiedzmy marne trzysta funtów na spłatę wierzycieli... Ot, bożonarodzeniowy upominek, że się tak wyrażę... Z pewnością bym nie odmówił.

Zmrużył oczy z nienawiścią.

– Nie będziesz mnie szantażował! Jesteś tak samo winny jak ja. Nie wyłgasz się!

– Musiałbyś udowodnić moją winę, drogi przyjacielu – rzuciłem lekko. – Dajże spokój! Mam dobrych znajomych, którzy w razie potrzeby dla mnie skłamią, a ty?

Zamilkłem, pozwoliłem, żeby moje słowa dotarły do niego. Potem, kończąc brandy jednym haustem, dodałem:

– Wczujmy się w świąteczny nastrój. Przysługa za przysługę, nic nowego. Cóż znaczą trzy setki dla człowieka takiego jak ty? Na pewno warto je poświęcić, choćby po to, by zobaczyć moje plecy.

Długo milczał. Wreszcie spojrzał na mnie z wściekłością.

– Zaczekaj – rozkazał.

Obrócił się na pięcie i wyszedł.

Po kilku minutach wrócił z niewielkim metalowym pudełkiem. Wepchnął mi je w dłonie, jakby mnie chciał skaleczyć.

– Bierz, kanalio – wycedził. – Popełniłem błąd, obdarzając cię zaufaniem. Teraz już wiem, że taki był twój plan, od samego początku. Dbasz wyłącznie o siebie, nikt inny cię nie obchodzi. Zejdź mi z oczu! Nie chcę cię więcej widzieć.

– To zrozumiałe – zgodziłem się pogodnie, wsuwając pudełko do kieszeni. – Ale nie jest powiedziane, że twoje życzenie się spełni. Życie jest pełne niespodzianek. Pewnie jednak jeszcze się spotkamy... na wystawie, w klubie... albo na cmentarzu? Kto wie? Szkoda byłoby stracić kontakt, prawda? Nie musisz mnie odprowadzać do drzwi, sam trafię. Wesołych Świąt!

* * *

Pół godziny później siedziałem przed ciepłym ogniem w ulubionym klubie na ulicy Haymarket. Cenne pudełko ukryłem w wewnętrznej kieszeni, piłem doskonałą brandy, podjadałem kasztany gotowane w jabłeczniku, podawane przez piętnastoletnią ślicznotkę o włosach jak piasek i ustach niczym brzoskwinia.

Nigdy nie marnowałem czasu na wyrzuty sumienia. Zwycięstwo nad Henrym wprawiło mnie w doskonały nastrój. Przyznaję, wobec ponętnej dziewczyny i grubego pliku banknotów wszelkie myśli o Effie szybko przestały mnie niepokoić. Miałem na głowie inne, pilniejsze sprawy.

Wypiłem za przyszłość.

58

Po jego wyjściu wściekle przemierzałem korytarz tam i z powrotem. Zostałem sprytnie oszukany! Dopiero teraz się w tym zorientowałem. Wychwalał moje obrazy, godzinami przesiadywał w moim domu, pił moją brandy i patrzył na moją żonę... A przez cały czas czekał na odpowiedni moment, żeby mnie wykorzystać. Za moimi plecami śmiał się z mojej uprzejmości, z głupoty. Niech go piekło pochłonie! Niesiony gniewem nabrałem ochoty, żeby wszystko wyznać policji, wyłącznie dla satysfakcji, by zobaczyć, jak go wieszają. Tak czy inaczej się zemszczę. Nie teraz, bo teraz musiałem być spokojny i opanowany, jeśli miałem sobie poradzić ze stróżami prawa, lecz co się odwlecze, to nie uciecze.

Tyle że noc przyszła pełna odgłosów: strzelanie ognia w kominku, trzeszczenie desek podłogi, szept lampy gazowej jak lekki, nierówny oddech śpiącego dziecka... Siedziałem przy kominku i zdawało mi się, że poza normalnymi odgłosami starego domu słyszę coś jeszcze, jakieś dźwięki, które mój otępiały umysł rozpoznał dopiero po pewnym czasie. Ktoś przechodził cicho z pokoju do pokoju. Z początku odrzuciłem tę myśl (szelest kobiecej spódnicy na jedwabnej tapecie), ponieważ nikt nie mógł wejść do domu, nie mając klucza, a sam zamknąłem drzwi po wyjściu Harpera (lekkie kroki drobnych stóp na grubym dywanie, skrzypnięcie skórzanego fotela, gdy na nim przysiadła). Nalałem sobie kolejną szklaneczkę brandy z chloralem (cichutkie brzęknięcie porcelany w salonie; skosztowała tortu – zawsze lubiła tort czekoladowy).

Nie potrafiłem znieść tego dłużej. Zerwałem się na równe nogi i gwałtownie otworzyłem drzwi, rzucając w korytarz długi prostokąt światła. Nikogo. Drzwi salonu były uchylone. Czy tak je zostawiłem? Nie mogłem sobie przypomnieć. Powodowany czarną żądzą, o wiele silniejszą niż strach, pchnąłem je, otwierając szerzej, i ją zobaczyłem. Dziewczynę z liści, z liściastym kotem na rękach. W dwóch parach oczu, w czterech źrenicach niczym w przepastnych studniach odbijała się jak w lustrze moja maleńka twarz.

I nagle – nic. Tylko obraz wierzby płaczącej, obsypanej białym puchem, w ramie czarnego okna.

Ani śladu dziewczyny. Bo i żadnej tu nie było. Rozejrzałem się po pokoju: tort nietknięty, porcelana tak, jak ją zostawiłem, fałdy kotary ułożone z precyzją doskonałą. Najmniejszy ciąg powietrza nie tknął płomieni świec, próżno by szukać niezwykłych cieni na ścianie. Albo zapachu jaśminu. Przecież jednak... Ściągnąłem brwi, szukając zmiany. Poduszki nietknięte, dekoracje też, bombki na choince...

Zmartwiałem. Pod choinką na dywanie leżał trójkącik oddartego papieru. Tylko jeden. Ogłupiały usiłowałem odszukać w pamięci, skąd mógłby się wziąć, z którego podarunku? Zrobiłem krok, drugi… i dojrzałem, że paczuszka z brzoskwiniowym negliżem zsunęła się z innych podarunków. Leżała na boku. Odruchowo schyliłem się, by ją podnieść. Sznurek został przecięty. Spod sztywnego brązowego papieru wyglądał przejrzysty jedwab ozdobiony koronką.

Mój umysł, racjonalny i trzeźwy, nie chciał pojąć znaczenia tego widoku, więc choć chciało mi się krzyczeć i płakać, stałem bez ruchu, patrząc na otwartą paczkę, ogarnięty przepastną nicością. Może z powodu chloralu mój mózg pracował niesłychanie wolno, obracając w myślach najpierw negliż, potem rozdarty papier, w końcu przecięty sznurek. I znowu bielizna... nic się nie składało. Stałem sam, w ogromnej ciszy, z jedwabnym fatałaszkiem w dłoniach. Papier zsunął się z niego i spadł, w zwolnionym tempie, na podłogę odległą o całe kilometry. Jedwab miał moc hipnotyczną, spoglądałem w niego z nieludzką precyzją, widziałem osnowę i wątek, przenikałem wzrokiem nici marszczonej koronki, spirala w spirali... Kawałek jedwabiu wypełnił mi cały świat, nie zostało miejsca na myśli, wytrwała tylko świadomość, nieskończone odczucie, bezkresna kontemplacja.

W otchłani uświadomiłem sobie, że się śmieję.

59

Niesłychane, jak szybko rozchodzi się gotówka, prawda? Spłaciłem długi – bynajmniej nie wszystkie, tylko te, z którymi już nie sposób było zwlekać, i przez kilka dni żyłem w stylu, do jakiego chętnie bym przywyknął. Dobrze jadłem, pijałem wyłącznie najlepsze trunki, a jeśli chodzi o kobiety, przewinęło się ich więcej, niż zdołałem spamiętać, wszystkie piękne, wszystkie chętne skorzystać z pieniędzy drogiego Henry'ego. Niech ci się nie wydaje, że nie byłem mu wdzięczny. Za każdym razem, gdy otwierałem nową butelkę, wznosiłem toast za jego zdrowie, a kiedy Panna Żebraczka biegła w Newmarket, postawiłem na nią dziesięć funtów. I wygrałem, piętnaście do jednego! Los mi sprzyjał.

Co nie oznacza, że wygodnie umoszczony w gnieździe rozpusty, zaniedbałem śledzenie istotnych zdarzeń. Zniknięcie Effie Chester zostało odnotowane w „Timesie", wspomniano o możliwości, iż padła ona ofiarą przestępstwa. W wigilię Bożego Narodzenia przed południem udała się z wizytą do matki na Cranbourn Alley, lecz tam nie dotarła. „Była osobą o słabych nerwach i złej kondycji psychicznej", policja obawiała się o jej los. Henry najwyraźniej całkiem udatnie odegrał swoją rolę, skoro gazeta określiła go jako szalejącego z niepokoju. Wiedziałem jednak, że nie można na nim polegać. Jego równowagę zakłócały, w równym stopniu, chloral i purytanizm, więc najpewniej po kilku tygodniach udawania wpadnie w przygnębienie i zacznie sobie wyobrażać wszelkie kary boskie i ludzkie, jakie go dosięgną za niegodny czyn.

Nie mogłem też wykluczyć możliwości, że powodowany wyrzutami sumienia wyzna swoje grzechy policji, a wówczas skończą się dla mnie złote dni. Fanny pewnie liczyła na to od początku, choć nie rozumiałem dlaczego. Kierując się logiką, należałoby uznać, że chciała, by został aresztowany, choć nadal nie pojmowałem, dlaczego wybrała taką niepewną drogę do celu. Tak czy inaczej, mnie nic nie groziło. Chłodne przyjęcie na Crook Street przekonało mnie, iż nie mam już wobec obu niewdzięcznic żadnych zobowiązań. A jeśli Henry mnie oskarży, zwyczajnie powiem prawdę. Przynajmniej tyle, ile będzie trzeba. I niech się Fanny tłumaczy z motywów działania oraz kidnapingu. A Effie niech wyjaśnia kwestię Marty. Miałem je obie z głowy. Można mnie było oskarżać co najwyżej o rozwiązłość i ewentualnie szantaż. Próba identyfikacji zwłok skończyłaby się ośmieszeniem, skoro „ciało", z ufarbowanymi włosami i żołądkiem pełnym laudanum, wałęsało się po domu Fanny.

Fanny! Przyznaję, nadal była dla mnie zagadką. Chętnie bym do niej zajrzał, tak tylko, by się dowiedzieć, co porabia. Ale nie miałem najmniejszej ochoty spotkać Marty. Nigdy więcej. Wobec czego postanowiłem złożyć kolejną wizytę Henry'emu.

Kiedy to było?... Niech pomyślę... Chyba trzydziestego grudnia. Henry miał prawie tydzień na uporządkowanie swoich spraw, a mnie w zasadzie skończyły się pieniądze. I tak przespacerowałem się do niego, poprosiłem o widzenie. Gosposia spojrzała na mnie koso i oznajmiła, że pana Chestera nie ma w domu. Oczywiście miało go nie być dla mnie, więc oznajmiłem, że poczekam. Zaprowadziła mnie do salonu. Czekałem. Znudzony rozglądałem się po wnętrzu. Pokój ciągle jeszcze był świątecznie udekorowany, pod choinką leżały prezenty przeznaczone dla dziewczyny, która nie wróci do domu.

Wzruszający akcent, stwierdziłem z uznaniem. Policji się na pewno spodobał.

Henry zasłonił pokrowcami wszystkie obrazy, czym osiągnął dość irytujący efekt. Ciekaw byłem, dlaczego to zrobił.

Czekałem prawie dwie godziny, nim w końcu uznałem, że gospodyni powiedziała prawdę: pana Chestera rzeczywiście nie było w domu.

Zadzwoniłem po brandy, a kiedy przyniosła trunek, wsunąłem jej w dłoń gwineę.

– Pani... – Uśmiechnąłem się przepraszająco. – Obawiam się, że nie znam pani nazwiska...

Od lat nikt nie nazwał jej panią, miałem ją w garści.

– Gaunt, proszę pana, ale państwo Chester...

– Pani Gaunt. – Zaprezentowałem gosposi czarujący uśmiech. – Jestem, jak pani sobie przypomina, starym przyjacielem pana Chestera. Zdaję sobie sprawę, co przeżywa...

– Och, proszę pana! – Przycisnęła do oczu chusteczkę. – Biedna pani! Tak się boimy, że jakiś łajdak... – Zabrakło jej słów. Była wyraźnie poruszona.

Wiele mnie kosztowało zduszenie chichotu.

– Oczywiście, oczywiście... – powiedziałem tonem pełnym otuchy. – Lecz jednak jeżeli, Boże uchowaj, doszło do najgorszego, musimy się troszczyć o tych, co pozostali. Pan Chester potrzebuje wsparcia. Być może poinstruował panią, by pani odprawiała gości – tu spojrzałem na nią z wyrzutem – ale oboje wiemy, droga pani Gaunt, że tak być nie powinno, dla jego dobra.

– Och, tak, proszę pana!... Wiem, wiem. Biedny pan Chester. Nie chce jeść, prawie nie śpi, godzinami przesiaduje w pracowni albo chodzi po cmentarzu. On tak panią wielbił, że teraz nie może o niej nawet słuchać... pozakrywał te śliczne portrety, mówi, że widok jej twarzy sprawia mu ból...

– Nie wie pani przypadkiem, gdzie jest?

Pokręciła głową.

– Ale nie będzie pani stała na drodze, gdy następnym razem przyjdę go wesprzeć?

– Proszę pana! – oburzyła się wyraźnie dotknięta. – Gdybym tylko wiedziała... Ale są ludzie, sam pan wie, którzy nie byliby...

– Oczywiście.

– Niech pana Bóg błogosławi.

Uśmiechnąłem się szeroko.

– Napiję się jeszcze i pójdę. Proszę mu nie wspominać, że zajrzałem. Nie ma potrzeby go tym zajmować.

– Dobrze, proszę pana – zgodziła się zdziwiona.

– Dziękuję pani. Trafię do wyjścia sam.

Gdy zniknęła mi z oczu, przeszedłem cicho do sypialni Henry'ego. Wyjąłem z kieszeni broszkę Effie, tę, którą mi zostawiła na stoliku nocnym w klubie, i przypiąłem ją do poduszki. Lśniła w półmroku. Nad łóżkiem wisiał jeszcze jeden zasłonięty obraz – zdjąłem z niego pokrowiec. Effie uniosła się nad wezgłowiem jak blady sukub. Henry będzie dobrze spał tej nocy.

* * *

Z Cromwell Square ruszyłem prosto do pracowni Henry'ego. Zmierzchało już, a nim dotarłem na miejsce, zapadła ciemność. Pracownia znajdowała się w budynku mieszkalnym, Henry wynajmował pomieszczenie na pierwszym piętrze. Na dole drzwi były otwarte, schody oświetlone fatalnie, zaledwie jedną lampą o nierównym płomieniu. Musiałem się mocno trzymać poręczy, żeby nie zrobić sobie krzywdy na nierównych schodach. Dotarłem do drzwi.

Zamknięte.

Zakląłem soczyście. Nic z tego. Odwróciłem się, by odejść, lecz zatrzymała mnie ciekawość, chęć obejrzenia studia. Może zostawiłbym jeszcze jedną wizytówkę? Przyjrzałem się nieskomplikowanemu zamkowi. Wystarczyło kilka obrotów małego ostrza scyzoryka i zapadka odskoczyła. Podważyłem skobel, pchnąłem drzwi.

W pracowni było całkiem ciemno, więc przez kilka chwil walczyłem z lampą, nim udało mi się ją zapalić. Pod nogami miałem szeleszczący papier, ale nie wiedziałem, po czym przeszedłem. Wreszcie, gdy rozbłysło światło, mogłem się rozejrzeć po wnętrzu.

W pierwszym odruchu uznałem, że włamałem się do niewłaściwej pracowni. Znałem Henry'ego jako pedanta. Kiedy byłem tu ostatnim razem, na ścianach wisiały obrazy w ramach, a płótna bez ram znajdowały się po lewej stronie. Kufer z kostiumami i rekwizytami stał w głębi, stół oraz kilka krzeseł – pod ścianą. Teraz panował niewyobrażalny bałagan. Obrazy zerwano ze ścian, niekiedy razem z tapetą, a nawet z tynkiem, i rzucono w nieładzie przed kominkiem. Te bez ram poniewierały się po podłodze, jak rozsypane karty do gry. Każdą wolną powierzchnię zajmowały szkice. Jedne pomięte, inne porwane, jeszcze inne nieuszkodzone, na pergaminie, na płótnie i na papierze pakowym. Niektóre zapierały dech w piersiach. Nie podejrzewałem u Henry'ego takich zdolności. Kominek był zapchany szkicami, tam leżały na wpół zwęglone żałosne szczątki. Spędziłem kilka chwil na kolanach, przeglądając te resztki, obracając rysunki, szukając powodu ich odrzucenia.

Zakręciło mi się w głowie. Na każdym wizerunku – ona. Akwarelą, węglem, ołówkiem, olejem, temperą... formy o niezwykłej czystości, studia oczu, warg, włosów, policzków... En face, z profilu, trois-quattre... Wszystkie wyraziste, ostre, prawdziwe. Źle oceniałem Henry'ego przez te wszystkie lata. Oszczędny symbolizm jego wcześniejszych dzieł skrywał chłodną, nieomal wschodnią czystość spojrzenia. Każdy ślad ołówka był wybitny. Okrucieństwo i czułość subtelnie połączone... Arcydzieła, jedno w drugie, rozrzucone w ataku wściekłości splecionej z miłością – ofiary dzieciobójstwa... Nic z tego nie pojmowałem.

W pewnym sensie zazdrościłem mu. Oczywiście wiedziałem, że artysta musi cierpieć, by stworzyć wielkie dzieło, ale cierpienie tak ogromne, by stworzyć coś takiego... Może warto byłoby poznać... taką wszechogarniającą pasję.

Jakiś czas siedziałem pośród żałosnych szczątków, zasmucony jak dziecko. W końcu jednak mój umysł powrócił do bardziej prozaicznych tematów i znów byłem sobą. Nadal pozostawała kwestia pieniędzy.

Zacząłem rozumować logicznie. Gdzie on się podziewał? Rozważyłem wszystkie możliwości i... odgadłem. Oczywiście! Czwartek. Był czwartek. Dzień Marty. Zerknąłem na zegarek. Pięć po siódmej. Gdziekolwiek Henry Chester był w tej chwili, czy przemierzał ulice Londynu, czy tkwił w zimnym kręgu piekła, tak czy inaczej o północy stawi się na Crook Street, na schadzkę ze swoją wybranką. Niezależnie od ryzyka, niezależnie od cierpienia, będzie na miejscu.

Mój wzrok spoczął na rysunku, który wybrałem przypadkowo spośród setek innych, zaścielających podłogę. Sztywny papier do akwareli, kartka o nierównych brzegach. Niewyraźny szkic brązową kredą, na nim płonące oczy wypełnione bezkresną obietnicą.

Każdy by się zakochał.

Wzruszyłem ramionami, upuściłem rysunek z powrotem na palenisko.

Nie ja, Henry. Nie ja.

60

W chwili, gdy zobaczyłem otwarty prezent pod choinką, pojąłem, że Effie jednak wróciła do domu. Słyszałem jej kroki w korytarzu, oddech w ciemnym pokoju, czułem zapach perfum, znalazłem włos na poduszce, chusteczkę w mojej kieszeni. Effie była w powietrzu, którym oddychałem, w koszuli, którą wkładałem, płynęła pod warstwą farby na obrazach jak topielica tuż pod powierzchnią wody, więc w końcu musiałem je pozakrywać, żeby schować jej twarz, oskarżycielskie spojrzenie. Była też w butelce z chloralem, więc obojętne, ile go brałem, nie udawało mi się zyskać spokoju, co gorsza, jej wizerunek w mojej głowie stawał się jeszcze klarowniejszy. A kiedy spałem – bo mimo wszystkich sztuczek, jakimi oszukiwałem sen, niekiedy jednak zasypiałem – nachodziła mnie w snach, krzyczała do mnie rozdzierającym, nieludzkim głosem pawia: „A co z bajką? A co z bajką? A co z bajką?".

Znała wszystkie moje tajemnice. Noc za nocą zjawiała się z podarunkami: a to z butelką wody jaśminowej, a to z białą gałką w niebieskie kwiaty, a któregoś razu przyniosła biały krążek hostii opieczętowany szkarłatnym dotykiem ust.

Każdej nocy budziłem się zalany słodko-kwaśną mieszaniną strachu i wyrzutów sumienia. Nie mogłem jeść, bo czułem smak Effie w każdym kęsie, który podnosiłem do ust. Zaglądała mi w udręczone oczy za każdym razem, gdy patrzyłem w lustro. Zdawałem sobie sprawę, że przyjmuję o wiele za dużo chloralu, ale nie potrafiłem zmniejszyć dawek.

Znosiłem to wszystko dla jej dobra. Dla Marty, mojej Szeherezady. Czy ona o tym wie? Czy budzi się nocą, szepcząc moje imię? Czy ona mnie kocha, moja kredowobiała Persefona?

Chciałbym wiedzieć.

Zaczekałem do czwartku, tak jak obiecałem. Nie śmiałem zachować się inaczej, moja Szeherezada nie była wyrozumiała, a przerażała mnie sama myśl o tym, że mogłaby mnie odepchnąć, gdybym choć na krok odstąpił od jej poleceń. W czwartek wieczorem odczekałem, aż Tabby położy się spać, nawet wypiłem przy niej ciepłe mleko, zanim poszedłem do siebie. Od razu po otwarciu drzwi sypialni wyczułem zmianę: ulotną woń laudanum i czekolady w chłodnym powietrzu, trzepot firany w uchylonym oknie... Długo nie mogłem zapalić światła, bo dłonie mi drżały i przez cały czas słyszałem ją w ciemnościach za plecami. Małą żebraczkę, ostre paznokcie na jedwabnej narzucie i oddech. Boże drogi, jej oddech. Wreszcie lampa rozlała kapryśny blask. Odwróciłem się gwałtownie. Tak, była w pokoju. Spojrzała mi w oczy. Stałem sparaliżowany, z otwartymi ustami, a nie mogłem złapać tchu. Traciłem zmysły. Opuszczały mnie, oddalając się na podobieństwo szpuli szpagatu wrzuconej do bezdennej studni.

Wtedy zobaczyłem na łóżku pokrowiec. Zalała mnie gorąca fala ulgi. Obraz. Oczywiście. Patrzyłem na obraz. Pokrowiec się zsunął i...

Aż mi się zakręciło w głowie ze szczęścia, rozradowany podbiegłem do łóżka...

Śmiech zamarł mi w gardle, kolana się pode mną ugięły. Na poduszce zobaczyłem przypiętą do poszewki srebrną broszę. Effie miała ją pod szyją tamtej nocy. Pamiętałem doskonale, bo błysnęła, kiedy Effie poruszyła się na śniegu, srebrny łuk kociego grzbietu zalśnił, gdy skupiła na mnie spojrzenie ciemnych oczu...

Ogłupiały pogładziłem broszkę palcami, próbowałem zwolnić bieg myśli gnających z zawrotną prędkością. Lewa dolna powieka trzepotała jak flaga sygnalizująca nadciąganie niekontrolowanej paniki.

(a co z aco z acozbajką)

Gdybym ją usłyszał, wiedziałbym, że postradałem zmysły, lecz wiedziałem, że mówi tylko w moich myślach.

(acoz acozbaj acozbajką)

Użyłem jedynego znanego mi czaru. By uciszyć bezlitosny głos w umyśle, wypowiedziałem głośno jedno magiczne słowo. Z całą mocą wezwałem czarodziejkę.

– Marta.

Cisza.

I coś jeszcze, prawie jak nadzieja. Nieomal spokój.

Czekałem w morzu milczenia przez całą wieczność.

O dziesiątej wstałem z krzesła, umyłem się w zimnej wodzie, ubrałem starannie, z uwagą. Przez nikogo niewidziany wymknąłem się z domu w zastygłą noc. Śnieg przestał padać, miasto znieruchomiało we śnie, spowite mgłą tak gęstą, że wygasiła nawet światła lamp – zielonkawa poświata zginęła w białej wacie. Śnieg pod nogami zdawał się lśnić własnym blaskiem, nieziemską, kocią luminescencją, która nielicznych przechodniów zmieniła w żywe trupy. Chloral przegnał duchy. Mała żebraczka wyciągająca błagalnie chude gołe rączki nie szła za mną. Zjawy – jeśli to były zjawy – nie śmiały opuścić Cromwell Square.

Otulony mgłą brnąłem przez śnieg od latarni do latarni. Wracały mi siły, czerpałem je z pewności, że ona na mnie czeka. Marta, moja Marta. Niosłem jej prezent, wetknięty pod płaszcz: negliż, kupiony na Oxford Street, zapakowany ponownie, tym razem w jaskrawy czerwony papier, przewiązany złotą wstążką. Dłoń sama mi się podnosiła, ukradkiem dotykałem pakunku, wyobrażałem sobie, jak będzie wyglądał brzoskwiniowy jedwab na jej skórze, jak prowokacyjnie zsunie się z ramion, jak włosy ześlizgną się po gładkiej tkaninie...

Dotarłem na Crook Street niedługo przed północą. Tak byłem rozpalony oczekiwaniem na spotkanie, świadomością, że ona, moja jedyna, jest już blisko, iż dopiero pod samymi drzwiami zorientowałem się, że coś jest nie tak. Dom był ciemny, próżno by szukać świateł w oknach, nie paliła się też latarnia przed drzwiami. Zdziwiony stanąłem, wytężyłem słuch. Z domu Fanny nie dobiegał żaden dźwięk – nie usłyszałem najcichszego tonu muzyki czy śmiechu. Nic, tylko grobowa, dzwoniąca w uszach cisza, która pochłonęła cały świat.

Stukanie rozniosło się po domu głuchym echem. Nagle nabrałem przekonania, że odeszły. Marta i Fanny, i wszystkie pozostałe, ot, zwyczajnie spakowały walizki i zniknęły, jak Cyganki, zostawiając tylko żal i woal czarów. Krzyknąłem głośno, załomotałem pięściami w drzwi... uchyliły się z wolna, jak uśmiech wypełzający na twarz, a z wnętrza dobiegło mnie bicie zegara, który obwieszczał przemianę dnia w noc.

* * *

Przystanąłem w progu, wciągając w nozdrza zapach starych kadzideł i korzeni. W holu nie było żadnego światła, tylko śnieg rzucał eteryczny poblask na wypolerowane deski podłogi i na lśniące brązy, a mój cień krzywo przekraczający próg, w świetle księżyca rysował się zaskakująco mocnym konturem. Jakiś wilgotny, pachnący strumień powietrza dotknął mojej twarzy niczym oddech.

– Fanny? – Mój głos zabrzmiał natrętnie, zbyt ostro wśród ucichłych zakamarków domu. Po tylu latach regularnych odwiedzin dopiero teraz uświadomiłem sobie, jaki duży był ten budynek. Labirynt korytarzy wyłożonych dywanami, drzwi, przez które nigdy wcześniej nie przechodziłem, obrazy, na których przedstawiono omdlewające nimfy i satyry o chytrych, wyniszczonych twarzach, krzyczące bachantki o pulchnych udach, ścigane przez sprośnie uśmiechnięte karły i bezwstydne chochliki. Poważne średniowieczne panny służebne, z wąskimi biodrami i tajemniczymi oczyma o przenikliwym spojrzeniu. Szedłem przez mroczne galerie rozpusty wyeksponowanej w złotych ramach, ciemność obrabowała mnie z perspektywy. Przyśpieszyłem kroku, nienawidząc głuchego i, nie wiedzieć czemu, groźnego odgłosu stóp bez butów na miękkich dywanach. W pewnej chwili wydało mi się, że wreszcie znalazłem schody, ale tylko skręciłem w inny korytarz. Łapałem za gałki mijanych drzwi, wszystkie były zamknięte, szeptały, jakby przyczaiła się za nimi na wpół rozbudzona tajemnica.

– Fanny! Marto!

Zgubiłem się kompletnie. Dom zdawał się ciągnąć w nieskończoność we wszystkie strony, miałem wrażenie, jakbym pokonał długie kilometry.

– Marto!

Cisza dźwięczała w uszach. Po jakimś czasie z odległości stu kilometrów dotarła do mnie cicha muzyka. Rozpoznałem ją.

– Marto! – W mój głos wkradły się piskliwe tony paniki.

Ruszyłem biegiem, na ślepo, uderzając ręką w ścianę. Minąłem kolejny róg i wpadłem na drzwi, kończące korytarz. Strach opadł ze mnie natychmiast, jakby go nigdy nie było, serce zwolniło rytm, moja dłoń zamknęła się na porcelanowej gałce. Wyszedłem do holu.

Znalazłem schody. Jakim cudem je przegapiłem, idąc tędy wcześniej? Przez okienko z witrażem zaglądał księżyc, rzucając refleksy na wypolerowane drewno. Światło było tak jasne, że rozróżniałem kolory: tu plama czerwieni na słupkach balustrady, dwa zielone romby na schodach, niebieski trójkąt na ścianie. A wyżej na stopniach naga postać, subtelna linia profilu, udo wytrawione indygo, fioletem i błękitem. Falujące włosy, ciemniejszy welon rzucony w noc.

Twarz miała w cieniu, lecz księżyc błysnął w jednym oku, pieszcząc tęczówkę opalizującym blaskiem. Była naprężona, jak kot gotowy do skoku, widziałem wyciągniętą białą szyję, mięśnie wyrzeźbione niczym u tancerki, łuk stopy na schodku, napięcie każdego nerwu w ciele. Zawładnęło mną wszechogarniające zdumienie tak nieziemską urodą. Nie czułem nawet pożądania. Gdy ruszyłem w jej stronę, odskoczyła ode mnie, śmiejąc się dźwięcznie, i uciekła na górę. Puściłem się w pogoń. Prawie jej dotknąłem... Pamiętam, pasma włosów musnęły mi palce, napełniając ciało gorącym dreszczem namiętności. Była szybsza, umykała przed moimi niezdarnymi objęciami. Na najwyższym podeście wydało mi się, że słyszę przez drzwi jej kpiący śmiech.

Jęknąłem z cicha, wiedziałem, czego chcę, cudowne napięcie chwili prowadziło mnie do tych drzwi. Gałka była biała, w niebieskie kwiaty, ale wtedy nie zdążyłem tego zauważyć. Jeszcze nie wszedłem, a już zacząłem się rozbierać, zostawiając na podeście szlak zrzucanego ubrania. Płaszcz, koszula, fular. Gdy otworzyłem drzwi, miałem na sobie skarpety i kapelusz, właśnie ściągałem drugą nogawkę spodni i nie rozejrzałem się po pokoju. Dopiero po chwili dotarło do mnie, że znam to wnętrze – to była jej sypialnia. Alkowa mojej matki, za pomocą szyderczych czarów przeniesiona na Crook Street. W chwiejnym blasku świecy rozróżniałem szczegóły, które zapamiętałem tamtego pierwszego strasznego dnia, znikome i nieważne w bliskości Marty: toaletka z mnóstwem słoiczków i flaszeczek, krzesło obite brokatem, z zieloną apaszką niedbale rzuconą na wysokie oparcie, na podłodze druga, całkiem niepotrzebna, na łóżku sukienki w nieładzie, koronka i tafta, adamaszek i jedwab.

Jeśli w ogóle coś z tego dostrzegłem, to jedynie oczyma pożądania. Nie miałem żadnych złych przeczuć, tylko dziecięce wrażenie, że wszystko jest tak, jak być powinno. Rozradowany wskoczyłem do łóżka, gdzie już na mnie czekała Marta. Turlaliśmy się wśród sukienek, futer i płaszczy, gnietliśmy cenne koronki i mięliśmy kosztowne aksamity, tocząc walkę w milczeniu. Raz machnąwszy ręką, trafiłem w stolik przy łóżku i zmiotłem z niego pierścionki, naszyjniki oraz bransoletki. Zaśmiałem się szaleńczo, ukryłem twarz w słodyczy jej ciała pachnącego jaśminem i całowałem ją, jakbym miał nie ominąć ani centymetra.

Gdy pierwsza namiętność przycichła, smakowałem ją spokojniej. Wtedy sobie uświadomiłem, że jest zimna, wargi ma blade jak płatki śniegu, oddech zimny i słaby.

– Kochanie, biedactwo, czyś ty chora? Taka jesteś zimna!

Nie usłyszałem lodowatej odpowiedzi na moim policzku.

– Rozgrzeję cię – zdecydowałem.

Przytuliłem ją mocniej, głowę oparła mi na ramieniu. Włosy miała lekko wilgotne, oddech ciągle nierówny i zbyt szybki. Naciągnąłem koc na nas oboje, jeszcze drżąc od namiętności. Sięgnąłem po buteleczkę z chloralem, którą miałem na szyi, i wytrząsnąłem z niej dziesięć granulek. Połowę połknąłem sam, resztę dałem Marcie. Były niesmaczne, skrzywiła usta w dziecięcym grymasie.

– Teraz już będzie dobrze – zapewniłem ją cicho. – Zaraz się rozgrzejesz. Zamknij oczy. Ciii... Zamknij oczy i śpij.

Znieruchomiała w moich ramionach, a mnie zalała fala czułości. Taka była jeszcze młoda, taka bezbronna, wbrew pozornemu opanowaniu. Pozwoliłem swoim dłoniom błądzić po splątanej pajęczynie jej włosów.

– Już dobrze – szepnąłem tyle do niej, co do siebie. – Już jest dobrze. Wszystko skończone. Teraz jesteśmy razem, kochanie, będziemy odpoczywać. Spróbuj odpocząć.

I przez jakiś czas rzeczywiście odpoczywaliśmy, a świeca kurczyła się i malała, aż w końcu zgasła. Wtedy na jakiś czas Bóg także zasnął.

Może się zdrzemnąłem, nie wiem, byłem otumaniony. Płynąłem w jaśminie i chloralu, a gdy się obudziłem, zdałem sobie sprawę, że chociaż jest mi pod kocem całkiem ciepło, Marta zniknęła. Usiadłem, zmrużyłem oczy przed światłem, które przedostawało się przez zasłony. Z pewnym trudem wyławiałem z cieni różne detale: marszczoną koronkę i aksamit zmrożone blaskiem księżyca w srebrny popiół, słoiczki i buteleczki na toaletce, połyskujące na tle ciemnego drewna niczym sople lodu.

– Marto?

Cisza. Pokój czekał. Coś drgnęło przy zimnym kominku. Obróciłem się, serce waliło mi jak młotem.

Nic. Tylko płatek sadzy w kominie. Palenisko szczerzyło zęby mosiężnej kraty.

Nagle opanowała mnie pewność, że jestem w domu zupełnie sam. Spanikowałem. Skoczyłem na równe nogi, koc zsunął mi się z ramion.

– Marto! – zawołałem histerycznie.

Coś dotknęło mojej nogi, coś zimnego. Krzyknąłem z obrzydzenia, odskoczyłem od łóżka. To coś mnie chwyciło, czułem na skórze kruche, wyschnięte łuski.

– Maaartooo!

Pociągnąłem za to coś zlodowaciałymi palcami. Usłyszałem trzask rozdzieranej tkaniny i w rozdygotanych dłoniach została mi oddarta koronka. Zaniosłem się obłąkańczym śmiechem. Przecież nogi mi się zaplątały w fałdy materiału! Suknia spadła na ziemię, razem z halkami i rozdartym na pół stanikiem wyszywanym cekinami.

– To sukienka – mruknąłem do siebie drwiąco. – Walczyłem z sukienką.

Mimo wszystko byłem wstrząśnięty i głos mi drżał. Zamknąłem oczy, słuchałem, jak serce mi się uspokaja, jak wyrównuje rytm z tikiem pod lewym okiem. Po jakimś czasie udało mi się zmusić do logicznego myślenia. Podszedłem do kominka, żeby rozpalić ogień.

Marta niedługo wróci, przekonywałem siebie. Zaraz stanie w drzwiach... A nawet jeśli nie, to nie ma powodu sądzić, że pokój... ten pokój, na litość boską – mógłby czegoś ode mnie chcieć, tak jak sypialnia matki najwyraźniej chciała, przed laty. Czego? Poświęcenia? Wyznania? Spowiedzi?

Bzdura! Przecież to nawet nie jest ten sam pokój.

A jednak wyczuwałem w ciszy coś, co mnie omal pożerało wzrokiem. Mozoliłem się z rozpaleniem ognia, walcząc jednocześnie z chęcią zerknięcia na drzwi. Gdy zapaliłem zapałkę, wnętrze na moment rozjarzyło się czerwonym blaskiem. Płomyk zamigotał i zgasł. Rzuciłem przekleństwo. Jeszcze raz. I jeszcze. W końcu udało mi się ożywić ogień, zajął się papier, potem drewno. Potoczyłem wzrokiem dookoła. Na ścianach wykwitły gigantyczne cienie. Stanąłem tyłem do kominka, a ciepło nieśmiałych płomieni podsycało moje poczucie zwycięstwa.

– Nie ma to jak ogień – mruknąłem. – Nie ma to jak... – Słowa utknęły mi w gardle. – Marto? – O mało co nie powiedziałem „mamo".

Siedziała na łóżku, z jedną nogą podwiniętą pod siebie, z głową lekko przechyloną na bok i przyglądała mi się wzrokiem bez wyrazu. Miała na sobie negliż mojej matki. Ach, nie, skądże! Na pewno znalazła prezent i ubrała się w tę bieliznę, żeby mi zrobić przyjemność. Pewnie cały czas czekała, aż ją zauważę.

– Marto – z niejakim trudem udało mi się odezwać normalnym tonem i zmusić do uśmiechu. – Wyglądasz ślicznie.

Przekrzywiła głowę kokieteryjnie, jej twarz znalazła się w cieniu.

– To prezent – wyjaśniłem.

– Prezent – szepnęła.

– Właśnie – potwierdziłem dobrodusznie. – Jak tylko zobaczyłem ten drobiazg, od razu wydał mi się dla ciebie odpowiedni. – Oczywiście prawda nie do końca tak wyglądała, ale uznałem, że sprawię Marcie przyjemność.

Pokiwała głową, jakby wiedziała.

– Już prawie czas na twój prezent – stwierdziła.

* * *

– Dawno, dawno temu... – szepnęła w ciemności.

Czułem na szyi jej chłodny oddech, palcami rysowała kółeczka na moich gołych plecach. W dłoniach miałem brzoskwiniowy jedwab, w nozdrzach zapach jaśminu, ciężki, usypiający – unosił się z jej skóry razem z innym, ciemniejszym i ostrzejszym aromatem... Udręczony mózg podsunął mi obraz wilków.

– Dawno, dawno temu żyli sobie król i królowa, którzy mieli jedynego syna.

Zamknąłem oczy, zatonąłem w błogim półświetle nefrytowego kraju podziemi. Jej głos ścielił mi się pod stopami warstwą rozrzuconych bąbelków, a dotyk był chłodnym strumieniem z głębiny.

– Królewicz kochał rodziców, ale bardziej matkę. Nigdy jej nie opuszczał. Miał wszystko, czego dusza zapragnie, pozwalano mu robić, co zechciał, oprócz jednego. Nie wolno mu było wchodzić do jednej jedynej komnaty. Była zawsze zamknięta, a klucz chowała do kieszeni królowa. Mijały lata. Królewicz coraz częściej myślał o tajemniczej komnacie i coraz mocniej pragnął się dowiedzieć, co w niej jest. W końcu pewnego dnia, gdy rodziców nie było w zamku, natrafił na sekretne przejście, które okazało się otwarte. Wiedziony ciekawością pchnął drzwi i wszedł do środka.

Powietrze ściemniało od jaśminu.

Marto, ja wiem.

– Komnata była cała ze złota, ale królewicz i tak był bogaty. Komnatę zdobiły purpura, fiolet i szmaragd, ale królewicz miał całe bele kosztownych adamaszków i aksamitów na piękne stroje.

Och, Marto, żniwiarzu moich snów, latoroślo moich najgłębszych ciemności... Znałem tę baśń, bo to była moja historia. Rzeczywiście widziałem tajemniczą komnatę i siebie, czternastolatka stojącego w drzwiach, z odbiciem setki drogich kamieni w pociemniałych oczach.

– W komnacie pachniało esencją tysiąca kwiatów, ale królewicz spacerował po ogrodach, do których nigdy nie przychodziła zima. Nie ma tu nic tajemniczego, pomyślał.

Szeherezada rozczapierzyła długie białe palce, wnętrze dłoni rozjarzyło się w blasku ognia purpurą.

– A jednak nie szedł. Ciekawość nie dawała mu spokoju, więc zaglądał do kufrów i do szaf, aż w końcu natrafił na zwykłą, brzydką drewnianą skrzynkę, której nigdy wcześniej nie widział.

Serce zabiło mi szybciej. W skroniach pulsował ból.

– Po co chować taką skrzynkę, skoro wszystko w pałacu jest piękne i bogate? – zdziwił się królewicz. Otworzył ją i zajrzał do środka.

Przerwała. Błysnęła szkarłatnym uśmiechem, a ja wtedy zdałem sobie sprawę, że ona zna wielką tajemnicę. Zawsze ją znała. Oto była kobieta, która mogła mnie wyprowadzić poza wyklęte ciało i grzechy. Ona rozumiała moje pragnienie, mój beznadziejny żal. Oto właśnie był jej prezent. Objawienie.

– Opowiadaj – poprosiłem. Zimny pot mnie oblewał na samą myśl, że mogłaby zamilknąć. – Marto, błagam...

– Ciii... Zamknij oczy – szepnęła. – Zamknij oczy, to zobaczysz. Śpij, to ci pokażę.

– Co on zobaczył?

– Ciii...

– Co ja...

– Śpij.

Wyobraź sobie dno oceanu pod warstwą brązowego szlamu.

Wyobraź sobie spokój...

– Królewicz przetarł oczy. Najpierw nic nie zobaczył, tylko skłębioną ciemność, jakby dym, ale kiedy wytężył wzrok, w końcu dostrzegł leszczynową różdżkę owiniętą poplamionym czarnym płaszczem. Dziwne, pomyślał. Po co trzymać taką brzydką rzecz w ukryciu? A że był młody i ciekawy, wyjął obie rzeczy ze skrzynki. Nie wiedział, bo i nikt inny nie wiedział, że królowa jest czarownicą, która przed wielu laty przybyła z północnej zamorskiej krainy. Za pomocą magii rozkochała w sobie króla. Płaszcz był czarodziejski, różdżka także i tylko królowa umiała się nimi posługiwać. Ale królewicz był jej synem, więc w jego żyłach płynęła krew czarownicy. Kiedy włożył czarodziejski płaszcz i ujął w rękę różdżkę, poczuł moc. Uniósł różdżkę i moc zalśniła w nim jak słońce. Ale duchy różdżki, widząc, że wzywa je słaby chłopiec, postanowiły wykorzystać szansę i uciec z niewoli. Wyskoczyły z triumfalnym wrzaskiem, podrapały królewiczowi twarz pazurami, zatruły go wstrętnym oddechem, a on padł na ziemię jak nieżywy.

Kiedy odzyskał przytomność, duchów nie było, a różdżka leżała przy nim złamana. Przestraszył się. Odłożył różdżkę oraz płaszcz do skrzynki i uciekł z komnaty. Gdy królowa wróciła, od razu zobaczyła, że ktoś dotykał jej różdżki, ale nie mogła o tym wspomnieć, bo nikt nie wiedział, że jest wiedźmą. Dlatego zaczekała, aż księżyc będzie w nowiu, i wtedy rzuciła straszną klątwę na tego, kto jej wszedł w drogę, bo skoro złamał jej różdżkę, pozbawił ją mocy i od tej pory stała się zwykłą śmiertelną kobietą, która starzała się jak wszyscy. Wsączyła w przekleństwo całą swoją nienawiść i czekała, wiedząc, że czar niedługo zadziała.

Tej samej nocy królewicz obudził się z krzykiem. Miał straszny sen. Przez następne dni i tygodnie bladł coraz bardziej i chorował, mało sypiał nocą i nie mógł odpoczywać ani jeść za dnia. Mijały miesiące. Król rozkazał wszystkim najsławniejszym lekarzom w królestwie, by ratowali jego ukochanego syna, ale nikt nie potrafił znaleźć lekarstwa na bezlitosną chorobę. Biedny król rwał włosy z głowy, bo jego żona też zachorowała, z dnia na dzień była coraz słabsza i bardziej mizerna. Wszystkim poddanym rozkazano modlić się o uzdrowienie królowej i królewicza.

Któregoś dnia zjawił się w pałacu stary pustelnik, święty człowiek, i zażądał widzenia z królem. „Chyba zdołam odgadnąć, co dolega twojej żonie i synowi – powiedział. – Muszę tylko ich zobaczyć". Król, oszalały ze smutku, zgodził się i pustelnik poszedł do sypialni królowej, potem do królewicza. Bez słowa spojrzał w oczy następcy tronu. Odprawił straże i rzekł: „Synu, zostałeś przeklęty przez twoją matkę, królową, która jest wiedźmą. Jeżeli nie posłuchasz mojej rady, niedługo umrzesz, a ona wyzdrowieje". Królewicz zapłakał, bo bardzo kochał matkę. „Co mam robić?", zapytał. „Musisz iść do jej sypialni i ją zabić – oznajmił pustelnik. – W żaden inny sposób nie uwolnisz się od klątwy".

Królewicz potrząsnął głową i znowu się rozpłakał, ale pustelnik był niewzruszony. „Jesteś jedynakiem, a twój ojciec już się zestarzał. Czy chcesz, żeby twoim królestwem na wieki rządziła wiedźma?".

I tak królewicz z ciężkim sercem przyjął radę. Nocą wstał z łóżka i długimi korytarzami cicho przekradł się do sypialni matki...

Wiem, wiem, drzwi do komnaty królowej były otwarte. Widzę to ze swojego łoża ze słonego szlamu. Sęki w białym drewnie, porcelanową gałkę malowaną w niebieskie kwiaty... Z jaką łatwością wracają do mnie te obrazy! Na boku drugiego panelu widać wgniecenie, tam zdarzyło mi się kiedyś uderzyć kijem do krykieta. Dom jest spowity ciemnością, dobiegają mnie odległe nuty melodii z mechanizmu tańczącej Kolombiny – a więc ojciec jest w swoim pokoju z zabawkami. Niosę świecę na kwiecistym talerzyku, zapach łoju wypełnia mi nozdrza. Po świecy spływa tłusta biała łza, spełza na porcelanę, rozlewa się na jednym z błękitnych kwiatków. Mój oddech w gęstym powietrzu wydaje się bardzo głośny.

Dywan jest miękki, ugina mi się pod stopami, lecz mimo to słyszę własne kroki. Blask świecy zapala refleksy w buteleczkach i słoiczkach, budzi tysiące tęczy w lustrze i na ścianie. Przez chwilę nie mam pewności, czy dziecko jest z nią w pokoju, ale nie – kołyska pusta, więc niania je zabrała, żeby płaczem nie zbudziło mojej matki. Unoszę świecę osłoniętą czerwoną tarczą mojej dłoni i w różowym świetle zaglądam jej w twarz z zachwytem tym większym, że próbuję owocu zakazanego. Buteleczka laudanum połyskuje na nocnym stoliku... Matka się nie obudzi.

Gdy patrzę na jej twarz, zalewa mnie czułość. Cienkie niebieskie powieki, doskonały kształt kości policzkowych, kaskada ciemnych włosów spływających z poduszki i kołdry na podłogę... Jest taka piękna! Nawet teraz wymęczona i blada, jest najpiękniejszą kobietą na całym świecie, serce mnie boli od rozpaczliwej miłości, zbyt wielkiej na moje czternaście lat.

Moje dziecięce serce zaraz pęknie pod naporem dojrzałych emocji: rozdzierającej zazdrości, samotności, nieodpartej potrzeby dotykania i bycia dotykanym, jakby jej dotyk mógł powstrzymać zdradziecką intrygę węża tkwiącego w moich wnętrznościach, jakby jej ramiona mogły mnie odgrodzić od nocy. Kiedy śpi, mogę się do niej zbliżyć. Niewiele brakuje, a odważę się wyciągnąć rękę, dotknąć jej włosów, twarzy, nawet musnąć jej usta wargami... I tak się nie dowie.

Na ustach ma cień uśmiechu, spojrzenie oczu pod fioletowymi powiekami zamglone i miękkie, fiołkoworóżowe obojczyki jak doskonały chiński szkic na bladej skórze... piersi – ledwo widoczne wypukłości pod lnianą koszulą nocną. Moje ręce żyją własnym życiem, niczym ramiona rozgwiazdy w mrocznej czekoladzie nocy. Patrzę zahipnotyzowany, jak palce dotykają jej twarzy, delikatnie, czule, z cudowną śmiałością zsuwają się na szyję... Cofam się, na twarzy mam wypieki, skóra mi płonie z poczucia winy i podniecenia. Ale moja ręka porusza się kierowana własną wolą, sunie w stronę kołdry, płynnym, celowym gestem ściąga przykrycie na bok i odsłania uśpione ciało, koszulę nocną podwiniętą do kolan, mocne łydki, miękki łuk uda.

Mój wzrok przyciąga różowawa plamka siniaka tuż nad kolanem. Ręka chce go dotknąć, pod palcami czuję upudrowany atłas skóry, niezgłębioną tajemnicę, nieskończoną miękkość, wciągającą jak piasek na dnie morza. Zapach jaśminu skrywa inną woń, aromat krakersów. Nie wiedząc jak i kiedy, przysuwam do niej twarz, skrywam się w jej słodyczy, spięty od tęsknoty i pożądania. Moja dłoń z pierwotną radością znajduje pierś, ramiona same się zamykają wokół wiotkiej postaci, wargi, nagle wygłodniałe, szukają jej ust... Oddycha z pewnym trudem, jak w chorobie, ale teraz już całe moje ciało jest jak napięte ścięgno, jak struna harfy, napełniając powietrze rezonansem niewinności nie do zniesienia, który wzrasta i potężnieje aż do utraty zmysłów. Nie mam ciała. Widzę swoją duszę naciągniętą jak cienka srebrna struna, wibrującą przenikliwie do granic dźwięku. Słyszę śmiech. To ja się śmieję.

Matka otwiera oczy.

Jej usta zaciskają się pod moimi wargami.

– Mamo... – Bezradnie.

Kulę się, w żołądku mam lód.

Jej oczy są okrutne. Przejrzała mnie. Wie wszystko. Spadają ze mnie lata, jeszcze przed chwilą czułem się stary, teraz wracam do dzieciństwa. Trzynaście, dwanaście, jedenaście. Ja się kurczę, ona rośnie, potężnieje... osiem, siedem... otwiera usta, słyszę rozdzielone sylaby:

– Hen-ry? Co ro...

Sześć, pięć. Ma ostre zęby, jak dzikie zwierzę. Krew wali mi w skroniach. Z płuc wydziera mi się krzyk, jej gniew mnie przytłacza. A jeszcze gorsza jest pogarda i nienawiść, całkiem jak fala niosąca trupa. Przez szum w uszach ledwo słyszę jej głos. W dłoniach mam coś miękkiego, co walczy ze mną z potworną siłą. Fala rzuca mną w przód i w tył jak ładunkiem za burtą statku. Zaciskam oczy, nie chcę widzieć...

Nagła cudowna cisza.

Leżę na czarnym piasku, fale się cofają, oddech morza jak bicie serca dudni mi w uszach. Powrót do świadomości budzi milion punkcików światła na siatkówce, usta mam pełne krwi, ugryzłem się w język. Z trudem staję na czworakach na wirującym dywanie, sznur krwawej śliny spada na podłogę, w drżących dłoniach ciągle trzymam poduszkę.

– Mamo!

Patrzy na mnie szklanymi oczyma, nadal twardo, surowo, jakby rozgniewana niegodną pozycją.

– Mamo! – Kciuk sam wędruje do ust, podciągam kolana pod brodę. Gdzieś w umyśle błąka mi się myśl, że jeśli zdołam się skulić, zwinąć w kulkę, uda mi się powrócić do na wpół zapomnianego czerwonego bezpiecznego miejsca, gdzie jest ciepło i ciemno. Mniejszy... jeszcze mniejszy... Trzy, dwa, jeden...

Cisza.

* * *

Wysoko nade mną rozlega się śmiech, rechot Boga. Czarny anioł sięga po kosę, a Furie z krzykiem wylatują z otchłani po nową zabawkę. Znam ich twarze. Dziecko ladacznicy ze smugą czekolady na policzku... oczy Effie jak morska woda i włosy niczym piana na fali... moja matka, dawno zapomniana w łaskawym zaślepieniu, a teraz przywołana, już na zawsze, ściągnięta znów na mroczny piedestał. Bliżej – głos czarodziejki, Szeherezady, z wilkami u stóp, jej nieziemski śmiech. Chcę się wydostać z półsnu, próbuję ją zawołać, wezwać jej imię przeciwko nadchodzącemu koszmarowi.

– Marto!

Otwieram nabiegłe krwią oczy, czuję ciepło płomieni na zmarzniętych członkach. Łajdacki mięsień policzka zamyka mi lewe oko nierównym drganiem, zbyt szybkim, żeby liczyć skurcze. Wspomnienie, na nowo poznane za sprawą opowiadania Marty, jest marmurowym grobowcem z jakiejś dziwacznej bajki, sięgającym nad chmury. Szukam u niej pocieszenia...

Światło jest bezlitośnie jasne. Unoszę dłonie, by osłonić oczy, i widzę ją, Szeherezadę, moją złotą Nemezis, roześmianą.

– Marto? – Ledwie szept.

Od razu wiem, że to nie ona. To Effie, blada i triumfująca, jest moją matką, lubieżną i jadowitą, jest zjawą, dzieckiem ladacznicy. Wszystkie trzy mówią jak jedna, chciwie wyciągając do mnie ramiona, a ja upadam do tyłu, uderzam się o wezgłowie łóżka i prawie nie czuję bólu, kiedy kręgosłup z chrzęstem łamie się na ostrym kancie słupka. Wreszcie sobie uświadamiam – to Tyzyfone, Megajra i Alekto. Furie! Mają się zemścić na matkobójcy.

Wstrząsa mną gwałtowny spazm agonii. Brzytwy tną mi grzbiet, drgawki wstrząsają lewą stroną ciała.

Osuwając się w przyjazną niepamięć, słyszę jej głos, ich głos, ociekający jadem i drwiną.

– A co z bajką, Henry? Co z moją bajką?

Gdzieś z bardzo daleka dobiega mnie szyderczy śmiech Boga.

61

Śnieg zaczął padać, akurat gdy wyszedłem z pracowni Henry'ego. Zanim dotarłem na Crook Street, noc nabrała eterycznej przejrzystości. Spojrzawszy na dom Fanny z rogu ulicy, od razu dostrzegłem, że nikt nie zapalił latarni wiszącej nad drzwiami. W oknach także było ciemno. Zza grubych kotar nie przeświecał nawet jeden promyk światła. Natomiast śnieg na schodach był udeptany, chociaż przez witraż w drzwiach też nic nie świeciło. Może ktoś jest w którymś z tylnych saloników? Stanąłem przed drzwiami, zapukałem. Nic. Nacisnąłem klamkę. Zgodnie z przewidywaniami - bez skutku. Zapukałem jeszcze raz, zawołałem przez skrzynkę na listy - żadnej odpowiedzi.

Przeszedłem do bocznego wejścia, ale i to nic nie dało. Zdziwiony pokręciłem głową i już miałem odejść, gdy w cieniu pod ścianą dostrzegłem jakiś ciemny kształt, na wpół pokryty gęsto padającym śniegiem. W pierwszej chwili pomyślałem, że to porzucony worek na węgiel, ale wtedy zobaczyłem obcas męskiego buta wystający z białego puchu.

Jakiś włóczęga, pomyślałem. Pewnie szukał schronienia przed mrozem, biedaczysko.

Wyjąłem z kieszeni piersiówkę z brandy, podszedłem do ciała. Może jeszcze tli się w nim życie? Wyciągnąłem nieszczęśnika ze śniegu, odgarnąłem lodową maskę z wykrzywionej, skamieniałej twarzy.

Henry Chester.

Jedno oko, otwarte, patrzyło na wprost, drugie było dziwacznie przymknięte. Mięśnie na lewym policzku i skroni osobliwie skręcone, jak stopiony wosk, palce lewej ręki zastygły w kształcie szponów, ramię zwisało cudacznie. Póki się nie poruszył, gotów byłem przysiąc, że jest martwy.

Spomiędzy warg wydarł mu się długi jęk prosto z trzewi.

– Aa aa... daaa... Aaa... ra aaa...

Wcisnąłem mu piersiówkę między zaciśnięte zęby.

– Pij, Henry. Nic nie mów, pij.

Brandy pociekła mu kącikami ust, uparcie starał się coś powiedzieć.

– Dobrze już, dobrze – uciszałem go. – Lepiej nie mów. Sprowadzę pomoc.

W sąsiednim domu świeciło się w oknach, na pewno ktoś się nim zajmie przez chwilę, a ja ściągnę lekarza. Stanowczo nie miałem ochoty zostawać z Henrym sam na sam.

– Maaa... Maaar...

Prawą ręką chwycił mnie za rękaw, głowa mu opadła, z ust pociekła ślina.

– Marta – powiedziałem cicho.

– Aaa... – Skinięcie głową przypominało drgawkę.

– Przyszedłeś tu do Marty.

– Aaa...

– Nie zastałeś jej, więc czekałeś, tak?

Kolejny spazm, bezwładnie kolebiąca się głowa, obsceniczny widok: otwarte oko uciekło w górę, zostało tylko białko.

– Neee... Maaa... taaaa...

Prawa ręka opadła bezradnie, z prawego oka pociekły łzy, drugie zostało suche, zmrożone. Nieznośna litość poderwała mnie na nogi.

– Idę – powiedziałem, odwracając wzrok. – Sprowadzę pomoc. Dojdziesz do siebie.

Zwierzęcy jęk, w którym ciągle rozróżniałem mrożące krew w żyłach tony ludzkiego głosu. Słowa wydobywające się z umierającego ciała. Słowa? Jedno słowo. Jedno imię. Nie mogłem znieść tego dźwięku, umierającego brzmienia jego obsesji. Przeklinając siebie, odwróciłem się i pobiegłem.

* * *

Pomoc zorganizowałem bez trudu: kobieta z pobliskiego domu za gwineę zgodziła się wezwać lekarza i dać schronienie choremu. Dwie godziny później zjawił się doktor i Henry został przewieziony na Cromwell Square. Doznał apopleksji. Lekarz stwierdził, że jeśli ma zyskać szanse na wyzdrowienie, musi mieć spokój. Należy pacjentowi podawać chloral zmieszany z wodą, cierpliwie wkraplać między zaciśnięte wargi. Gdy wreszcie opuściłem towarzystwo, pewny, że zrobiłem, co mogłem, Henry tkwił w odrętwieniu, oddychał płytko, wzrok miał szklany.

Dosyć tego, zdecydowałem. Nie jestem pielęgniarką.

Wedle wszelkich znaków na niebie i ziemi ocaliłem człowiekowi życie, czego jeszcze można ode mnie chcieć? Gdy nikt nie zwracał na mnie uwagi, wyszedłem po cichu tylnymi drzwiami i wtopiłem się w cienie wyludnionych ulic.

Zaoszczędziłem czasu nam obu, zabierając ze sobą portfel Henry'ego. Widać było gołym okiem, że biedak nie miał tego dnia głowy do interesów.

62

Łagodny strumień zaniósł mnie do ucichłego świata milczących kształtów i niepewnej perspektywy. Ciemność była najgłębszym szmaragdem, lecz mimo to dostrzegałem postacie bez twarzy, kształty bez granic i linii, a w tle oblicze, groteskowo nieproporcjonalne, płynące jak nadęta ryba. Raz widziałem je ostrzej, raz ginęło mi rozmazane. W pewnym momencie, gdy zniknęło z pola widzenia, chciałem odwrócić za nim głowę, ale, co dziwne, nie zdołałem. Nie potrafiłem też sobie przypomnieć, co to za strach i jaka konieczność zmusiła mnie do ukrycia się na dnie morza, ale byłem dziwnie spokojny, jakbym oglądał zdarzenia przez ciemny kryształ. Nad zielonym koralem płynęła leniwie ławica płodów, opodal długie jasne włosy bladej dziewczyny falowały na mrocznym szarym niebie oceanu jak wodorosty.

Twarz pokazała się znowu, otworzyła przepastne usta... Słyszałem sylaby, dziwnie porozrywane, jak bąbelki pryskające pod powierzchnią wody serią bezkształtnych dźwięków. Miały jakieś znaczenie, ale nie pamiętałem jakie. Dryfowałem jakiś czas, nim twarz wróciła. Dźwięki na mnie naciskały, po pewnym czasie zacząłem odkrywać w nich znaczenie. Twarz także wydawała mi się znajoma. Bystre oczy, binokle, długi nos, szpiczasta bródka. Gdzieś ją widziałem.

Usta się otworzyły i tym razem usłyszałem swoje nazwisko wypowiedziane gdzieś bardzo daleko.

– Panie Chester. Panie Chester.

Po raz pierwszy dopatrzyłem się czegoś poza twarzą: półki na ścianach, drzwi, otwarte okno z aksamitną kotarą, obraz... Rzeczywistość wróciła z bezlitosną jasnością.

– Panie Chester, czy pan mnie słyszy? – Głos doktora Russella.

Starałem się odpowiedzieć, ale język, dziwacznie radosny, żyjący własnym życiem, tylko wyciągnął się w stronę lekarza, z gardła wydobył się przerażający charkot.

– Jeżeli mnie pan słyszy, proszę kiwnąć głową.

Gwałtowny skurcz szyi.

– Miał pan udar mózgu.

Lekarz mówił za głośno, zbyt dobitnie, jak do głuchego dziecka. Zauważyłem, że unika mojego wzroku.

– Był pan w bardzo poważnym stanie. Obawialiśmy się, że może pan nie dojść do siebie.

– Jaaa... – wystraszyłem się własnego głosu, ochrypłego ryku. – Jaaa... Jak dłuuugo? – Lepiej. Nadal miałem kłopoty z pokonaniem zaciśniętych szczęk, ale przynajmniej udawało mi się formułować słowa.

– Trzy dni, proszę pana. – Czułem jego zakłopotanie i zniecierpliwienie moimi nieudolnymi próbami mówienia. – Wielebny Blakeborough z Oxfordu udzielił panu ostatniego namaszczenia.

– Ooo...?

– Zawiadomiłem pańskiego brata, on zdecydował o sprowadzeniu duchownego.

Dopiero wtedy zwróciłem uwagę na niepozornego człowieka o łagodnej, dziecinnej twarzy, siedzącego w kącie pokoju. Pochwyciwszy moje spojrzenie – on nie unikał mojego wzroku – uśmiechnął się do mnie i wstał. Był niewysoki.

– Objąłem parafię po twoim ojcu – powiedział. – Darzyłem wielebnego Chestera ogromną sympatią. Na pewno życzyłby sobie, żebym cię odwiedził, ale dotąd nie wiedziałem, gdzie mieszkasz.

– Aaa.... Jaaa...

– Nie męcz się – uciszył mnie szybko. – Pan doktor i oczywiście nieoceniona pani Gaunt wszystko mi powiedzieli. Musisz odpoczywać. Twoja śmierć biedaczce nie pomoże. – Patrzył na mnie z bezmiernym współczuciem.

Usta mi się rozwarły w bezdźwięcznym rechocie, z prawego oka pociekły łzy. Tylko nie wiem, kogo opłakiwałem.

Wielebny Blakeborough postąpił krok do przodu, delikatnie objął mnie ramieniem.

– Pan doktor zaleca wypoczynek – rzekł cicho. – Dobrze byłoby zmienić otoczenie, synu, wiejskie powietrze jest zdrowsze niż w mieście. Jedź ze mną do Oksfordu. Zatrzymasz się na plebanii, gosposia może się tobą opiekować. Polecę ci doskonałego lekarza.

Był rozpromieniony. W jego oddechu wyczuwałem miętę i tytoń, bezpieczne, znajome wonie, a ubranie pachniało starymi księgami i terpentyną. Ogarnęła mnie nostalgia, nieprzezwyciężona chęć, by przyjąć zaproszenie księdza, zamieszkać w domu, który opuściłem przed laty, zobaczyć plebanię, gdzie się urodziłem. Kto wie, może pokój, do którego prowadziły drzwi z białą gałką malowaną w niebieskie kwiaty, pozostał niezmieniony? Dębowe łóżko mojej matki nadal stoi pod oknem z witrażem?... Załkałem. Rozpłakałem się szczerze, bezwstydnie, z żalu nad sobą i z tęsknoty za człowiekiem, którym mogłem się stać.

Tego było za wiele dla doktora Russella. Zastygłym okiem dostrzegłem, że po cichu opuścił pokój, a na jego twarzy malowało się zakłopotanie i wstręt. Ksiądz został, nieporuszony, stale serdeczny. Podtrzymywał mnie, gdy płakałem nad sobą, nad Effie, nad Martą i nad matką, nad dziecinną zjawą, nad czerwonym salonem i jedwabnym negliżem. Nad pierwszą komunią Prissy Mahoney, nad świątecznym drzewkiem wciąż połyskującym sztucznymi soplami i nad tym, że chcę jechać do plebanii pod Oksfordem.

Pragnąłem serdeczności tego księdza, spokoju, prostego życia, śpiewu ptaków w cyprysach, iglic uczelni w wieczornej mgle... Niczego w życiu nie łaknąłem tak bardzo. Chciałem uniwersalnej miłości wielebnego Blakeborough. I rozgrzeszenia.

Śliniłem się i płakałem, i po raz pierwszy w życiu ktoś inny niż prostytutka trzymał mnie w objęciach, kołysał, pocieszał.

– Wobec tego umówione – stwierdził wielebny.

– Nieee!

– Dlaczego? – zdumiał się duchowny. – Nie chcesz wrócić do domu?

Pokiwałem głową, nie ufałem głosowi.

– Więc dlaczego?

Starałem się mówić jak najwyraźniej, choć zdawało mi się, że usta mam pełne błota.

– Chcę... się wyspo... wiadać.

– Ależ oczywiście – przystał wielebny pogodnie. – Ale z tym poczekamy, aż będziesz w lepszym stanie. Na pewno się nie pali.

– Nie! Nieee ma czasu. Muuuszę teraz. Bo gdybym... Musisz... wiedzieć... Nie wrócę do domu, póki...

– Rozumiem. – Pokiwał głową. – Dobrze, wysłucham twojej spowiedzi. Kiedy ostatni raz przystępowałeś do tego sakramentu?

– Trzyyy... dzieści lat.

– O! – Wielebny Blakeborough był zaskoczony, ale szybko się opanował. – Ach tak. No cóż, wobec tego nie śpiesz się, synu.

* * *

Opowiadałem długo, szło mi mozolnie. Dwukrotnie przerywałem, całkiem wyczerpany, ale starałem się wrócić do wątku jak najszybciej, bo się bałem, że może mnie opuścić odwaga i całkiem zamilknę. Nim skończyłem, zapadł zmierzch. Wielebny Blakeborough długo siedział w milczeniu. Jego okrągłą twarz powlekła bladość, był wstrząśnięty. Wreszcie wstał z krzesła. Usłyszałem chlupot wody w miednicy za wezgłowiem, a gdy wrócił do mnie, wyglądał na chorego, miał wykrzywione usta i nie potrafił spojrzeć mi w oczy. Ja zaś uświadomiłem sobie, że destrukcyjny impuls, który mnie pchnął do wyznania grzechów, nie przyniósł ukojenia. Ciągle się uginałem pod brzemieniem winy, nadal triumfowało w czarnej świątyni mojego serca.

Boskiego oka nie zwiedziesz. Czułem jego nieuniknioną złośliwość. Nie uciekłem przed Bogiem. Co gorsza, skrzywdziłem niewinnego człowieka, podważyłem jego wiarę w dobroć świata i ludzi. Wielebny Blakeborough nie mógł znieść mojego widoku, zniknęła gdzieś jego impulsywna życzliwość, a zjawiło się zmieszanie i poczucie zdrady. Nie ponowił zaproszenia, wyjechał najbliższym pociągiem.

* * *

Później wydarzenia pamiętam urywkami. Opróżniono pracownię, obraz olejny „Triumf śmierci" wystawiono w Royal Academy. Doktor Russell przyszedł w towarzystwie kilku specjalistów, którzy kłócili się zawzięcie. W jednym doszli do porozumienia: uznali, iż najprawdopodobniej nigdy już nie będę chodził ani ruszał lewą ręką, choć do pewnego stopnia odzyskałem panowanie nad prawą i nad głową. Zatroskana Tabby pilnowała przyjmowania leków – brałem chloral co dwie godziny. Jeśli następna dawka się spóźniała, zaczynałem dygotać i oblewały mnie siódme poty. Pojawił się dżentelmen z „Timesa", lecz Tabby uprzejmie go odprawiła.

Nocami przychodziły do mnie moje ukochane Erynie, śmiały się miękko w ciemności, chłodne i triumfujące, czułe i bezlitosne, z ostrymi zębami i długimi paznokciami, zawsze kochające, fatalnie kuszące. Wspólnie przemierzały zakamarki mojego mózgu, z matczyną tkliwością tnąc, rozdzierając i raniąc go. Za dnia były niewidzialne, zalegały pod moją skórą kolczastą pajęczyną, siecią z najcieńszej stali, zaciskającą się na moim krwawiącym sercu. Modliłem się, a przynajmniej próbowałem, ale Bóg nie chciał moich modlitw. Bardziej mu smakowało cierpienie. O tak, Bóg miał niemałą uciechę z Henry'ego Chestera.

Tydzień. Siedem dni sprośnego delirium w rękach najukochańszych sukubów. Były tak samo nienasycone jak Bóg. A do tego złośliwe w utraconej nadziei.

Wiedziałem, czego chcą, szarpiąc moje rany, warcząc i chichocąc na widok mojej udręki. Wiedziałem, czego chcą. Chciały opowieści. Mojej opowieści. A ja chciałem się nią podzielić.

WISIELEC

63

Gdy przyszli mnie aresztować, akurat znajdowałem się między krągłymi udami najnowszej bogdanki.

Oczywiście wszystko odbyło się bardzo kulturalnie. Dwaj konstable zaczekali, aż wstanę i uczynię zadość przyzwoitości, wkładając szlafrok z chińskiego jedwabiu. Starszy poinformował mnie przepraszającym tonem, że jestem aresztowany pod zarzutem zamordowania Euphemii Chester i że londyński wydział policji będzie mi wdzięczny, jeśli zechcę udać się z nimi na komisariat możliwie najszybciej.

Przyznaję, dostrzegłem komiczną stronę sytuacji. Cóż, Henry się przyznał... Biedny Henry! Gdyby nie kwestia pieniędzy, śmiałbym się w głos, niestety tutaj sprawa wyglądała niewesoło. Twierdzę, że i tak stawiłem jej czoło w wielkim stylu. Uśmiechnąłem się, obróciłem do dziewczyny, która z piskiem usiłowała okryć swoje obfite wdzięki, posłałem jej całusa, skłoniłem się lekko przed konstablami, wziąłem ubranie i odziany w orientalny jedwab wyszedłem z sypialni. Bawiłem się niezgorzej.

W ponurej celi na Bow Street spędziłem godzinę. Policjanci omawiali moją wyimaginowaną zbrodnię, a ja stawiałem pasjansa, rzecz jasna oszukując. Karty znalazłem w kieszeni płaszcza. Gdy w końcu dwóch stróżów prawa

– jeden flegmatyczny, podobny do żurawia, drugi niski choleryk – zjawiło się w mojej celi, na podłodze leżała mozaika barwnych prostokątów.

– Witam panów – ucieszyłem się szczerze. – Nareszcie towarzystwo. Zechcą panowie usiąść? Warunki są, niestety, siermiężne, jak panowie widzą, ale zawsze... – wskazałem ławę w kącie.

– Proszę pana – odezwał się wysoki – jestem sierżant Merle, a to konstabl Hawkins...

* * *

Muszę przyznać angielskiej policji, że do ludzi z socjety zawsze odnosi się z szacunkiem. Obojętne, jakiej zbrodni dopuściłby się dżentelmen, zawsze jednak pozostaje dżentelmenem, a szlachta ma swoje prawa. Na przykład prawo do ekscentryczności. Sierżant Merle oraz jego konstabl cierpliwie wysłuchali moich wyjaśnień na temat znajomości z Effie, układu z Fanny oraz Martą i, na koniec, o sfingowaniu śmierci pani Chester. Policjanci z pełną szacunku rezerwą słuchali, nie przerywając – jedynie Merle od czasu do czasu zapisywał w notesie szczegóły – aż skończyłem opowiadać. Tak. Uwielbiam angielską policję.

Sierżant Merle uzgodnił z podwładnym coś po cichu, następnie podniósł na mnie wzrok.

– Rozumiem z tego – rzekł ze skupieniem – że choć pan Chester uważa swoją małżonkę za zmarłą...

– W rzeczywistości ona żyje. Widzę, że wychwycił pan kwestie najważniejsze z podziwu godną bystrością.

– A czy... potrafi pan to udowodnić?

– Sierżancie, widziałem ją tamtej nocy. A potem na Crook Street. Wiem też, z całkowitą pewnością, że Chester spotkał ją tej nocy, gdy miał atak. Wtedy również była niewątpliwie żywa.

– Rozumiem, proszę pana.
– Najlepiej pan zrobi, sierżancie, posyłając człowieka na Crook Street. Należy przesłuchać Fanny Miller oraz jej podopieczne. Panna Miller potwierdzi moją wersję. Może nawet znajdą tam panowie panią Chester.
– Tak, rozumiem.
– A potem niewątpliwie warto byłoby otworzyć kryptę w grobowcu Isherwoodów na cmentarzu Highgate, gdzie niby spoczywa pani Chester.
– Tak, proszę pana.
– A kiedy już się z tym uporacie, sierżancie, byłbym wdzięczny, gdyby pan zechciał pamiętać, że choć naturalnie pomagam stróżom prawa w prowadzeniu śledztwa z największą przyjemnością, mam jednak własne sprawy i chciałbym jak najszybciej wrócić do normalnego życia. – Zakończyłem uśmiechem.
– Tylko wypełniam swoje obowiązki – odparł z tą samą chłodną uprzejmością.

* * *

Mijały godziny. Z okna celi widziałem, jak ciemnieje niebo. Około siódmej strażnik przyniósł mi kolację i kubek kawy, o ósmej wrócił, zabrał tacę. O dziesiątej załomotałem pięściami w drzwi celi, żądając odpowiedzi na pytanie, dlaczego nie zostałem jeszcze zwolniony. Strażnik był grzeczny, ale nic się od niego nie dowiedziałem. Dał mi poduszkę, kilka koców i poradził iść spać. Po jakimś czasie usłuchałem.

Chyba nawiedził mnie sen. Pamiętam, że szedłem, mając w nozdrzach dym z cygara i zapach brandy, a umysł całkiem pusty. Nie wiedziałem, gdzie jestem, bo znajdowałem się w ciemności nieomal całkowitej, tylko tuż przy łóżku jarzyło się czerwonawe światełko lampki. Ściany ginęły w cieniu, okno spoglądało ślepo w noc.

Na środku podłogi stał okrągły stolik. Gdy wzrok przywykł mi do mroku, dostrzegłem, że to ten sam, który przed laty znajdował się w mojej pracowni w Oksfordzie.

Skąd on tutaj? – pomyślałem zdziwiony.

Wyciągnąłem rękę, chciałem dotknąć gładkiej powierzchni blatu, zniszczonej inkrustacji dookoła... Dziwne. Ktoś na nim rozłożył karty. Przy brzegu, dookoła. Wyjątkowo białe w półmroku, zdawały się lśnić miękkim refleksem jak śnieg.

Bez zastanowienia podszedłem do stołu. Krzesło, które dotąd tkwiło podsunięte pod blat, samo się wysunęło. Usiadłem, przyjrzałem się kartom. Nie była to zwykła talia. Na każdym kartoniku wymalowano pośrodku ozdobną literę, kunsztownie wplecioną w barokowy wzór bluszczu i wstążek.

Ściągnąłem brwi, zaintrygowany, do jakiejż to gry się przysiadłem. I gdy tak patrzyłem na ułożone w koło karty, usiłując dociec, czy to może jakiś skomplikowany pasjans, mój wzrok pochwycił błysk kryształu odbity od gładkiej powierzchni. To szklaneczka, do połowy wypełniona brandy, połyskiwała w czerwonym świetle. Przenosząc wzrok, musiałem ją trącić, bo raptem zachwiała się i upadła, trunek rozlał się szerokim lśniącym łukiem. Ciemne krople skapnęły mi na rękę, a rosnąca kałuża przesunęła kilka kart tuż przede mnie. Walet kier, królowa pik... *Le beau valet de coeur et la dame de pique*... Na nich litery: M i E.

W tej chwili rzecz jasna zorientowałem się, że śnię. Absurdalny symbolizm, mało subtelne odniesienie do Baudelaire'a i symbol śmierci... Jako urodzony artysta zorientowałem się w sytuacji natychmiast, mimo dziwacznie namacalnej natury snu – czułem pod palcami gładką powierzchnię drewna, mokrą ścieżkę na spodniach w miejscu, gdzie spłynęła rozlana brandy, nagły chłód w powietrzu... Zrobiło się tak zimno, że mróz szczypał mnie w nos, a oddech utworzył mgiełkę przed moją twarzą. Ponownie spojrzałem na stolik: rozlana brandy zamarzła, tworząc lodowatą pajęczynę na ciemnym dębie, a pusta szklaneczka zamgliła się szronem. Zacząłem dygotać z zimna, choć przecież doskonale wiedziałem, że to tylko sen.

Pewnie w celi zrobiło się chłodniej, wytłumaczyłem sobie. I mój śpiący umysł stworzył ten obraz, dość makabryczny, by wzbudzić entuzjazm Henry'ego Chestera.

Dajmy mu tytuł: „Wyrzuty sumienia" albo „Pasjans z duchem", a dla dopełnienia gotyckiego arcydzieła wystarczy jedynie dodać piękną damę w stylu prerafaelickim, pobladłą w czasie długiego snu, zabójczo piękną, groźną pannę z krwią na wargach i żądzą zemsty w oczach.

Taka absurdalna myśl kazała mi się głośno roześmiać.

Prześladowany przez własne wymysły, dobry Boże! Fanny z pewnością by to doceniła. A przecież pamiętałem twarz Effie, jej blade usta i nienawiść w głosie, gdy powiedziała: „Nie ma Effie".

Tylko Marta.

Niech to wszyscy diabli!

– Nie ma żadnej Marty! – powiedziałem głośno. W końcu we śnie mogę robić, co mi się żywnie podoba. Ulżyło mi trochę, więc powtórzyłem pewniej: – Nie ma żadnej Marty.

Cisza wchłonęła moje słowa.

Niepokojąca cisza.

I nagle ona zjawiła się naprzeciwko mnie, przy stoliku, z kieliszkiem mlecznego absyntu w dłoni. Rozpuszczone włosy spływały za oparciem krzesła na podłogę kaskadą ciężkich loków z purpurowym połyskiem od czerwonego światła. Miała na sobie suknię, w którą była ubrana na obrazie „Karciarze" – z bordowego aksamitu, stanik wycięty nisko. Skóra aż lśniąca bielą, oczy ogromne, niezgłębione, a uśmiech, tak różny od szczerego, słodkiego uśmiechu Effie, przypominał podcięte gardło.

– Effie – odezwałem się tonem umyślnie lekkim i neutralnym.

Nie było żadnego powodu, żeby mi się gardło ścisnęło, wargi wyschły, a po karku spłynął gorący pot. Najmniejszego powodu...

– Nie, nie Effie.

I rzeczywiście, to nie był jej głos. To był chrypliwy, szeleszczący srebrem szept, bardzo charakterystyczny.

– Marta? – Wbrew sobie byłem zwyczajnie urzeczony.

– Tak, Marta. – Podniosła kieliszek, upiła łyk.

Przejrzyste szkło zmatowiało i powlokło się szronem w miejscu, gdzie go dotknęła.

Smakowity szczegół, uznałem. Trzeba będzie to któregoś dnia namalować.

– Przecież nie ma żadnej Marty – stwierdziłem. We śnie wydało mi się bardzo istotne udowodnienie jej, że mówię prawdę. – Widziałem, jak tworzycie Martę. Za pomocą kosmetyków i perfum. To po prostu jeszcze jedna rola do odegrania, jak mała żebraczka albo Śpiąca Królewna. Ona nie istnieje!

– Teraz istnieje.

Tym razem mówiła Effie. Ten dziecinny upór... Przez chwilę ją nawet widziałem. Ją albo może jej cień... a potem znów była Martą.

– Jest na ciebie bardzo zła. – Upiła kolejny łyk. Biła od niej nienawiść, lodowata wściekłość, jak powiew zimy. – Bardzo zła – powtórzyła cicho.

– Dajże spokój! – zbuntowałem się. – Marta nie istnieje. Nigdy nie było żadnej Marty.

Jakby mnie nie słyszała.

– Effie cię kochała. Zaufała ci. Ale też ostrzegła cię, prawda? Powiedziała, że nie pozwoli ci odejść.

– No, niezupełnie... – Mimo całej rezerwy zabrzmiało

to, jakbym się tłumaczył. I tak też się czułem. – Myślałem, że chodziło o...

– Znudziła ci się. Znalazłeś sobie inne kobiety, mniej wymagające. Kupowałeś je za pieniądze Henry'ego. – Umilkła. – Naprawdę chciałeś, żeby umarła. Tak było łatwiej.

– Co za bzdury! Nigdy nie obiecywałem...

– Ależ owszem, obiecałeś.

Straciłem cierpliwość.

– Dobrze, niech ci będzie, obiecałem. – Gniew zbudził mi w skroniach ukłucie migreny. – Ale obiecałem Effie, a nie Marcie. – Zakręciło mi się w głowie od wściekłości i czegoś jeszcze... strachu? – Nienawidzę Marty! – krzyknąłem. Słowa wylewały się ze mnie wartkim strumieniem. – Nie znoszę jej wzroku, nie chcę mieć wrażenia, że ona wszystko widzi, wszystko wie! Effie mi ufała, kiedyś mnie potrzebowała. A Marta nie potrzebuje nikogo. Jest zimna. Zimna jak ryba! Nigdy bym cię nie zostawił, gdyby nie ona. – To była nieomal prawda. Urwałem. Dyszałem ciężko, ból pulsował mi w skroniach. Z trudem uspokoiłem oddech. Śmieszna sytuacja: tracić panowanie nad sobą we śnie? – Nigdy nie układałem się z Martą – oznajmiłem spokojnie.

Jakiś czas siedziała cicho.

– Powinieneś był posłuchać Fanny – stwierdziła w końcu.

– A co tu do czego ma Fanny? – warknąłem.

– Ostrzegała cię, żebyś jej nie wchodził w drogę. Lubiła cię. A teraz już za późno.

Nie śmiej się, ale prawda jest taka, że przez chwilę, gdy patrzyłem w jej oczy pełne smutku, odczułem bojaźliwy żal, ogarnęła mnie rozpacz jak w zimnym piekle Dantego. Zobaczyłem siebie samego spadającego spiralą w mrok, przez całą wieczność. Jak płatek śniegu opadający w studnię bez dna. Bicie serca wydało mi się bardzo słabe, nicość otworzyła pode mną przepastną paszczę i nagle przypomniałem sobie tamtą noc w Oksfordzie, gdy głos zmarłych odezwał się za pośrednictwem okrągłego stolika: „Tak mi zimno".

Tak zimno...

W tamtej chwili przyszło mi do głowy, że pewność, iż śnię, jest cokolwiek niedorzeczna. Marzłem. Czułem zapach absyntu w dłoniach młodej kobiety. Dotykałem blatu stolika, lepkiego od rozlanej brandy. Sen nie może być tak jasny, tak intensywny, tak prawdziwy. Zerwałem się na równe nogi, złapałem ją za rękę. Była zimna. Poznaczona niebieskimi żyłkami marmurowa dłoń.

– Effie... – Musiałem jej powiedzieć coś bardzo ważnego. – Marto, gdzie jest Effie?

Twarz miała bez wyrazu.

– Zabiłeś ją. Zostawiłeś ją w krypcie i tam umarła, tak jak powiedziałeś Henry'emu.

Zadałem niewłaściwe pytanie. A czułem, że mój czas się kończy.

– Więc kim ty jesteś?! – krzyknąłem.

Uśmiechnęła się złowieszczo.

– Doskonale wiesz.

– Nie mam, cholera, bladego pojęcia!

– To się dowiesz – szepnęła.

Obudziłem się w ciemnościach, lepki od potu i obolały. Widzę ten uśmieszek nawet teraz, gdy spadam w niepojętą pustkę świata bez Mose'a Harpera, połyskuje w ucichłych przestworzach na podobieństwo ostrza kosy. *Ni vue, ni connue...* Pomiędzy zaślepieniem, ignorancją i bezwzględnym pędem do unicestwienia każdy by się zakochał.

Rano powiedziano mi, że w grobowcu Isherwoodów na cmentarzu Highgate znaleziono ciało kobiety. Właściwie nie byłem zdziwiony.

64

Chcesz wiedzieć, prawda? Czuję na tobie tę ciekawość jak pot. Jest gorąca i kwaśna. Dobrze więc, powiem. Nie zdradzę ci tylko, gdzie jestem, zresztą i tak mnie nie znajdziesz. Dla ludzi w drodze cały świat wygląda tak samo: farmy, miasta, domki... wszystkie identyczne... Jestem z Cyganami. W zasadzie żyję uczciwie, a bezpieczniej być zawsze w ruchu. Nikt nie zadaje pytań. Tutaj każdy ma swoje tajemnice. Tutaj rządzi magia.

W Londynie łatwo zniknąć. Ludzie przyjeżdżają i odjeżdżają, każdy zajęty własnymi sprawami, nikt nie zwrócił uwagi na starą kobietę z kotami w koszyku, idącą przez śnieg. Wszystko, co miałam, zostawiłam na Crook Street. Pewnie dziewczęta sprzedały, co się dało, gdy pojęły, że nie wrócę. Mam nadzieję, że tak się stało. Pracowałam z dobrymi dziewczynami, odeszłam od nich z przykrością. Co zrobić, takie życie. Zawsze uważałam, że trzeba śmiało iść do przodu, i tak robiłam nawet wtedy, kiedy Marta była całkiem malutka.

Cyganie przyjęli nas bez słowa. Oni wiedzą wszystko o ucieczce i ściganiu. Nawet dali nam wóz i konia. Niektórzy przypomnieli sobie moją matkę. Mówią, że jestem do niej podobna. Sporządzam napoje miłosne i leki na podagrę albo specyfiki na mężne serce i mam więcej przyjaciół, niż tobie dał Kościół i twoje kazania. Dali mi nowe imię, ale jego ci nie zdradzę. To cygańskie imię. Czasami na jarmarkach wróżę z kart tarota, z kryształowej kuli i z zielonej szarfy zarzuconej na lampę. Ale nie każdemu, o nie. Lubię przepowiadać przyszłość dziewczętom, zwłaszcza tym kruchym i delikatnym, o lśniących oczach i policzkach rozpłomienionych niezwykłą nadzieją. Może któregoś dnia znajdę tę szczególną, samotną jak Effie, która nauczy się fruwać i podążać za balonami...

Stale mamy nadzieję, Marta i ja.

– Ostatnim razem tak niewiele brakowało – słyszę głos córki – tak niewiele.

Jesteśmy teraz bliżej siebie niż kiedykolwiek wcześniej. Łączy nas wspomnienie Effie, żal za Effie... bez goryczy, ot, z łagodną melancholią, bo mogło inaczej. Effie, słodka dziewuszka. Kochałyśmy ją. Tak mocno, że chciałyśmy ją zatrzymać na zawsze. I w jakimś sensie z nami została, w naszych sercach. Biedna, dzielna Effie, która pomogła mi sprowadzić Martę.

W zimowe wieczory siaduję w swoim wozie, palę niebieską świecę, a Tyzyfone, Megajra i Alekto układają mi się u stóp przy piecyku. Marta mruczy mi na kolanach, a ja jej śpiewam.

Aux marches du palais...
Aux marches du palais...
'Y a une si belle fille, lonlà...
'Y a une si belle fille...

– Któregoś dnia ją znajdziemy, Marto – obiecuję, gładząc miękkie czarne futro. – Istotę wrażliwą, o jasnych, niewinnych oczach. Samotną dziewczynę, która potrzebuje matki i siostry. Kiedyś ją znajdziemy. Już niedługo.

65

Tak, to była Effie. Poproszono mnie o zidentyfikowanie ciała w kostnicy. Wszyscy byli grzeczni, zachowywali się ze spokojną uprzejmością kata. Czułem, jak z każdym oddechem zaciska mi się pętla na szyi.

Leżała na marmurowym blacie, lekko pochylonym, w rynnie u moich stóp płynął mocny środek dezynfekujący. Cienki strumyczek szemrał w monumentalnej ciszy.

Pokiwałem głową.

– To jest Effie.

– Rozumiem, proszę pana. – Sierżant Merle nadal był niewzruszony, jakbyśmy dyskutowali o sprawie mało istotnej. – Lekarz stwierdził, że ciało znajdowało się w grobie już jakiś czas. Zapewne od wigilii Bożego Narodzenia. Wszystko wskazuje na to, że niska temperatura opóźniła... proces rozkładu.

– Ale ja ją widziałem!

Merle podniósł na mnie spojrzenie bez wyrazu, zbyt kulturalny, by się pokusić o komentarz.

– Widziałem ją ładnych parę dni później!

Cisza.

– Zresztą gdybym wiedział, że ona jest martwa, po co miałbym wam opowiadać, gdzie jej szukać?

– Pan Chester poinformował policję o tym fakcie – rzekł sierżant przepraszającym tonem. – Tak mu nakazywała... odpowiedzialność.

– Henry jest szaleńcem! – rzuciłem. – Nie potrafi odróżnić faktów od wymysłów.

– Rzeczywiście, pan Chester jest w bardzo złej kondycji – przyznał Merle. – Doktor Russell, specjalista od chorób nerwowych, obawia się o stan jego umysłu.

Niech go wszyscy diabli! Przejrzałem zamiary sprycia-rza: skoro wskazał wspólnika i przedstawił opinię znanego lekarza, może nigdy nie stanąć przed sądem! Nie pozwolę całej winy zrzucić na siebie.

– Widzieliście się z Fanny Miller? Ona wam powie prawdę. Zresztą to był jej pomysł, jej plan. A poza tym przyjęła Effie pod swój dach.

– Wysłałem funkcjonariusza na Crook Street. – Znowu ten wyraz pełnego szacunku wyrzutu. – Niestety, budynek, o którym pan wspominał, jest niezamieszkany. Zostawiłem tam wartownika, lecz jak dotąd panna Miller się nie pojawiła. Ani ona, ani nikt inny.

Jakby mnie ktoś uderzył w brzuch.

– Sąsiedzi! – wydyszałem. – Porozmawiajcie z sąsiadami! Pytajcie...

– Nikt sobie nie przypomina młodej damy odpowiadającej rysopisowi pani Chester.

– Ależ oczywiście! Przecież mówiłem, że była przebrana.

Merle tylko patrzył na mnie ze smutnym powątpiewaniem, a ja odruchowo podniosłem rękę do szyi. Niewidoczna pętla zacisnęła się mocniej.

* * *

Resztę tej smętnej opowieści pewnie doskonale znasz. Wszyscy ją znają. Nawet tutaj, wśród więziennej *racaille,* zyskałem niejaką sławę. Hołota nadała mi przydomek Dżentelmen Jack i zwraca się do mnie z szacunkiem należnym potomkowi szlachetnego rodu stojącemu pod szubienicą. Czasami wartownik przemyca mi zatłuszczoną talię kart, wtedy raczę z nim rozegrać kilka partyjek trzykartowego pokera.

Zawsze wygrywam.

Proces odbył się jak należy, muszę przyznać, doceniałem przebieg dramatu. Obrona była przebojowa, lecz została szybko pokonana. Sam mogłem powiedzieć mecenasowi, że powoływanie się na niepoczytalność nie przyniesie pożądanych skutków. Prokurator, stary metodysta o ustach zaciśniętych w wąską linię, z nieskrywaną satysfakcją wyciągnął na światło dzienne wszystkie szczegóły mojej urozmaiconej kariery, w tym kilka epizodów, o których nawet ja sam zdążyłem zapomnieć. Na sali było sporo moich wielbicielek, więc kiedy sędzia włożył czarny kapelusz i drżącym ze starości głosem ogłosił wyrok, zagłuszyły go płacze i szlochy. Kobiety!

I cóż. Dostałem trzytygodniowe odroczenie. W żadną z niedziel nie widziałem księdza, ale w końcu się pojawił. Oznajmił, że nie może znieść myśli, iż grzesznik znajdzie się na szubienicy, nie wyraziwszy skruchy.

– Łatwo temu zapobiec – odpowiedziałem. – Nie wieszajcie mnie!

Nie docenił dowcipu. Oni nie mają poczucia humoru. Otarłszy łzę z kącika kaprawego oka, opowiedział mi wszystko, co wiedział o piekle. A ja myślałem o swoim ostatnim obrazie, który odniósł wielki sukces, „Sodoma i Gomora". Moim zdaniem wiem o piekle dużo więcej niż stary rozpustnik w sutannie. Piekło jest tam, gdzie trafiają niegodziwe kobiety. Powiedziałem ci wcześniej: jestem tak gorącym wielbicielem płci pięknej, że nawet w piekle będę flirtował z jakąś diabliczką. Może będąc tam, w dole, zdołam je porównać z anielicami w sukniach czy habitach, czy co one tam noszą, i znaleźć odpowiedź na odwieczne pytanie teologiczne.

Widzę, że jesteś wstrząśnięty, ojcze, ale pamiętaj, gdyby nie było grzeszników w piekle, nie byłoby rozrywki dla gawiedzi na galerii. A ja zawsze mówiłem, że powinienem występować na scenie. Dlatego odłóż te paciorki i wypij kropelkę czegoś na rozgrzewkę. Za pieniądze można dostać wszystko. Rozegrajmy partyjkę pokera. A potem, kiedy wyjdziesz, powiedz im, że zrobiłeś, co do ciebie należało. Przekaż ode mnie całusy dziewczętom i powiedz im, że spotkamy się na tańcach. Nie ma rady, muszę dbać o reputację.

Czasem tylko, obudziwszy się przed świtem, zachodzę w głowę, jak Fanny i jej córka to zrobiły. Gdy sekundy nieubłaganie spadają w nicość, prawie zaczynam wierzyć w sny i wizje... w lunatyczki o lodowatych palcach, spragnionych ustach i stęsknionym sercu. W mściwe umarłe dzieci... W miłość silniejszą niż śmierć, sięgającą poza grób.

Na sennej granicy brzasku pojawia się obraz. Zawsze byłem dobry w obrazach, jeśli tylko akurat wytrzeźwiałem. Ten dostrzegam dość wyraźnie, wystarczy, że zmrużę oczy. Widzę matkę, która kochała córkę tak bardzo, że umarłą sprowadziła do ciała innego dziewczęcia, smutnego i samotnego, szukającego miłości. Matczyne uczucie jest tak silne, że córka przybyła przez mrok śmierci, wypatrując szansy na ponowne życie. Ach tak, o tym pragnieniu wiem teraz wszystko. Obie razem, nieszczęśliwa blada i zlodowaciała ciemna, stworzyły jedną kobietę, o ciele żywej, umysłach obu i doświadczeniu przekraczającym ludzkie wyobrażenie.

Nocą, gdy takie rzeczy wydają się możliwe, uważam za bardzo prawdopodobne, że ta kobieta wciąż spaceruje po bruku rozświetlonym księżycowym blaskiem, choć jej ciało leży w mogile. Tęskni, pragnie, jest zimna... i bardzo silna – jeśli tylko zechce, może przejść przez drzwi i ściany, może pokonać każdą odległość, by dręczyć swoich morderców czarnym koszmarem, wpędzić ich w szaleństwo. Może prząść historie o zbrodniczym czynie albo malować obrazy otchłani... ale zawsze za wściekłością i gniewem będzie tęsknota oraz powleczone chłodem desperackie pragnienie.

Zmarli nie wybaczają.

Jest pewna logika w tym toku rozumowania, a także osobliwa pogańska poezja. Chociaż na studiach nie przykładałem większej wagi do edukacji klasycznej, to i owo jednak pamiętam. Owszem, czytałem Ajschylosa i wiem, skąd Fanny zaczerpnęła imiona dla kotów. I przez tę wiedzę jestem o krok od wiary w anioły, demony, Erynie... Eumenidy...

O krok.

Naprawdę muszę dbać o reputację.

ŚMIERĆ

Epilog

Rękopis z majątku Henry'ego Paula Chestera

styczeń 1881

Czarny anioł się zbliża, a ja spoglądam w niebo oparte na sinej katarakcie świtu.

Czas.

Dreszcz strachu targa moim bolącym kręgosłupem. Tik, który zmroził mi pół twarzy, odzywa się ponownie. Jest zajadły, jakbym miał w oczodole rozwścieczone zwierzę wygryzające sobie drogę na powierzchnię skóry. Ostatnia karta w tym rozdaniu to Śmierć. Wiedziałem o tym od początku, ale choć swoboda w klatce piersiowej oznacza ulgę, mój mózg, głupia tkanka, buntuje się przeciwko unicestwieniu, wrzeszcząc wniebogłosy: Nie, nie, nie! Wieko nocy unosi się powoli, oko Boga pod nim jest puste – niebieska tęczówka i nastrój grozy.

Opowieść się skończyła. Nie jestem Szeherezadą, nie umknę o świcie przed głodnymi wilkami. Mój wilk tkwi za kością policzkową, przyczajony w czaszce. Budzi się.

Głodny.

Czarny anioł sięga po kosę. Ostatnią myślą będę przy Marcie: mojej koronie cierniowej, księżniczce pucharów, cykucie i chloralu, wyśnionym dziecku i kacie, wiedźmie i pospolitej kurtyzanie. Blade światło pada na zakrzywione ostrze. Podnieś je, Kolombino, odbierz mi życie, zabierz słowa. Powiedz mi tylko: Kochałaś, Szeherezado? Chociaż raz kochałaś?

Cisza.

Wyobraź sobie martwy liść spadający w bezdenną studnię.

Wyobraź go sobie.

Przez chwilę.

Podziękowania

Chcę wyrazić wdzięczność ludziom, którzy mi pomogli przebudzić tę powieść z uśpienia. Przede wszystkim Christopherowi, który zawsze darzył ją sympatią, ale na serdeczne podziękowania zasługuje spora grupa osób. Są wśród nich Serafina, Howard i Brie, a także mój ulubiony wydawca – Francesca oraz przyjaciele z Transworld. Są agenci, hurtownicy i księgarze, bo dzięki nim efekt mojej pracy trafia na półki. No i w końcu – fani, czytelnicy innych moich książek, którzy do mnie pisali, naciskali, nalegali, domagali się i żądali wznowienia tego tytułu.

Spis rzeczy

Od autorki 7

Prolog 9
Pustelnik 11
Gwiazda 29
Dziewiątka mieczy 41
Giermek denarów 57
Najwyższa Kapłanka 105
Księżyc 145
Koło Fortuny 185
As mieczy 251
Dwójka pucharów 293
Wisielec 377
Śmierć 395
Epilog 397
Podziękowania 399